Y0-AAF-650

GRAMÁTICA
DE LA
LENGUA CASTELLANA

Estudio y edición de Antonio Quilis

EDITORA NACIONAL, Madrid (España)
ISBN: 84-276-0535-8
Depósito legal: M. 1.879-1981
Compuesto en Fernández Ciudad, S. L.
Impreso en Hijos de E. Minuesa, S. L.
Ronda de Toledo, 24 - Madrid-5

CLÁSICOS PARA UNA BIBLIOTECA CONTEMPORÁNEA
Literatura

ANTONIO DE NEBRIJA

GRAMÁTICA DE LA LENGUA CASTELLANA

Estudio y edición
Antonio Quilis

EDITORA NACIONAL
Torregalindo, 10
MADRID-16

ESTUDIO

I

BIOGRAFÍA DE ANTONIO DE NEBRIJA

BIOGRAFÍA

Antonio de Nebrija nació en la antigua Nebrissa Veneria, llamada hoy Lebrija, en la provincia de Sevilla, a 72 kilómetros de la capital, río Guadalquivir abajo, cerca de su margen izquierda, y casi limitando con la provincia de Cádiz. Sus padres, pertenecientes a la clase media, fueron: Juan Martínez de Cala e Hinojosa y Catalina de Xarana y Ojo [1]. Fue el segundo de cinco hijos: tres hermanos y dos hermanas.

No está muy claro el año de su nacimiento. En la dedicatoria de su *Vocabulario español-latino* dice: «Mas aunque se me allega ia el año de cincuenta y uno de mi edad, porque nací un año antes que en tiempo del Rey Don Juan el Segundo, fue la próspera batalla de Olmedo» [2]. Esta batalla tuvo lugar en 1445; según este dato, nació en 1444. Si la publicación del *Vocabulario* se realiza en 1495, la fecha de su nacimiento es la anteriormente indicada. Pero en la misma obra dice: «Assí que en edad de diez y nueve años io fue a Italia», y un poco más adelante: «Mas después que allí gasté diez años» [3]. Después estuvo tres, según él mismo dice [4], con don Alonso de Fonseca, arzobispo de Sevilla, cuya muerte acaeció al tercer año

1 Para sus datos biográficos, véase la dedicatoria a Don Juan de Zúñiga que él mismo pone en su *Vocabulario Español-Latino* y la obra de Olmedo, *1942.*

2 Nebrija, *VEL,* fol. a. iii., v.

3 Nebrija, *VEL,* fol. a. ii., v.

4 Nebrija, *VEL,* fol. a. ii., v.

de estar Nebrija a su servicio, en 1473. Si las cuentas son veraces, en esta última fecha, Nebrija tenía treinta y dos años, dato que induce a retrasar la fecha de su nacimiento a 1441. Sin embargo, González Llubera *(1926,* XVIII-XIX) señala el año de 1444 como el del nacimiento de nuestro gramático. El trabajo de José Bellido *(1945)* proporciona datos y razonamientos poco convincentes para fijar la fecha de su nacimiento en 1444.

Pasa su niñez en su tierra natal, a la que dedicará años más tarde la deliciosa poesía *Salve, parva domus* [5], que solía imprimirse al principio de las *Introducciones latinas.* Recordando aquel entorno romano lleno de lápidas en las que figuran los nombres de Elios y Elianos —nos dice en su obra anteriormente citada— es como se añade el prenomen de Aelius al suyo de pila.

«Y dexando agora los años de mi niñez passados en mi tierra debaxo de bachilleres y maestros de grammática y lógica; dexando aquellos cinco años que en Salamanca oí en las Mathemáticas a Apolonio, en la Filosofía natural a Pascual de Aranda, en la Moral a Pedro de Osma, maestros cada uno de su arte muy señalado; luego que me pareció que según mi edad sabía alguna cosa, sospeché lo que era y lo que el Apóstol San Pablo liberal mente confessó de sí mesmo, que aquellos varones, aunque no en el saber, en el dezir sabían poco. Assí, que en edad de diez y nueve años io fue a Italia, no por la causa que otros van, o para ganar rentas de iglesia, o para traer fórmulas de Derecho civil y canónico, o para trocar mercaderías, mas para que por la ley de la tornada, después de luengo tiempo restituiesse en la possessión de su tierra perdida los autores del latín, que estavan ia, muchos siglos avía, desterrados de España» [6]. En Italia es becario del colegio español de San Clemente, en la Universidad de Bolonia. Su deseo, él mismo lo dice, como hemos visto, es aprender nuevas cosas de los grandes maestros del Humanismo, cuya sede era a la sazón Italia, y poder introducir nuevos métodos en las Universidades españolas.

«Mas después que allí gasté diez años [7] en los deprender, pensando ia en la tornada, fue conbidado por letras del mui reverendo y assí sabio varón, Don Alonso de Fonseca, Arzobispo de Sevilla, el cual, la primera vez que me vió y mandó que fuesse suio ... todos aquellos tres años que gozé de su familiaridad ninguna otra cosa hize sino reconocer toda mi gente, y por exercicio apercebirme para ense-

[5] Su edición y traducción puede verse en Olmedo, *1942,* 221-225. Sólo la versión latina, en *Miscelánea Nebrija, I,* 14-15.

[6] Nebrija, *VEL,* fol. a. ii., v.

[7] Según los cálculos de González Llubera *(1926,* XX), Nebrija no estuvo diez años en Italia, sino siete, desde 1463 hasta 1470.

ñar la lengua latina, como si divinara que con todos bárbaros se me aparejava alguna grande contención» [8]. En este tiempo fue preceptor del sobrino del arzobispo Fonseca, don Juan Rodríguez de Fonseca, quien luego sería obispo de Badajoz, Córdoba, Palencia y Burgos, sucesivamente.

Hagamos en este punto un alto en la biografía de Nebrija.

Francisco Rico, en su interesante obra *Nebrija frente a los bárbaros,* expone cómo en Italia Lorenzo Valla emprende una lucha titánica contra los que habían provocado la degeneración de la lengua latina. Según Rico *(1978,* 22): «En la *Epístola apologética* a Joan Serra..., Valla apuntaba inequívocamente el arranque y la finalidad de su labor intelectual al acentuar la importancia de los *Elegantiarum linguae latinae libri VI* no difundidos todavía: 'Dico et, si fas est, omni maledicorum turba audiente proclamo semper libros meos, quos dixi, melius mereri de lingua latina quam omnes qui sexcentis iam annis vel de grammatica vel de rhetorica vel de logica vel de iure civili atque canonico vel de verborum significatione scripserunt.' No menos seguro, afectaba escandalizarse de enumerar a los salvajes que en esos seiscientos años habían corrompido las facultades que las *Elegantiae* iban a restaurar. 'Pudet hos nominare: Franciscum Butum, Gerardum, Martinum, qui de modis significandi volumina evomuit; Alexandrum, qui praecepta latina a Prisciano sumens barbaris versibus enuntiavit et de suo multum erroris adiecit; Alanum, Venturium, Petrum a Vineis, Uguiccionem, *Catholiconem,* Aimonem, Azzonem, Dionysium, Travetam, Benvenutum monachum...'»

Nebrija se encuentra en España ante el mismo panorama: la barbarie de mediocres maestros había corrompido el latín, y era preciso luchar por restablecerlo en su pureza: «nunca dexé de pensar alguna manera por donde pudiesse desbaratar la barbaria por todas las partes de España tan ancha y luenga mente derramada. Y luego se me ofreció el consejo de que S. Pedro y S. Pablo, príncipes de los Apóstoles usaron para desarraigar la gentilidad e introduzir la religión cristiana. Porque assí como aquéllos para echar los cimientos de la iglesia no acometieron unos pueblos escuros y no conocidos, como suelen hazer los autores de alguna seta falsa, mas el uno dellos a Athenas y entrambos a Antiochia, ciudades en aquel tiempo mui nombradas en el estudio de las letras, y, después, el uno y el otro a Roma, la reina y señora de todo el mundo. Assí, io, para desarraigar la barbaria de los ombres de nuestra nación no comencé por otra parte

[8] Nebrija, *VEL,* fol. a. ii., v.

sino por el estudio de Salamanca, el qual, como una fortaleza, tomado por combate, no dudava io que todos los otros pueblos de España vernían luego a se rendir» [9]. El 4 de julio de 1475 firma un contrato, como lector de la Universidad, por cinco años; se compromete a leer dos lecciones diarias, una de Elocuencia y otra de Poesía. El 9 de enero de 1476 se opone a la Cátedra de prima de Gramática, que había quedado vacante; el 22 de enero toma posesión de ella.

Llega a su cátedra y, como dice Rico *(1978,* 40), «no había problema en fijar que '[auctores] imitandos' convenían a los estudiantes. Otro cantar era qué 'auctores ediscendos' proponerles», pues ninguno se ajustaba a sus ideas ni a sus métodos. Por eso, se dedica en aquellos años a escribir sus *Introductiones latinae,* que imprime en Salamanca en 1481 [10]. Era su primera publicación. Esta obra marca una época en la historia del humanismo español. Se editan mil ejemplares, que pronto se agotan. Al año siguiente, se publica la segunda edición [11]. El libro es un éxito; se convierte en el texto utilizado en la enseñanza de la lengua latina, a la par que intenta demostrar que la barbarie imperante entonces en todas las ciencias puede combatirse con el arma de la gramática. Ya en la dedicatoria de la primera edición de las *Introductiones* dice al cardenal Mendoza: «si con tu favor logro vencer a los enemigos de la lengua latina, a los cuales declaro la guerra con este libro, te ofreceré agradecido las décimas del botín».

En 1485 lee su primera *Repetitio,* y en junio de 1486 la *Repetitio secunda, de corruptis Hispanorum ignorantia quarumdam litterarum vocibus,* dedicada a la reforma de la pronunciación del latín.

Por este tiempo —se ignora la fecha [12]— se casa con doña Isabel Montesino de Solís, perteneciente a una familia salmantina. De este matrimonio nacieron seis hijos.

Es también en esta época cuando Nebrija conoce al entonces obispo de Avila, fray Hernando de Talavera, que tanto le ayudó en su carrera [13]. Hacia 1485, éste expone a Nebrija el deseo de la reina Isabel de que editase las *Introductiones* con una traducción en español. Fueron sus *Introduciones latinas ... contrapuesto el romance al*

---

[9] Nebrija, *VEL,* fol. a. iii., r.

[10] Según Haebler, *The early printers of Spain and Portugal,* London, 1897, pág. 24 y sgs., Nebrija fue probablemente el responsable de la introducción de la imprenta en Salamanca. Citado por González Llubera (*1926,* XXIII).

[11] *Introductiones latinae,* Salamanca, 1482.

[12] Olmedo (*1942,* 26) asegura que fue antes de 1487.

[13] Aprovechando la estancia en Salamanca de los Reyes Católicos durante el invierno de 1486, de regreso de una peregrinación a Santiago, Fray Hernando pidió a Nebrija que compusiera algún poema sobre la mencionada peregrinación, y así lo hizo, dando a conocer la poesía titulada *Ferdinandi ac Helisabethae Hispaniae regum clarissimorum profectio ad D. Iacobum.*

Aelius Antonius lebrixeñ. Petro Men
dozae. S. R. E. Cardinali hispano. P
M. Salutē. Credo ego Pater claemē
tissime atq; optime non defuturos qui
me temeritatis et impudentiae accu
sent: quod rem ab antiquis et iuniori
bus grāmaticis detritam: et in qua sū
ma atq; infima hominuz ingenia suda
runt ausus sim quasi nouum aliquod
inuentum praeclarissimo tuo nomini
dedicare. Quibus in frōte mei operis
licentiore epistola uellē respondere: ni
si haec mea disputatio te iudice haben
da esset: quippe quem intelligā pro ma
gnitudine animi atq; ingenii praestan
tantia nō multis admodū delectari. I
taq; respōdebo licuisse mihi in hoc ope
re conficiendo: quod caeteris huius ar
tis scriptoribus: qui usq; eo uestigiis ā
tiquorum institerunt: ut quod est in pro
uerbio neq; unguem transuersuz ab il
lis declinauerint. Ego uero ex quo tē
pore coepi artem grāmaticam profite
ri nunquam cessaui cogitare quos au
ctores ediscendos imitādosq; adulescē
tibus meis proponerē. Cumq; grāma
tice Quintiliano auctore duas habeat
partes: alteram praecipiendi quae me
thodice: alterā imitādi quae historice
appellatur: In hac secunda infiniti pro
pe auctores se mihi offerebant. In illa
altera plures quoq; sed nō quos possēt
ingenia nostri saeculi perspicere pue
rorum maxime quibus haec doctrina
parata est. Nam cum illo saeculo pri
us latine scirent quaz latini sermonis
artificium ediscerent: nihil erat tā diffi
cile quod non percipi etiam a rudibus
litterarum posset. Nos uero qui pluri
mum a sermone latino desciuimus: no
ua quadaz ratione fuimus inducendi:
quam multi superiori aetate multi eti
am nostra sunt aggresi. qui cum se in
principio suorum operum rudimenta
pueris exhibituros polliceantur post
pauculos uersus in eum confusionis la
byrinthum incidunt: unde nec ipsi se
facile extricare possint. Alii uero ita a
uulgari illa precipiēdi uia discesserūt:
duz uolunt uideri faciles et breuitatis
studiosi ut aliud quiddam quam quod
agunt agere uideantur Itaq; nos sus
cepta illorum persona quos instituere
profitemur: nihil scripsimus quod nō
illa aetas capere possit: nihil omisimus
ex iis quae ad introductiones latinas
pertinent: quod non huic operi sit inser
tum: nisi forte prima litterarum incu
nabula quae aliunde mutuanda sunt.
Causa uero lucubrationes meas tibi
dedicandi Pater amplissime fuit ius
tissima. Nam cum sis in gente hac nos
tra nō modo sacrorum antistes uerū
etiaz oīuz bonarū artium preses et pe
culiares quaedam tutela: spero me ex
hac libelli mei dedicatione tantuz fauo
ris assequuturum: ut si album lapilluz
secundū me adieceris existimem inui
dos et detractores meos non posse cō
spectum meum sustinere. Recte igitur
quasi spicarum culmos cereri atq; uuas
precoces libero patri āplitudini tuae
foeturam nostri laboris et fruguz pri
mitias dedicauimus. Quod si mihi ex
tuo nutu dabitur latine linguae hostes
superare: quibus in aeditione huius op
is bellum indix quaz herculi maiores
nostri expeditionez suscepturi ex ma
nubiis praede hostilis tibi decimas per
soluemus. Quare iam finem faciam:
ne oratio crescens in caput operis bre
uitati et āplissime dignationi tue sit
onerosa. Vale.

Introductiones latinae (Salamanca, 1481)

latín [Salamanca, ca. 1486]. En ellas, puede leerse el motivo de hacer esta traducción: «a lo menos se siguirá aquel conocido provecho que de parte de vuestra Real Majestad me dixo el muy Reverendo Padre y Señor, el Obispo de Avila: que no por otra causa me mandava hazer esta obra en latín y romance, sino por que las mugeres religiosas y vírgenes dedicadas a Dios, sin participación de varones pudiessen conocer algo de la lengua latina» [14].

Sigue enseñando en Salamanca. A sus clases acudían numerosos y selectos estudiantes. Él se siente orgulloso de la labor emprendida y del fruto que va recogiendo. Así nos lo dice en la dedicatoria del *Diccionario latino-español:* «Por que hablando sin sobervia fue aquella mi dotrina tan notable que aun por testimonio de los embidiosos y confessión de mis enemigos todo aquello se me otorga, que io fue el primero que abrí tienda de la lengua latina, y osé poner pendón para nuevos preceptos, como dice aquel oraciano Catio. Y que ia casi del todo punto desarraigué de toda España los Dotrinales, los Pedros Elías, y otros nombres aún más duros, los Galteros, los Ebrardos, Pastranas y otros no sé qué apostizos y contrahechos grammáticos no merecedores de ser nombrados. Y que si cerca de los hombres de nuestra nación alguna cosa se halla de latín, todo aquello se a de referir a mí» [15]. Se hace patente en estas palabras el éxito que iba obteniendo en su lucha contra la barbarie latinista imperante en España entonces. Pero él debió pensar que su labor en las aulas salmantinas no tenía un alcance demasiado amplio, y que su actividad podría dirigirla hacia otra vertiente, de tal modo que pudiese influir en el mayor número posible de personas. De este modo, dice en su *Diccionario latino-español:* «Es por cierto tan grande el galardón de este mi trabajo, que en este género de letras, otro maior no se puede pensar; mas toda aquella mi industria de enseñar estava dentro de mui estrechos términos apretada. Porque como gastase casi todo mi tiempo en declarar los autores ocupado cada día cinco o seis oras en cosa no menos dificile que enojosa, quiero decir la verdad, que no era todo aquel negocio de tanto valor que oviesse de emplear tan buenas oras en cosa que parecía tocar al provecho de pocos, siendo por aventura nacido con maior fortuna y para obras maiores y que fuessen a los nuestros mucho más provechosas» [16]. Pero tropieza con el problema económico: vive sólo del sueldo de la Universidad, que, por tanto, no puede dejar. La solución se la brinda don Juan de Zúñiga, Maestre de la Orden de Alcántara, y luego Cardenal-Arzobispo

[14] Fol. a. ii., r., col. 2.
[15] Nebrija, *DLE,* fol. a. i. r., col. 2.
[16] Nebrija, *DLE,* fol. a. i. r. y v. cols. 2.

de Sevilla, que, además, había sido discípulo de Nebrija. Entra al servicio de don Juan de Zúñiga [17], dejando su Cátedra de la Universidad de Salamanca al final del curso del año 1487, después de doce años de ejercicio [18]. El tiempo pasado en la casa de Zúñiga es sumamente productivo para Nebrija: escribe y publica el *Diccionario latino-español* (1492) y el *Vocabulario español-latino* (ca. 1495), la *Gramática de la lengua castellana* (1492), la *Muestra de Antigüedades,* la *Tabla de la diversidad de los días* (1499), etc., sabemos que enseñó en la misma casa de don Juan de Zúñiga y públicamente en Santa María de la Granada [19], y aún le sobraba tiempo para componer en latín el *Epitalamio,* que él mismo leyó en la boda del príncipe don Alonso de Portugal, con la infanta Isabel, primogénita de los Reyes Católicos [20].

Mientras tanto, el cardenal Cisneros había ido pergeñando la fundación de la Universidad de Alcalá y la edición de la Biblia poliglota. En 1499 el papa Alejandro VI otorga una bula creando, a petición del cardenal Cisneros, el Colegio de San Ildefonso; se pone su primera piedra en 1500. Nebrija, interesado en el proyecto de la Biblia, pasa a formar parte del equipo que trabajaba en ella, integrado por los maestros Alonso de Zamora, Pablo Coronel y Alonso de Alcalá, hebraístas; Hernán Núñez de Toledo, helenista; Lorenzo Balbo de Lillo, el bachiller Diego López de Estúñiga, etc. Comenzaron

---

17 «Como ia no estuviesse en mi mano dexar la vida començada, porque después de casado y avidos hijos avía perdido la renta de la Iglesia, ni pudiesse ia bivir de otra parte sino de aquel escolástico salario, vuestra mui magnífica Señoría lo remedió todo con las muchas y mui magníficas mercedes, dando me ocio y sossiego de mi vida». Nebrija, *VEL,* fol. a. iii., r., col. 1.

18 «Donde teniendo io dos cáthedras públicamente salariadas, lo cual antes de mí aún ninguno alcançó cuanto provecho, hize doze años leiendo». Nebrija, *VEL,* fol. a. iii., r., col. 1.

19 Véase, Olmedo *(1942,* 31).

20 Él mismo nos da cuenta de su actividad cuando en el prólogo con dedicatoria a Don Juan de Zúñiga en su *Vocabulario español-latino* nos dice: «Y por que toda la cuenta destos siete años despues que comencé a ser vuestro vos sea manifiesta, hecimos cuatro obras diversas en una mesma obra. La primera, en que todas las palabras latinas y griegas, mezcladas en el latín breve y apretada mente bolvimos en castellano, la cual obra dediqué a V. M. S., assí como unas primicias deste mi trabajo. La segunda que agora esso mesmo intitulo de vuestro mui claro nombre, en el cual, por el contrario, con igual brevedad, bolvimos en el latín las palabras castellanas. La tercera, en que ponemos todas las partes de la grammática con la declaración de cada palabra, obra repartida en tres mui grandes volúmenes. La cuarta, esso mesmo repartida en otros tantos volúmenes, en la cual interpretamos las palabras del romance y las bárbaras hechas ia castellanas, añadiendo una breve declaración en cada una. Añadimos tan bien la quinta obra en que apretamos debaxo de reglas y preceptos la lengua castellana que andava suelta de las leies del arte. La cual dedicamos a la más esclarecida de todas las hembras, y assi de los varones, la Reina, nuestra Señora. No quiero agora contar entre mis obras el Arte de la Gramática que me mandó hazer su Alteza contraponiendo renglón por renglón el romance al latín, porque aquél fue trabajo de pocos días, y por que más usé allí de oficio de intérprete que de autor. Y si añadiere a estas obras los commentos de la grammática, que por vuestro mandado tengo començados, todo el negocio de la grammática será acabado».

los trabajos preparatorios en el 1502, y Nebrija se dedica con gran entusiasmo a este proyecto.

En 1503, a la muerte del maestro Gomiel, catedrático de Prima de Gramática, la Universidad de Salamanca escribe a Nebrija para que firme la oposición de esta Cátedra. La gana, pero no se incorpora a ella. Renuncia y se sigue dedicando al trabajo de la Biblia poliglota. Este hecho coincide también con el nombramiento de don Juan de Zúñiga como cardenal de Sevilla, y, posiblemente, también influyese en la actitud de Nebrija el deseo del nuevo prelado de que el filólogo sevillano no se separase de él en estos momentos.

Nebrija pensaba que debía aplicarse un criterio filológico en la edición de la Biblia latina, que él tenía encomendada: era necesaria una revisión del texto de la Vulgata para fijar el texto de la nueva edición. La actitud de Nebrija chocaba con la de los teólogos del equipo, quienes sostenían que no se debían modificar los textos. Estos convencen a Cisneros, y Nebrija se retira del equipo.

Años después, en la *Epístola a Cisneros*[21], explica al cardenal el motivo de su decisión: «Cuando vine de Salamanca, yo dejé allí publicado que venía a Alcalá para entender en la emendación del Latín, que está común mente corrompido en todas las Biblias latinas, cotejándolo con el hebraico, caldaico y griego. Y que agora, si alguna cosa o falta en ello se hallasse, que todos cargarían a mí la culpa, y dirían que aquella ignorancia era mía, pues que dava tan mala cuenta del cargo que me era mandado. Entonces V.S. me dijo que hiziese aquello mesmo que a los otros avía mandado: que no hiziesse mudanza alguna de lo que común mente se halla en los Libros antiguos; mas que si sobre ello a mí otra cosa pareciesse, que devía escribir algo para fundamento y prueva de mi intención.»

En 1504, muere don Juan de Zúñiga, y el 2 de mayo de 1505, toma nuevamente posesión de la Cátedra de Salamanca, tras oponerse a ella[22].

En 1503, publica en Salamanca su *De Vi ac Potestate Litterarum*[23], que es una ampliación de la *Repetitio secunda.* También publica este año, en Sevilla, su *Persius.* Ambas obras estaban dedicadas a don Juan de Zúñiga.

Ya en Salamanca, lee el 30 de junio de 1506 su *Repetitio tertia: De peregrinum dictionum accentu.* En este mismo año de 1506, publica también el *Lexicon Iuris Civilis.* Al año siguiente, lee la *Re-*

---

21 Publicada en la *Revista de Archivos,* 3.ª época, VIII, 1903, 493-496.

22 Era la misma Cátedra de Prima de Gramática que había dejado hacía unos meses. A su renuncia, la obtuvo un joven Maestro llamado Pedro de Espinosa, que, muerto prematuramente, volvió a dejar vacante.

23 Cuya traducción y edición publicaremos en breve.

petitio quarta: De Litteris Hebraicis. Descuida sus clases de la Universidad de Salamanca. Cuando comienza el curso 1508-9 está ausente de la Cátedra más de cuatro meses. La Universidad la declara vacante el 19 de febrero de 1509. El rey, para consolarle y compensarle económicamente, le nombra su cronista.

El 31 de agosto del mismo año de 1509 se opone a la Cátedra de Retórica de la Universidad, y como no se presentó ningún otro opositor el claustro se la dio a Nebrija el 3 de octubre de 1509.

En la Universidad, el ambiente le es cada vez más hostil. Él había aparejado una «gran contención» contra los bárbaros; decía en la dedicatoria a la Reina Católica en las *Introducciones latinas:* «A todos los maestros que tienen hábito y profesión de letras, los provoco y desafío, y desde agora les desnuncio guerra a sangre y fuego, por que entre tanto se aperciban de razones y argumentos contra mí.» Su lucha fue implacable desde el primer momento. Al principio, no hacían caso de un pobre gramático aquellos sapientísimos maestros de Teología, de Derecho Civil y Pontificio, de Filosofía, de Medicina. «Mas —como dice Olmedo *(1942,* 39-40)— cuando vieron que el gramático se metía por todas partes, no como tránsfuga, sino como explorador y centinela, para ver lo que hacía cada uno en su facultad, diciendo que la suya, aunque ínfima, tenía jurisdicción sobre todas las demás en lo tocante a la lengua, que es el instrumento de todas; cuando vieron que, efectivamente, sin salir de su profesión, probaba que los juristas no entendían sus Códigos y Digestos, que los teólogos interpretaban a su antojo algunos pasajes de la Escritura y que los médicos no podían manejar las obras de Plinio y Cornelio Celso, no pudieron menos que reconocer que la Gramática era un arma terrible en manos de aquel hombre, y procuraron, ya que Nebrija había declarado la guerra a todos los maestros, que saliesen contra él primero los de Gramática... Vencidos los gramáticos, arremetió Nebrija contra los teólogos; pero el Inquisidor Deza le detuvo, y le hizo entregar los cincuenta lugares de Sagrada Escritura que tenía preparados contra ellos. Contra los juristas disparó el *Lexicon Iuris;* contra los médicos, el de medicina; contra los historiadores, los cinco libros de las *Antigüedades de España.*» Podemos imaginarnos, pues, cuál era el ambiente de la Universidad contra Nebrija, aunque también tenía defensores a ultranza.

La *Relectio nona de accentu latino aut latinitate donato, quam habuit Salmanticae III idus iunias anno M.D.XIII.* fue el último acto académico de Nebrija en Salamanca.

A principios de abril de 1513 muere el maestro Tizón, gramático, catedrático de Prima de Gramática, primero enemigo y luego amigo y devotísimo admirador de Nebrija. A esta Cátedra se opusieron tres personas: Herrera el Viejo, un joven llamado García del Castillo y Nebrija. Este último debía ambicionar esta Cátedra porque era de más categoría que la suya, porque en ella, Tizón había explicado el *Arte* de Nebrija o porque tenía mejor dotación económica y, a la postre, quedaba mejor jubilación. Inexplicablemente, el recién graduado García del Castillo obtuvo más votos del claustro que los otros dos, y se le otorgó la Cátedra. Esto ocurría a mediados de julio de 1513. Nebrija abandonó Salamanca con harto dolor y desengaño.

De Salamanca se traslada a Sevilla, donde regentó aquel año la Cátedra de San Miguel.

En 1514, cuando contaba ya setenta años, se presenta al cardenal Cisneros, quien le concede la Cátedra de Retórica de la nueva Universidad de Alcalá de Henares, con el privilegio de que «leyese lo que él quisiese, y si no quisiese leer, que no leyese; y que esto no lo mandaba dar porque trabajase, sino por pagarle lo que le debía España» [24].

Entre otras obras, publica Nebrija las *Reglas de Orthographia en la lengua castellana,* Alcalá, 1517. También añade algunas cosas para la última edición de las *Introductiones* (Alcalá, 1523), que no vio publicadas.

El maestro Elio Antonio de Nebrija murió en Alcalá de Henares el día 2 de julio de 1522.

---

[24] *Elogio,* pág. 22. Citado por Olmedo, *1942,* 54.

II

LABOR CIENTÍFICA DE ANTONIO DE NEBRIJA

2.0. La labor científica de Antonio de Nebrija

La empresa científica que acomete en solitario Antonio de Nebrija en los finales del siglo xv y principios del xvi es paralela a la que en otros dominios se llevan a cabo en la misma época. Trabajador incansable y ferviente patriota, aspira por todos los medios a encauzar por nuevos derroteros la ciencia española de su época, que por falta de estudios serios había caído en una rutina, de la que no podía salir, con la consiguiente degeneración de sus contenidos. Nebrija pretende inyectar savia nueva, revisar todo lo que se había escrito o dicho y sentar los principios de un nuevo quehacer.

Como dice Piccardo *(1949,* 92), «Nebrija, al incorporarse, según vimos, a la corriente de la mejor tradición latina, se aparta de la actitud escolástica. Y si bien por un lado paga tributo a la autoridad de los viejos libros, por otro aprende a escrutar la realidad del idioma y a cimentar su trabajo en principios científicos. Él opera sobre un material inexplorado y ello lo obliga de continuo a tener delante ese material. La realidad idiomática se le ofrece virgen para el descubrimiento, y nada de insólito, pues, que éste lo atraiga más que los sistemas. Faltará en su obra —y yo pienso que no es de lamentar— la anhelada simetría que buscaron los escolásticos, pero se palpará siempre la aguda observación de los hechos, que es el elemento esencial para el valor y la perdurabilidad de un libro de los de su clase.»

2.1. Las ideas gramaticales de Nebrija

Cuando Nebrija escribe sus obras gramaticales no parte de cero. Cuenta con la rica tradición grecolatina, que, en su caso, se circunscribe principalmente a tres gramáticos latinos, que parecen ser su fuente más directa: Prisciano, Diomedes y Donato, sin olvidar a Quintiliano, al que, a veces, llama «nuestro» [1]. De ellos toma la base teórica y sobre ésta elabora su doctrina. Pero no hay que pensar que acata cuanto dicen sus predecesores latinos, o que la versión gramatical española es una mera traducción de la latina, no. Incluso en latín, tiene su propia concepción lingüística que le lleva a discrepar a veces de las fuentes, como cuando en las *Introductiones latinae* (fol. L) hace constar, en la misma glosa, su disconformidad con la definición de las personas gramaticales de Prisciano [2], o le lleva a sentar doctrina, cuando, a través de sus obras latinas principalmente, establece la pronunciación del latín clásico, o la articulación del acento, etc. En lo que se refiere al español, es, sin lugar a dudas, el primer engarce de las piezas de nuestra gramática, que andaban sueltas y fuera de regla, como más adelante veremos.

2.1.1. *Definición de la gramática*

Nebrija, como hemos visto a lo largo de su vida, siguiendo una vieja idea de los mismos estoicos, recogida luego por algunos gramáticos latinos [3], considera la gramática como base de toda ciencia y como guía de la verdad. En sus obras encontramos dos definiciones distintas. Una, en la *Gramática,* considerándola como «arte de las letras» (fol. 4.r.); otra, en las *Introductiones,* donde al principio de los erotemas dice: «Quid est grammatica? Scientia recte loquendi recteque scribendi ex doctissimorum virorum usu atque auctoritate collecta.» Y continúa: «Unde dicitur grammatica? A grammatis, hoc est, a literis, quasi scientia literaria» (Lib. III, 1). En estas definiciones se plasman dos criterios distintos: por un lado, el de la τέχνη γραμματική, es decir, la ciencia que tiene como base el conocimiento de las letras (γράμματα) y lo que ellas representan. De ahí derivan

1 Véanse sus obras en la *Bibliografía.* A las mencionadas ediciones de Keil referimos nuestras citas o referencias.

2 *Institutionum,* p. 577 y sigs.

3 Varron, por ejemplo, para quien la gramática, base de todo conocimiento, está a la cabeza de las *Nouem Disciplinae (Grammatica, Dialectica, Rhetorica, Geometria, Arithmetica, Astrologia, Musica, Medicina, Architectura).* V. Collart (1954, 53-54).

HABES IN HOC VOLVMINE LECTOR CANDIDISSIME AELII Antonii Nebriſſeñ.artem litterariam cum eiuſdem exactiſſima expoſitiõe hiſpali cum ille præfuiſſet nouiſſime emendatam. Eſt præterea opuſculũ compendioſum de proſodia ſiue accentu quod de dictionibus hebraicis barbaris ac peregrinis idem auctor nuper edidit. Additæ ſunt etiam pro adoleſcentũ utilitate Antonii mancinelli figuræ compendioſiſſimæ ubi non modo quæ Donatus uerũ quæ Fabius Quintilianus & alii de figuris diſeruerunt ille dulci quodam ſtilo diſcerpſit.

Portada de la edición de 1501 de las *Introductiones latinae*

los términos de *litteris,* y luego de *litteratura, scientia literaria* con el significado de «gramática»; es decir, el latino *litteratura,* sería una trasposición del griego γραμματική. La otra definición *(scientia recte loquendi,* etc.) es la corriente entre los gramáticos latinos; a ella se añade el concepto de autoridad para fijar la norma, también utilizado en las obras gramaticales de la época latina [4].

2.1.2. *División de la gramática*

La primera división, siguiendo a Quintiliano [5], es: *a)* la parte metódica o doctrinal «por que contiene los preceptos y reglas del arte, la cual, aunque sea cogida del uso de aquellos que tienen autoridad para lo poder hacer, defiende que el mesmo uso no se pueda por ignorancia corromper» [6]; *b)* la parte histórica, que «expone y declara los poetas y otros autores por cuia semejança avemos de hablar» [7]. Nebrija utiliza aquí un concepto de gramática normativa, enfocado en su parte histórica a la «enarratio auctorum». Queda lejos aquel tiempo en el que Cicerón consideraba los *gramatici* como «interpretes poetarum». Nebrija está más cerca de un gramático descriptivista y normativista que de un filólogo.

Nebrija, recogiendo la clásica división medieval, divide la parte doctrinal de la gramática en: a) *ortografía,* llamada así por los griegos, la podemos nombrar en «lengua romana ciencia de bien y derechamente escrivir» [8]; b) *prosodia:* «nos otros podémosla interpretar acento» ... «a esta parte se reduze esso mesmo el arte de contar, pesar y medir los pies de los versos y coplas» [9]; c) *etimología* o «verdad de palabras; ésta considera la significación y accidentes de cada una de las partes de la oración» [10]; d) *sintaxis,* llamada así por los griegos y construcción por los latinos, «nos otros podémosla llamar

---

4 Véase en esta misma obra, más adelante, § 2.5. *La norma lingüística.*

5 «Et finitae quidem sunt partes duae, quas haec professio pollicetur, id est, ratio loquendi et enarratio auctorum, quarum illam methodicen, hanc historicen vocant» *Or. Inst.,* 1, 9, 1.

6 *G. C.,* fol. 4. r. Incluye en este párrafo parte del contenido de la definición de gramática incluida en las *Institutiones.*

7 *G. C.,* fol. 4. r. Lo mismo puede encontrarse en las *Institutiones.*

8 Es la definición de Quintiliano: «quod Graeci ὀρθογραφιαν uocant, nos recte scribendi scientiam nominemus (*Or. Inst.,* I, 7, 1). Lo mismo en las *Institutiones.*

9 *G. C.,* fol. 4. r. En Quintiliano: «vel adcentus, quas graeci Προςωδίας vocant» (*Or. Inst.,* I, 5, 22). En las *Institutiones* (Libr. III, 1) dice: «Prosodia, cui respondet syllaba».

10 *G. C.,* fol. 4. r. En las *Institutiones:* «Etymologia, cui respondet dictio» (fol. XLII, v.), entendiendo por *dictio* «Minima pars orationis constructae, id est, in ordine compositae».

orden; a esta pertenece ordenar entre sí las palabras y partes de la oración» [11].

Esta división cuatripartita de la gramática se repite hasta época moderna, encontrándose evidentemente la fuente de nuestros gramáticos en la obra de Nebrija.

2.1.3. *Las partes de la oración*

No encontramos en Nebrija una definición explícita de oración, como se puede encontrar ya en algunos gramáticos latinos [12].

En cuanto a las partes de la oración, es distinto el criterio que sigue en las *Introductiones latinae* y en la *Gramática castellana.* En las primeras, distingue ocho partes: nombre, pronombre, verbo, participio, preposición, adverbio, interjección y conjunción, pero en las glosas añade el gerundio y el supino (fol. XIIII, v.), volviendo a considerar en los «erotemas» (Lib. III, 4) ocho: cuatro declinables (nombre, pronombre, verbo y participio) y cuatro indeclinables (preposición, adverbio, interjección y conjunción). En la *Gramática castellana* considera diez partes: nombre, pronombre, artículo [13], verbo, participio, gerundio, nombre participial infinito, preposición, adverbio y conjunción. La diferencia, con relación al latín, se justifica del siguiente modo: «Nos otros, con los griegos, no distinguiremos la interjección del adverbio, y añadiremos con el artículo el gerundio, el cual no tienen los griegos, y el nombre participial infinito, el cual no tienen los griegos ni latinos» [14].

De todos modos, no utiliza un criterio unitario para clasificar las partes de la oración: hay veces que se basa en la forma, como cuando dice que el verbo «se declina por modos y tiempos, sin casos»; otras veces tiene en cuenta la función, como cuando al hablar del adverbio dice que añadido «al verbo hincha o mengua o muda la significación de aquél»; en otras ocasiones, mezcla dos criterios distintos, como la forma y la significación, cuando en la definición del sustantivo dice que «se declina por casos, sin tiempos y significa cuerpo o cosa».

---

[11] *G. C.,* fol. 4. r. Lo mismo en las *Institutiones.*

[12] Por ejemplo, en Diomedes, que la considera como «compositio dictionum consummans sententian remque perfectam significans» (*Artis Grammaticae,* ed. Keil, I, página 300) o en Prisciano: «Oratio est ordinatio dictionum congrua, sententian perfectam demonstrans» *(Institutionum,* ed. Keil, II, pág. 53).

[13] «Los latinos —dice— no tienen artículo (fol. 28 r.).

[14] *G. C.,* fol. 28 r.

2.1.4. *El nombre*

Nebrija define el nombre como «una de las diez partes de la oración que se declina por casos, sin tiempos, y significa cuerpo o cosa» [15]. Con esta definición, inspirada en Donato [16], introduce el criterio morfológico y semántico de los alejandrinos.

Los accidentes del nombre son para Nebrija seis: calidad, especie, figura, género, número, declinación por casos [17]. Nebrija toma la *calidad* de Donato y la *especie* de Prisciano, dejando a un lado la *conparatio* de Donato.

1. *La calidad.*—El accidente de calidad es utilizado por Nebrija para introducir tres divisiones muy diferentes.

a) «Calidad en el nombre es aquello por lo cual el nombre común se distingue del proprio. Proprio nombre es aquél que conviene a un solo, como *César, Pompeyo.* Común nombre es aquél que conviene a muchos particulares», como *ombre, ciudad, río* [18]. Gran parte de este capítulo está dedicado a la cuestión, más de estructura social que lingüística, de los adyacentes al nombre propio: el *prenombre* «que se pone delante del nombre proprio». En español, el prenombre sería *don;* en italiano, *ser* y *miser;* en francés, *mosier;* en aragonés, *mosén.* El *conombre* «que se pone después del nombre proprio», el «apellido». El *renombre,* equivalente al *agnomen* latino, «que para más determinar el nombre proprio se añade y significa en él algún acidente o dignidad, como *maestre*» [19].

b) «Calidad, esso mesmo en el nombre, se puede llamar aquello por lo cual el adjetivo se distingue del substantivo. Adjetivo se llama, por que siempre se arrima al sustantivo, como si le quisiéssemos llamar arrimado; substantivo se llama, por que está por sí mesmo, y no se arrima a otro ninguno; como diziendo *ombre bueno, ombre* es substantivo ... *bueno,* adjetivo» [20]. El adjetivo, en Platón y en Aristóteles, formó parte de la clase verbal, porque la conside-

---

15 *G. C.,* fol. 28 r.

16 «Nomen est pars orationis cum casu corpus aut rem proprie communiterve significans» (*Ars Grammatica,* ed. Keil, IV_2, p. 373). La misma definición se encuentra en las *Introductiones.*

17 *G. C.,* fol. 28 r. Los mismos accidentes señala para el latín. Son seis para Donato: «qualitas, conparatio, genus, numerus, figura, casus» (*Ars Gram.* IV_2, pág. 355) y cinco para Prisciano: «species, genus, numerus, figura, casus» (*Institutionum,* II, pág. 57).

18 *G. C.,* fols. 28 r. y v. Donato: «Qualitas nominum bipartita est aut enim propria sunt nomina aut appellatiua» (*Ars Gram.,* IV_2, pág. 373). En las definiciones de nombre propio y común, sigue principalmente a Prisciano (*Institutionum,* II, pág. 57).

19 *G. C.,* fol. 28 v.

20 *G. C.,* fol. 29 r.

raban como predicado, y a ella pertenecían también los predicados nominales. Dionisio Tracio lo considera formando parte del nombre. Fueron los gramáticos escolásticos los que realizaron la distinción entre sustantivo y adjetivo, como dos modos de significar del nombre [21], tomándolo Nebrija en este sentido.

c) «Podemos tan bien llamar calidad aquello por lo que el relativo se distingue del antecedente» [22]. Dos tipos de relativos distingue Nebrija: el relativo de sustancia, que representa a un antecedente sustantivo, y relativo de accidente, que representa a un antecedente adjetivo. En estas definiciones, el gramático andaluz sigue a Perotti en sus *Rudimenta* (1478), según González Llubera *(1926,* 193).

En la *Gramática,* (fol. 29 v.) hace referencia a una distinción entre «relativos de cantidad discreta» *(tanto, cuanto: io tengo tantos libros cuantos tú* «entiéndese cuanto al número») y «relativos de cantidad continua» *(tamaño, cuamaño: tamaños libros cuamaños tú* «entiéndese cuanto a la grandeza: mas diziendo *tales cuales,* entiéndese cuanto a la calidad»). Estas distinciones se encuentran aquí por primera vez.

2. *La especie.*—Por la especie, el «nombre derivado se distingue del primogénito» [23]: *monte* es primogénito, pero *montesino, montaña, montañés,* etc., son derivados.

«Nueve diferencias y formas ai de nombres derivados: patronímicos, possessivos, diminutivos, aumentativos, comparativos, denominativos, verbales, participiales, adverbiales» [24]. Esta división difiere de la dada en las *Introductiones* en que excluye los superlativos e incluye los aumentativos.

Este accidente de la especie se trata ampliamente en los capítulos II al VI de este Libro III. No importa su extensión, dado que en ellos aparecen por primera vez datos concernientes a nuestra lengua española. Podemos destacar.

a) La amplia relación de sufijos, con distintas funciones y/o significaciones; así, podemos señalar:

— Sufijo *-ez* para formar patronímicos: «Como *Pérez,* por hijo, o nieto, o alguno de los descendientes de Pedro» [25].

---

21 García (*1960,* 106-110).

22 *G. C.,* fol. 29 r.

23 *G. C.,* fol. 29 v. En las *Introducciones,* habla de *primitiva,* en lugar de *primogénita.*

24 *G. C.,* fol. 29 v.

— Sufijos que indican procedencia territorial, o «nombres gentiles», como *-ano (castellano, italiano), -és (francés, cordovés, portogués), -eño (extremeño, cacereño), -isco (morisco, barbarisco),* etc.

— Sufijos «que significan lugar en que alguna cosa se contiene», como *-al (rosal, mançanal, pinal, higueral), -ar (olivar, palmar, colmenar), -edo (viñedo, robredo).*

— Sufijos que «significan común mente oficios»: *-ero (bavero, çapatero, ovegero), -or (tundidor, texedor).*

— Sufijos que «significan lugar donde alguna cosa se pone y guarda»: *-ario (sagrario, armario, encensario).*

— Sufijos utilizados en la formación de adjetivos: *-oso* («significan hinchimiento de aquello que significa su principal»: *maravilloso, desseoso), -ento (sangriento, soñoliento;* «otros significan materia, como los que acaban en *ado* o en *azo*» *(rosado, violado, linaza), -uno (vacuno, cabruno),* etc.

— Sufijos utilizados en la formación de derivados nominales de verbos («verbales se llaman aquellos nombres que manifiesta mente vienen de algunos verbos»): *-ança (alabança, estança,* de «estar», *perdonança), -ura (andadura, cortadura), -ida (corrida, bevida, salida), -on (perdón, leción), -enta (venta, renta),* etc.

b) El diminutivo, que «es aquél que significa diminución del principal de donde se deriva»[26]. Cita los tres sufijos *-illo, -ico, -ito (ombrezillo, ombrezico, ombrezito),* y pone de relieve cómo nuestra lengua supera a la griega y latina en la formación de los diminutivos.

c) Por oposición al diminutivo, Nebrija acuña el término *aumentivo* («osemos le nombrar aumentativo, por que por él acrecentamos alguna cosa sobre el nombre principal de donde se deriva»); esta formación no la siente el griego, ni el latín, ni el hebraico. Para ello se utiliza el sufijo *-azo: ombrazo, mugeraza.* Por otra parte, señala también el valor afectivo de este sufijo: «Destos, a las veces usamos en señal de loor, como diziendo *es una mugeraza,* por que abulta mucho; a las vezes, en señal de vituperio, como diziendo es un *cavallazo,* por que tiene alguna cosa allende la hermosura natural y tamaño de cavallo.»

d) El «comparativo nombre se llama aquel que significa tanto como su positivo con este adverbio *más*»[27]. El comparativo se forma en español con *mejor, peor, maior, menor, más* (y *que),* etc.

---

[25] *G. C.,* fol. 30 r. La definición de patronímico, coincide en esta obra y en las *Introductiones.* Según González Llubera (*1926,* 193) está tomada de los *Rudimenta* de Perotti.

[26] Definición tomada de Prisciano, *Institutionum,* II, pág. 101.

[27] *G. C.,* fol. 30 v.

e) La no existencia en español del superlativo absoluto, que aparecerá, como latinismo, posteriormente: «superlativos, no tiene el castellano sino estos dos: *primero* y *postrimero*. Todos los otros dize por rodeo de algún positivo y este adverbio *mui*» [28].

f) El uso con función nominal del infinitivo: «Esso mesmo todos los presentes del infinitivo pueden ser nombres verbales, como diziendo *el amar es dulce tormento,* por dezir *el amor,* porque si *amar* no fuera nombre, no pudiera recebir este artículo *el;* y menos podría juntarse a un nombre adjetivo, diziendo: *el mucho amar es dulce tormento*» [29].

3. *La figura.*—Es «aquello por lo cual el nombre compuesto se distingue y aparta del senzillo» [30], distinguiendo, por lo tanto, dos nombres: el sencillo, «que no se compone de partes que signifiquen aquello que significa el entero», como *padre* o *parens* y el compuesto «que se compone de partes, las cuales significan aquello mesmo que significa el entero», como *compadre, parricida.* Sigue a Diomedes, Probo, Donato, y Prisciano, y lo mismo se encuentra en las *Institutiones,* tanto en latín como en español. Añade en la *Gramática castellana* los tipos de composiciones que se pueden hacer en español: de los nombres *(república, arquivanco);* de verbo y nombre *(torcecuello, tirabraguero);* de dos verbos *(vaivén, muerdehuie);* de verbo y adverbio *(puxavante);* de preposición y nombre *(perfil, traspie)* [31].

4. *El género.*—El género en el nombre «es aquello porque el macho se distingue de la hembra, y el neutro de entrambos» [32]. La definición, común a todas sus obras filológicas, sigue a Donato [33]. Si en la definición sigue la categorización de los tres géneros lógicos —masculino, femenino e inanimado— realizada, al decir de Aristóteles, por Protágoras, en la clasificación del género, dado que éste es muchas veces arbitrario y convencional, su distinción descansa en el empleo del artículo. Esta teoría, atribuida a Varrón, pone en evidencia cómo los principios contrarios de la anomalía y de la analogía, de la convención y de la naturaleza pueden armonizarse [34]. Por otra parte, la solución nos parece muy moderna.

En la *Gramática castellana* distingue siete géneros, los mismos que en las demás obras gramaticales: masculino: «aquel con que se

---

28 *G. C.,* fol. 30 v.
29 *G. C.,* fol. 33 r.
30 *G. C.,* fol. 33 r.
31 *G. C.,* fol. 33 v.
32 *G. C.,* fol. 33 v.
33 Ars Gram., IV_2, P. 375.
34 Véase Collart (*1954,* 162).

aiunta» el artículo *el (el ombre);* femenino: «aquel con que se aiunta» el artículo *la (la muger);* neutro: con *lo (lo justo);* común de dos: con *el, la (el infante, la infante);* común de tres: con *el, la, lo (el fuerte, la fuerte, lo fuerte);* dudoso: con *el* o *la (el color, la color);* mezclado: «aquél que debaxo deste artículo *el* o *la* significa los animales machos y hembras» *(el ratón, la paloma)* [35]. Advierte en la *Gramática castellana* que si algún nombre femenino empieza por *a,* para que no se «haga fealdad en la pronunciación», en lugar de *la* ponemos *el: el agua, etc.,* mas esto, sólo en el singular.

5. *El número.*—El número es «aquello por que se distingue uno de muchos. El número que significa uno llámese singular, como *el ombre, la muger.* El número que significa muchos llámase plural, como *los ombres, las mugeres»* [36]. Lo mismo en las *Institutiones* y en la doctrina gramatical de los latinos. Lo que añade en la *Gramática castellana* es la formación del plural español, añadiendo *s* o *es* («cuando tienen acento agudo en la última sílaba» o cuando «acaban el número de uno en *d, e, i, l, n, r, s, x, z*»).

El capítulo VII de la *Gramática castellana* está dedicado a indicar los nombres que no tienen singular o plural, relaciones que en latín y en español ya había dado en sus obras precedentes. Nos interesa destacar de este capítulo ciertas ideas que enlazarán con algunos conceptos modernos muy similares: *a)* los nombres propios no tienen plural, porque cuando se emplean en este número, ya son comunes: *Pedro,* pero *los Pedros; b)* no tienen plural «las cosas úmidas que se miden y pesan» *(vino, mosto, leche,* etc.). «De las cosas secas que se miden y pesan algunas tienen singular y no plural» *(trigo, cevada, centeno);* «otras tienen plural y no singular» *(garvanços, havas,* etc.). «No tienen tampoco plural éstos: *sangre, cieno, ... tierra, aire, fuego,* salvo si quisiéssemos demostrar partes de aquella cosa; como diziendo *la tierra es seca y redonda,* entiendo todo el elemento; mas diziendo *io tengo tres tierras,* entiendo tres pedaços della; y assí, diziendo *vino,* entiendo todo el linaje del vino; mas diziendo *tengo muchos vinos,* digo que tengo diversas especies de vino», palabras que nos recuerdan la oposición significativa contable/no contable en función plural/singular [37].

---

[35] En latín, «se aiuntan» con *hic, haec, hoc:* «Quod est nomen masculinum? Quod declinatur cum *hic,* ut *hic dominus ...» Institutiones,* fol. XLVIII.

[36] *G. C.,* fol. 34 r.

[37] Esta distinción, pero referida más bien a un significado colectivo, se encuentra en Varrón, quien distingue *uinum* «el vino», *uina* «los crudos» (Collart, *1954,* 164).

6. *La declinación.*—Declinación no tiene nuestra lengua, «salvo del número de uno al número de muchos; pero la significación de los casos distingue por preposiciones» [38]. Bajo el término *declinatio* agrupa, como solía ser tradicional, los fenómenos de derivación de conjugación y de declinación propiamente dicha. En latín, considera la existencia de siete casos, mientras que en español, articulando siempre la función casual por medio de las preposiciones, señala sólo cinco: nominativo *(el ombre),* genitivo *(hijo del ombre),* dativo *(io do los dineros a tí),* acusativo *(io amo al próximo o io amo el próximo)* y vocativo *(¡o ombre!).*

2.1.5. *El pronombre*

La definición nebrisense del pronombre tanto en la obra latina como en la castellana, es la misma de Prisciano: «es una de las diez partes de la oración, la cual se declina por casos, y tiene personas determinadas. E llama se pronombre por que se pone en lugar del nombre proprio; por que tanto vale *io* como *Antonio, tú* como *Hernando*» [39]. Señala también en el pronombre los mismos seis accidentes de Prisciano, ejemplificándolos con los pronombres españoles.

Quizá lo único interesante que puede señalarse es que Nebrija, al definir en las *Institutiones* las personas pronominales discrepa de Prisciano (fol. L., glosa).

2.1.6. *El artículo*

El artículo es según Nebrija la «partezilla» que se añade a algún nombre para demostrar de qué género es. En español, son tres: *el* para el masculino; *la* para el femenino y *lo* para el neutro [40]. No incluye el *un* dentro de este capítulo; lo trata al final del capítulo VII, cuando dice: «Este nombre *uno,* o es para contar, y entonces no tiene plural ... o es para demostrar alguna cosa particular, como los latinos tienen 'quidam', y entonces tómase por *cierto,* y puede tener plural, como diziendo: *un ombre vino, unos ombres vinieron,* quiero dezir que *vino cierto ombre* y *vinieron ciertos ombres* [41], de donde parece deducirse que *un* no forma parte de la categoría del artículo.

---

38 *G. C.,* fol. 34 r.
39 *G. C.,* fol. 35 v. Prisciano: «pars orationis quae pro nomine proprio uniuscuiusque accipitur, personasque finitas recipit» (*Institutionum,* II, pág. 577).
40 *G. C.,* capítulo IX.
41 *G. C.,* fol. 35 v.

Es interesante también mencionar la diferencia que hace con *el, la, lo,* pronombres: «I ninguno se maraville que *el, la, lo,* pusimos aquí por artículo, pues que lo pusimos en el capítulo passado por pronombre, por que la diversidad de las partes de la oración no está si no en la diversidad de la manera de significar; como diziendo *es mi amo, amo* es nombre; mas diziendo *amo a Dios, amo* es verbo. E assí, esta partezilla *el, la, lo* es para demostrar alguna cosa de las que arriba diximos; como diziendo *Pedro lee, y él enseña, él* es pronombre demonstrativo o relativo; mas cuando añadimos esta partezilla a algún nombre para demostrar de qué género es, ia no es pronombre, sino otra parte mui diversa de la oración, que llamamos artículo» [42].

2.1.7. *El verbo*

Nebrija sigue a Prisciano [43] en lo que se refiere a la definición y accidentes del verbo, tanto en la *Gramática,* como en las obras anteriores: «Verbo es una de las diez partes de la oración, el cual se declina por modos y tiempos, sin casos [44]. E llámase verbo, que en castellano quiere dezir palabra, no porque las otras partes de la oración no sean palabras, mas por que las otras, sin ésta, no hazen sentencia alguna, ésta, por ezcelencia, llamóse palabra» [45].

En los accidentes del verbo, sigue a Prisciano, cuya clasificación es, por otra parte, más completa que la de otros gramáticos latinos [46]. Distingue ocho accidentes: especie, figura, género, modo, tiempo, número, persona, conjugación. Lo mismo en las *Institutiones.*

1. *Especie.*—«Las especies del verbo son dos, assí como en el nombre: primogénita, como *amar;* derivada, como de armas, *armar*» [47]. Los verbos derivados se dividen en: aumentativos («que significan continuo acrecentamiento de aquello que significan los verbos principales de donde se sacan, como de blanquear, *blanquecer...*»), diminutivos («que significan diminución de los verbos principales de donde decienden por derivación, como de batir, *baticar,* de besar, *besicar...*»), denominativos (los «que se derivan y decienden de nom-

42 *G. C.,* fols. 36 v. y 37 r.
43 *Institutionum,* ed. Keil, II, pág. 369.
44 Añadiendo en las *Instituciones* «y significación tiene de hazer y padecer» (fol. 8 r); y lo mismo en el original latino.
45 *G. C.,* fol. 37 v.
46 *Institutionum,* ed. Keil, II, pág. 369.
47 *G. C.,* fol. 38 v. Lo mismo en las *Institutiones.* Sigue, como hemos indicado, fundamentalmente a Prisciano.

bres, como de cuchillo, *acuchillar,* etc.»), adverbiales («que se sacan de los adverbios, como de sobre, *sobrar,* etc.»), siguiendo en los dos primeros un criterio de clasificación semántica, y en los dos últimos, funcional [48].

2. *Figura.*—«Las figuras del verbo, assí como en el nombre, son dos: senzilla, como *amar;* compuesta, como *desamar*» [49].

3. *Género.*—«Género en el verbo es aquello por que se distingue el verbo activo del absoluto» [50]. En este punto se aparta Nebrija de las *Introductiones.* En éstas, contempla los cinco géneros más frecuentemente considerados por los gramáticos latinos: *actiuum, passiuum, neutrum, commune, deponens* [51]. La distinción realizada por Nebrija en este punto se refiere al verbo transitivo (activo), que «es aquél que pasa en otra cosa...: *io amo a Dios*» y al intransitivo (absoluto) que es «aquél que no passa en otra cosa...: *io bivo, io muero*». Más adelante, habla de la voz verbal, al considerar los circunloquios del verbo, dejándose llevar más por el aspecto formal que por el funcional.

4. *Modo.*—«El modo en el verbo, que Quintiliano [52] llama calidad, es aquello por lo cual se distinguen ciertas maneras de significado en el verbo» [53].

Desde Dionisio el Tracio se distinguieron generalmente en la tradición latina los cinco modos que él estableció: indicativo, imperativo, optativo, subjuntivo e infinitivo; y ésta es la clasificación que recoge Nebrija en todas sus obras gramaticales. En las definiciones, sigue a Prisciano [54].

El indicativo es «aquél por el cual demostramos lo que se hace ... como diziendo *io amo a Dios*».

El imperativo es «aquél por el cual mandamos alguna cosa ... como *¡o, Antonio! ama a Dios*».

El optativo es «aquél por el cual desseamos alguna cosa ... como *¡o, si amasses a Dios!*».

---

[48] En las *Institutiones,* fol. LI, considera siete formas de verbos derivados: *inchoatiua, meditatiua, desideratiua, frequentatiua, diminutiua, denominatiua, aduerbialia.*

[49] *G. C.,* fol. 37 v.

[50] *G. C.,* fol. 37 v.

[51] *Introductiones,* fol. L.

[52] *Or. Inst.,* I, 4, 27.

[53] *G. C.,* fol. 38 r. Esta definición no aparece en el texto de las *Introductiones;* sí en la glosa, donde da la de Prisciano: sunt diuersae inclinationes animi, varios eius affectus demonstrantes» (*Institutionum,* ed. Keil, II, pág. 421).

[54] *Institutionum,* ed. Keil, II, págs. 421 y sigs.

El subjuntivo es «aquél por el cual juntamos un verbo con otro ... como diziendo *si tú amasses a Dios, Él te amaría.*

El infinitivo es «aquél que no tiene números ni personas, y a menester otro verbo para lo determinar, por que infinitivo es indeterminado; como diziendo *quiero amar a Dios*» [55].

5. *Tiempo.*—La distinción de tres tiempos en el verbo se encuentra ya en Platón, quien distinguía, más filosófica que gramaticalmente, entre pasado, presente y futuro. Dionisio el Tracio recoge esta subdivisión estableciendo, para el estudio de la mecánica flexional, cuatro subdivisiones en el pasado: imperfecto, perfecto, pluscuamperfecto y aoristo. Los gramáticos latinos recogen esta clasificación, eliminando el aoristo [56].

Nebrija no define el tiempo en ninguna de sus obras gramaticales; sólo en la glosa de las *Institutiones* recoge la definición de Donato.

En cuanto al número de los tiempos, considera seis en latín: *praesens, praeteritum imperfectum, praeteritum perfectum, praet. plusquamperfectum, futurum imperfectum* et *futurum perfectum.* Observemos que el único *futuro* de la tradición gramatical latina lo divide en dos: imperfecto y perfecto [57]. En español enumera cinco: *presente, passado no acabado, passado acabado, passado más que acabado, venidero* [58].

El presente es «aquél en el cual alguna cosa se hace agora, como diziendo *io amo*». El pasado no acabado es aquél «en el cual alguna cosa se hazía, como diziendo *io amava*» [59]. El pasado acabado «es aquél en el cual alguna cosa se hizo, como diziendo *io amé*» [60]. El

---

55 Aquí, la definición de infinitivo es más completa que en sus otras obras.

56 Collart, *1954, págs.* 182-183.

57 «Quod est futurum imperfectum? Quo ostendimus aut promittimus nos aliquid inchoaturos, ut *ego legam cras.* Quod est futurum perfectum? Quo ostendimus aut promittimus quod ad certum tempus aliquid erit a nobis factum, ut *ad horam legero*» *Institutiones,* fols. L v. y LI.

58 *G. C.,* fol. 38 r. Lo mismo en las *Institutiones,* con terminología algo diferente: *presente, passado y no acabado, passado y acabado, passado y más que acabado, futuro.* En la *Gramática,* es corriente el uso indistinto del *venidero* y del *futuro. Introducciones,* fol. 8 r.

En este punto, conviene reproducir las palabras de Casares (*1947,* 347); «Por lo que se refiere a la nomenclatura se echa de ver la preocupación de nuestro filólogo por evitar la pedantería científica, buscando a toda costa la naturalidad y llaneza de la expresión. Los órganos de la palabra los designa con los nombres vulgares de *gargavero,* («trachearchedia» escribía Villena), *campanilla, dientes, bezos,* etc.; en lugar de «epiceno» y «ambiguo» llama a estos géneros el *mezclado* y el *dudoso,* respectivamente; «partícula» se traduce en *partecilla;* «contracción» en *cortamiento;* el acento ortográfico es un *resguillo*... y así, con este amable lenguaje casero, va exponiendo todo el mecanismo gramatical. Nada de «futuros» y «pretéritos» a la latina, sino *venidero* y *passado,* este último con sus variedades de «no acabado», «acabado» y «más que acabado».

59 En las *Introducciones:* «Por el qual demostramos que algo se hacía y no fue acabado».

60 En las *Introducciones:* «Por el qual demostramos que algo es ya hecho».

pasado más que acabado «es aquél en el cual alguna cosa se avía hecho, cuando algo se hizo, como *io te avía amado, cuando tú me amaste*» [61]. El venidero o futuro es aquél «en el cual alguna cosa se a de hazer, como diziendo *io amaré*» [62].

Nebrija contempla el tiempo verbal en sus diferentes aspectos, a lo largo de los capítulos X, XI, XIII, del *Libro III*, y IIII, V, VI, VIII, IX y X del *Libro V*. De su lectura, podemos extraer las siguientes consecuencias:

a) *Composición de los tiempos.*

El indicativo tiene cinco tiempos:

Presente: *amo, amas, ama, amamos, amáis, aman.*

Passado no acabado: *amava, amavas, amava, amávamos, amávades, amavan.*

Passado acabado: *amé, amaste, amó, amamos, amastes, amaron.* Passado acabado, por rodeo, en dos maneras: *a) E amado, as amado, a amado, avemos amado, avéis amado, an amado; b) Ove amado, oviste amado, ovo amado, ovimos amado, ovistes amado, ovieron amado.*

Passado más que acabado, por rodeo: *avía amado, avías amado, avía amado, avíamos amado, avíades amado, avían amado.*

Venidero, por rodeo: *amaré, amarás, amará, amaremos, amaréis, amarán.*

El optativo tiene tres tiempos:

Presente: *O si amasse, amasses, amasse, amássemos, amássedes, amassen.*

Passado: *O si amara, amaras, amara, amáramos, amárades, amaran.* Passado, por rodeo, en dos maneras: *a) O si oviera amado, ovieras amado, oviera amado, oviéramos amado,* [*oviérades amado, ovieran amado*]; *b) O si oviesse amado, oviesses amado, oviesse amado, oviéssemos amado,* [*oviéssedes amado, oviessen amado*].

Venidero: *Oxalá ame, ames, ame, amemos, améis, amen.*

El subjuntivo tiene cinco tiempos:

Presente: *ame, ames, ame, amemos, améis, amen.*

Passado no acabado: *Como amasse, amasses, amasse, amássemos, amássedes, amassen.* Passado no acabado, por rodeo: *Como amaría, amarías, amaría, amaríamos, amaríades, amarían.*

---

61 En las *Introducciones:* «Por el qual demostramos que lo hecho se enuegeció sobre lo passado».

62 En las definiciones de los demás tiempos hay casi total coincidencia entre las *Introducciones* y la *G. C.*

Passado acabado, por rodeo: *Como aia amado, aias amado, aia amado, aiamos amado,* [*aiades amado, aian amado*].

Passado más que acabado: *Como amara, amaras, amara, amáramos, amárades, amaran.* Passado más que acabado, por rodeo, en tres maneras: *a) Como avría amado, avrías amado, avría amado, avríamos amado,* [*avríades amado, avrían amado*]; *b) Como oviera amado, ovieras amado, oviera amado, oviéramos amado,* [*oviérades amado, ovieran amado*]; *c) Como oviesse amado, oviesses amado, oviesse amado, oviéssemos amado,* [*oviéssedes amado, oviessen amado*].

Venidero: *a) Como amare, amares, amare, amáremos, amáredes, amaren; b) Como avré amado, avrás amado, avrá amado,* etc.; *c)* Como *oviere amado, ovieres amado, oviere amado,* etc.

El imperativo sólo tiene el presente: *Ama tú, ame alguno, amemos, amad, amen.*

El infinitivo tiene tres tiempos:

Presente: *amar.*

Passado por rodeo: *Aver amado.*

Venidero por rodeo: *Aver de amar.*

Y aquí también se incluyen «los gerundios: *amando,* etc.», «los participios: *amado,* etc.» y «los nombres participiales infinitos: *amado,* etc.».

De todo lo anteriormente expuesto, podemos concluir que:

— El paradigma de la conjugación está completo. Podría achacársele la falta del gerundio compuesto *(habiendo alabado)* y quizá la sobra del infinitivo venidero por rodeo *(aver de amar).*

— La coincidencia de algunas formas en tiempos y modos distintos, diferenciados únicamente por el contexto: presente de subjuntivo *(ame)* y venidero del optativo *(oxalá ame);* passado no acabado *(como amasse)* y optativo presente *(o si amasse);* passado más que acabado *(como amara)* y optativo pasado *(o si amara);* passado más que acabado *(como oviera* u *oviesse amado)* y optativo passado *(o si oviera* u *oviesse amado).*

b) *Formación de los tiempos.*

Los tiempos pueden ser simples *(amo)* o formados por rodeo (compuestos), incluyendo en estos dos formaciones distintas: analítica *(oviere amado)* y sintética *(amaré).* Esta última es la que nos interesa destacar, ya que, como es bien sabido, Nebrija es el primer gramático que señala la formación del futuro *(amaré)* y del potencial simple *(amaría),* sobre la base del infinitivo del verbo que se conjuga, más el auxiliar *haber:* «El futuro dize por rodeo del infinitivo y del presente deste verbo, *e, as,* diziendo *io amaré, tú amarás,* que vale tanto como *io e de amar, tú as de amar.* En esta manera dize por rodeo del passado no acabado del subjuntivo, con el infinitivo y el passado no acabado del indicativo deste verbo *e, as,* diziendo *io amaría, io leería,* que vale tanto como *io avía de amar, io avía de leer.* I si alguno dixiere que *amaré, amaría* y *leeré, leería* no son dichos por rodeo deste verbo *e, as; ía, ías,* preguntaremos le, cuando dezimos assí: *el Virgilio que me diste leértelo e* y *leértelo ía si tú quieres o si tú quisiésses; e, ia,* ¿qué partes son de oración? es forçado que responda que es verbo» [63]. El hallazgo de Nebrija es lo suficientemente importante en la historia de nuestros conceptos gramaticales, como para que reproduzcamos los textos donde aparecen estas referencias. Así, ya en el Libro V, comenta: «El venidero del indicativo dize se por rodeo del presente del infinitivo y del presente del indicativo deste verbo *e, as;* y assí dezimos *io amaré,* como si dixéssemos *io e de amar.* Mas avemos aquí de notar que algunas vezes hazemos cortamiento de letras o transportación dellas en este tiempo, como de saber, *sabré,* por *saberé;* de caber, *cabré,* por *caberé;* de poder, *podré,* por *poderé;* de tener, *terné,* por *teneré;* de hazer, *haré,* por *hazeré;* de querer, *querré,* por *quereré;* de valer, *valdré,* por *valeré;* de salir, *saldré,* por *saliré; de* aver, *avré,* por *averé;* de venir, *vendré,* por *veniré;* de dezir, *diré,* por *deziré;* de morir, *morré,* por *moriré»* [64]. Y en el mismo libro: el pasado no acabado de subjuntivo «dize se por rodeo del presente del infinitivo y del passado no acabado del indicativo deste verbo *e, as,* como *amaría, leería, oiría.* Mas avemos aquí de notar que hazemos en este tiempo cortamiento o trasportación de letras en aquellos mesmos verbos en que los hazíamos en el tiempo venidero del indicativo, como de saber, *sabría,* por *sabería;* de caber, *cabría,* por *cabería;* de poder, *podría,* por *podería;* de tener, *ternía,* por *tenería;* de hazer, *haría,* por *hazería* [65] ... Reciben esso mesmo algunas vezes cortamiento desta letra *a* en la segunda persona del plural, y assí dezimos *amarides,* por *amaríades; leerides,* por *leeríades; oirides,* por *oiríades»* [66].

c) *Peculiaridades de la conjugación.*

Los capítulos V y VI del Libro V están dedicados a mostrar con total realismo y veracidad las formaciones de los paradigmas irre-

---

63 *G. C.,* fol. 39 r.
64 *G. C.,* fol. 64 r.
65 Sigue la ejemplificación con *querer, valer, aver, salir, venir, decir, morir (morría).*
66 *G. C.,* fols. 65 r. y v.

gulares, coincidentes en todo con los actuales. Sólo nos queda señalar la conservación de *-d-* en formas proparoxítonas como *amávades, avíades,* de la forma *amastes,* de casos como *ovo* «hubo», *fue, fueste, fue, avemos, terné, morré* «moriré», *morría* «moriría», *amarides* «amaríades», *leerides* «leeríades», *oirides* «oiríades», etc.

6. *Número.*—Los números son dos: singular: *io amo;* plural: *nos amamos* [67].

7. *Persona.*—La distinción de tres personas *(qui loqueretur, ad quem, de quo)* está en la tradición gramatical greco-latina. Para Nebrija, «Las personas del verbo son tres, como en el pronombre: primera, como *io amo;* segunda, como *tú amas;* tercera, como *alguno ama.*

8. *Conjunción.*—En las *Institutiones,* apartándose Nebrija de los gramáticos clásicos (Prisciano, Donato, etc.) y acercándose a los que él llama *iuniores,* distingue en latín cuatro conjugaciones, que reduce en español a tres, según que los infinitivos acaben en *-ar, -er, -ir* [68].

9. *Voz.*—La noción de voz se encuentra ya en los estoicos, quienes distinguían entre voz activa, pasiva y neutra. Dionisio el Tracio cambia la voz neutra por la media [69]. Para Nebrija: «El latín tiene tres bozes: activa, verbo impersonal, passiva; el castellano no tiene sino sola el activa. El verbo impersonal suple lo por las terceras personas del plural del verbo activo del mesmo tiempo y modo, o por las terceras personas del singular, haziendo en ellas reciprocación y retorno con este pronombre *se;* y assí, por lo que en el latín dizen 'curritur, currebatur', nos otros dezimos *corren, corrían,* o *córrese, corríase;* y assí por todo lo restante de la conjugación. La passiva suple la por este verbo *so, eres* y el participio del tiempo passado de la passiva mesma, assí como lo haze el latín en los tiempos que faltan en la mesma passiva; assí que por lo que el latín dize 'amor, amabar, amabor', nos otros dezimos *io so amado, io era amado, io seré amado,* por rodeo deste verbo *so, eres* y deste participio *amado;* ... Dize esso mesmo las terceras personas de la boz passiva por las mesmas personas de la boz activa, haciendo retorno con este pronombre *se,* como dezíamos del verbo impersonal, diziendo *ámase Dios, ámanse las riquezas,* por *es amado Dios, son amadas las riquezas*» [70].

---

67 *G. C.,* fol. 38 v.
68 *G. C.,* fol. 38 v.
69 Collart, *1954,* 183-184.
70 *G. C.,* fols. 38 v. y 39 r.

Es decir, el criterio formal le lleva a admitir tan sólo la existencia por sí misma de la voz activa, expresando la «impersonalidad» o la «pasividad» por una tercera persona y el pronombre *se,* y por el verbo *ser* y un participio, respectivamente.

10. *El gerundio.*—En la tradición gramatical latina no es clara la posición del gerundio ni la del supino. Para Nebrija, tanto vale la forma del gerundio *amando* como la construcción de *en* más infinitivo. Considera el gerundio, por esta razón, como una parte de la oración y no como un modo verbal, aunque traiga, según la etimología, 'gero, geris', «la significación del verbo de donde deciende» [71].

11. *El participio* se encuentra como parte independiente de la oración en la clasificación de Dionisio el Tracio «que lo definió como la palabra que participa de las propiedades del nombre y del verbo. Tiene casos y géneros como el nombre, y personas y tiempos como el verbo» [72]. Para Nebrija es una de las diez partes de la oración, «que significa hazer y padecer en tiempo como verbo, y tiene casos como nombre; y de aquí se llamó participio, por que toma parte del nombre y parte del verbo» [73]. Entre los accidentes del participio, hay que destacar:

a) Los tiempos, que son tres: presente, pasado y venidero. «El castellano a penas siente el participio del presente y del venidero, aunque algunos de los varones doctos introduxieron del latín algunos dellos, como *doliente, paciente, bastante, sirviente, semejante, corriente, venidero, passadero, hazedero, assadero;* del tiempo passado tiene nuestra lengua participios casi en todos los verbos, como *amado, leído, oído*» [74] y un poco más adelante añade: «Los participios del futuro, cuanto io puedo sentir, aunque los usan los gramáticos que poco de nuestra lengua sienten, aun no los a recibido el castellano; como quiera que a començado a usar de algunos dellos, y assí dezimos: *tiempo venidero,* que a de venir; *cosa matadera,* que a de matar; ... mas aún hasta oi ninguno dixo *amadero, enseñadero, leedero, oidero*» [75].

---

[71] *G. C.,* fols. 39 v. y 40 r. del *Libro IV,* y 66 r. del *Libro V.*
[72] García, *1960,* 130.
[73] *G. C.,* fol. 40 r. Esta definición está tomada de Charissi, *Artis,* ed. Keil, I, página 178. En las *Introducciones,* se define como «Parte de la oración que se declina, y toma se por el verbo de quien se deriua; y tiene género y casos a semeiança del nombre, y los accidentes del uerbo, sin distinción de modos y personas» (fol. f. 2. v.).
[74] *G. C.,* fol. 40 r.
[75] *G. C.,* fols. 40 v. y 41 r. del *Libro III,* y 66 r. y v. del *Libro V.*

b) Los géneros son cuatro: masculino *(amado)*, femenino *(amada)*, neutro *(lo amado)*, común de tres *(el corriente, la corriente, lo corriente)*.

c) Las figuras son dos: sencilla *(amado)* y compuesta *(desamado)*.

d) Los números son dos: singular *(amante, amado)*, plural *(amantes, amados)*.

12. *El nombre participial infinito* es otra parte de la oración para Nebrija, que no existe en griego, ni en latín, ni en hebreo, ni en árabe. Se llama así «nombre, por que significa substancia y no tiene tiempos; participial por que es semejante al participio del tiempo passado; infinito por que no tiene géneros, ni números, ni casos, ni personas determinadas [76]. Es una creación de Nebrija para explicar la forma perifrástica auxiliar con *haber;* por eso, según Nebrija, la mujer no dirá *io e amada,* sino *io e amado,* ni se dirá: *Un grande tropel de cosas las cuales has hechas,* sino *las cuales has hecho* [77].

2.1.8. *La preposición*

Las preposiciones y las conjunciones fueron consideradas en la antigüedad como nexos de relación, considerando la preposición como antepuesta al nombre. Para Nebrija, la preposición «es una de las diez partes de la oración, la cual se pone delante de las otras, por aiuntamiento, o por composición. Como diziendo *io vo a casa, a* es preposición y aiúntase con *casa;* mas diziendo *io apruevo tus obras, a* compone se con este verbo *pruevo,* y haze con él un cuerpo de palabra» [78]. Más explícito es en las *Introducciones* [79] cuando dice que es una parte de la oración «que no se declina, y prepone se alas otras partes de la oración, o por aposición o por composición», que traduce la definición dada en las *Introductiones* [80], tomada, a su vez, de Prisciano [81].

2.1.9. *La conjunción*

La conjunción es una de las diez partes de la oración «la cual aiunta y ordena alguna sentencia, como diziendo: *io y tú oimos o*

---

76 *G. C.,* fol. 41 r.
77 *G. C.,* fols. 41 r. y v. del *Libro III,* y 66 v. del *Libro V.*
78 *G. C.,* fols. 41 v. y 42 r.
79 Fol. f. 3. v.
80 Fol. LIII v.
81 *Institutionum,* Keil, III, pág. 24.

leemos» [82]. En las *Introducciones,* traduciendo la definición latina, tomada a su vez de Donato, afirma que es «Parte dela oración que no se declina, y traua y ordena la sentencia» [83]. Distingue cinco clases de conjunciones en español: copulativas *(el maestro lee, y el dicípulo oie),* disyuntivas *(el maestro o el dicípulo aprovechan),* causales *(io te enseño porque sé),* conclusivas *(por ende, vos otros, vivid castamente)* y continuativas *(io leo mientras tú oies).*

2.1.10. *El adverbio*

Nebrija, como Prisciano, ve en el adverbio una función paralela a la del adjetivo: «es una de las diez partes de la oración, la cual, añadida al verbo, hinche o mengua, o muda la significación de aquél, como diciendo *bien lee, mal lee* ... no muda la significación deste verbo *lee.* I llama se adverbio, por que común mente se junta y arrima al verbo, para determinar alguna cualidad en él, assí como el nombre adjetivo determina alguna cualidad en el nombre sustantivo» [84]. Aquí es más amplia la consideración de adverbio que en sus otras obras gramaticales. Considera, en cuanto al accidente de la significación, los siguientes tipos de adverbios: de lugar *(aquí, aí, allí),* de tiempo *(aier, oi, mañana),* negación *(no, ni),* afirmación *(sí),* duda *(quiçá),* demostración *(he),* apelación *(o, a, ahao),* deseo *(osi, oxalá),* orden *(item, después),* «para aiuntar» *(ensemble),* «para apartar» *(aparte),* «para jurar» *(pardios, cierta mente),* «para despertar» *(ea),* «para diminuir» *(a escondidillas),* «para semejar» *(assí, assí como),* «para cantidad» *(mucho, poco),* «para calidad» *(bien, mal),* los en *-mente* (de *buena miente* o *justa mente),* los interrogativos *(¿de dónde?),* etc.

Como dice Casares *(1947,* 531) es curioso advertir el concepto del valor pronominal que en ciertos casos desarrolla un adverbio, como «cuando nos explica que *más,* junto al carácter de adverbio tiene el valor de 'nombre comparativo, como diziendo io tengo más que tú'».

2.1.11. *La sintaxis*

La sintaxis se limitaba a lo que se solía denominar la *constructio.* Para Nebrija es la forma en que las partes de la oración «se an de aiuntar y concertar entre sí» [85]. Se estudia esta rudimentaria sintaxis

---

[82] *G. C.,* fol. 44r.
[83] Fol. f. 5. v.
[84] *G. C.,* fols. 42 v. y 43 r.
[85] *G. C.,* fol. 44 v.

en los cuatro primeros capítulos del *Libro IV,* dedicándose a la concordancia, al orden de las partes de la oración y a la construcción de los verbos y de los nombres después de sí [86].

2.1.12. *Conclusiones*

Hemos ido examinando a lo largo de las páginas anteriores el contenido de la *Gramática de la lengua castellana* nebrisense, con el objeto de analizar su pensamiento gramatical y de considerar su aportación a nuestra lengua.

Todas sus obras gramaticales demuestran su sólido conocimiento de los gramáticos latinos y su propia concepción de la teoría y de la estructura de la lengua al elegir en cada caso la solución más conveniente, tanto tomada de las fuentes existentes, como acuñada para el caso en cuestión; y de ello, hemos visto ejemplos.

En lo que se refiere a la lengua española, Nebrija parte del sólido andamiaje teórico de sus *Introductiones latinae* y de su traducción. Existen también, como dice Emilio Ridruejo *(1977,* 79) notas romances en las gramáticas latinas que «constituyen el eslabón que une la gramática latina con las nuevas gramáticas de las lenguas romances», pero cuando redacta la gramática española, todo es nuevo en ella. Y decir *todo* no es una hipérbole, porque incluso lo que hoy nos parece más corriente tuvo nuestro gramático que analizarlo, estudiarlo y engarzarlo en aquel nuevo *Arte* que estaba elaborando. Pero, a pesar de todo, hay muchas cosas que nos pueden llamar la atención. Citemos algunas: el aumentativo, con su valor afectivo positivo o negativo; la distinción del género de los nombres por el artículo que requieren; la consideración de los relativos de cantidad discreta frente a los relativos de cantidad continua; la amplia relación de sufijos con sus distintas funciones y significaciones; la formación del plural en español; la negación de la existencia de declinación en español, así como el que la significación de los casos se distingue por preposiciones; la relación de nombres contables y no contables en función del plural o del singular; la distinción de *el, la, lo,* artículos, de *un;* la consideración del mismo artículo como partículas «que añadimos al nombre para demostrar de qué género es»; la distinción en latín del futuro perfecto y del imperfecto; la elaboración del paradigma completo de la conjugación española; la formación del futuro y del condicional; la consideración de tres conju-

86 El resto del *Libro IV* está dedicado a las figuras.

Habes in hoc volumine cādidissime lector Aelij Antonij Nebrissen.
artem litterariam cum eiusdē exactissima expositione ex hispalensi exē
plari per eūdem Antonium nouissime correcto sumptam. Est preterea
opusculum compendiosum de prosodia siue accentu quod de dictioni/
bus hebraicis barbaris ac peregrinis idem auctor nuper edidit. Addi
te sunt etiam pro adolescentum vtilitate Anton mācinelli figure com
pendiosissime vbi non modo que Donatus verum que Fabius Quin
tilianus et alij de figuris disseruerūt ille dulci quodam stilo discerpsit.

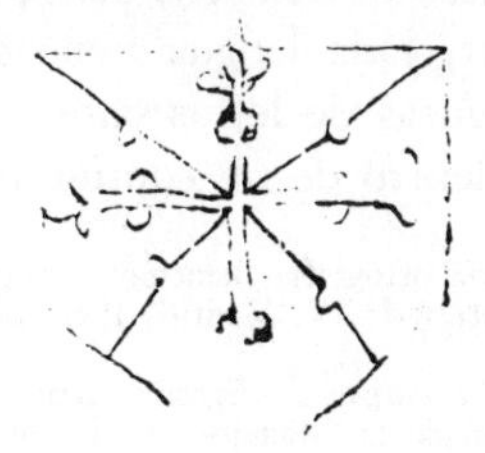

Portada de las *Introductiones latinae,* 1503, por Arnaldo Guillén de Brocar

gaciones en español; la formación de la impersonalidad y de la pasividad, etc.

2.2. Los conceptos fónicos de Nebrija

2.2.1. *Definiciones*

La gramática («arte de letras») comprende en su parte «doctrinal» «cuatro consideraciones»: «La primera los griegos llamaron orthographía [87], que nos otros podemos nombrar en lengua romana ciencia de bien y derecha mente escrivir; a esta esso mesmo pertenece conocer el numero y fuerça delas letras y por que figuras se an de representar las palabras y partes de la oración. La segunda los griegos llaman prosodia; nos otros podemosla interpretar acento, o más verdadera mente casi canto; ésta es arte para alçar y abaxar cada una de las sílabas de las diciones o partes dela oración; a ésta se reduce esso mesmo el arte de contar, pesar y medir los pies de los versos y coplas» [88]. Las otras dos partes son la etimología y la sintaxis. Estas definiciones de la ortografía y de la prosodia vienen dadas en la *Gramática;* ninguna de ellas aparece en la ortografía [89].

2.2.2. *Intuición fonológica*

Es obvio que en la época de Nebrija, ni aún mucho después, se poseía el concepto actual de fonema, pero sí hay en la mayoría de los gramáticos antiguos, una idea bastante clara de lo que son las unidades fónicas. Nebrija ofrece la idea de la indivisibilidad y de la finitud de los elementos fónicos: «Que la letra es la menor parte de la boz que se puede escriuir ... si yo digo *señor,* esta boz se parte en dos sílabas que son: *se* y *ñor;* y el *se,* después, en *s* y *e;* y la *s* ya no se puede partir» [90]. «Que aunque las bozes humanas sean infinitas, porque los instrumentos y miembros donde se forman, en infinitas maneras se pueden variar, cada lengua tiene ciertas e determinadas bozes [91], y otras tantas figuras de letras para representarlas; es decir, unas unidades discretas dentro de un continuum sonoro amorfo.

---

[87] «Lo que en griego se llama ortografía llamemos nosotros ciencia de escribir bien» (Quintiliano, *Instituciones oratorias,* I, IV, Madrid, 1942, pág. 54).

[88] *G. C.,* fol. 4 r.

[89] La *Gramática de la lengua vulgar de España* seguirá a Nebrija en la definición de la Ortografía y en la división de la Gramática en las mismas cuatro partes (pág. 9).

[90] *RO,* fol. 2 v., *Diffinición primera.*

[91] *RO,* fol. 4 r., *Principio quarto.*

Además, hay que señalar también esa misma intención fonológica en la misma ortografía, al procurar que cada letra represente un sonido y lo refleje fielmente. Aquí está en nuestra lengua el origen de una larga tradición que dotó al español de un sistema gráfico eminentemente fonológico: «que la diversidad de las letras no está en la diversidad de la figura, sino en la diversidad de la pronunciación» [92].

2.2.3. *Adecuación grafema-elemento fónico*

Íntimamente relacionado con lo que hemos señalado en el epígrafe anterior, se encuentra su formulación de escribir como se habla y hablar como se escribe: «Que assí tenemos descreuir como hablamos y hablar como escriuimos» [93]. «Que assí tenemos de escrivir como pronunciamos y pronunciar como escrivimos, porque en otra manera en vano fueron halladas las letras» [94].

Este principio ya lo había defendido en Roma el español Quintiliano: «Yo juzgo que se debe escribir cada palabra como suena, si no lo repugna la costumbre. Porque el oficio de las letras parece ser éste, conservar las voces, y restituir, digamos así, al que lee lo que se les encomendó; y así deben declarar lo que nosotros hemos de decir» [95], y sigue vigente este principio a partir de Nebrija, en toda nuestra tradición gramatical. Así, Villalón dirá: «se deue mucho mirar para bien escriuir a la pronunçiaçión por no herrar» [96]. La *Gramática de la lengua vulgar de España:* «i escribamos conforme al tal uso de hablar: porque es mui gran falta la de aquellos cuia escritura no responde a su habla, siendo ella el retrato de nuestras palabras» [97].

Y del mismo modo, el gramático Jiménez Patón dirá: «Assí, el hablar y escriuir, aunque nos parezca que está corrompido y alterado de lo que fue en su principio, sea el que fuere, se a de tener por bueno, porque la costumbre y vso lo tienen por tal aprouado» [98].

2.2.4. *Letra, fonema, grafema, palabra*

Los gramáticos griegos distinguían entre γράμμα, que era la letra escrita, el grafema y στοιχεῖον, el sonido [99]. Ambos coincidían en ser

---

[92] *G. C.,* fol. 8 v.
[93] *RO,* fol. 3 v., *Principio segundo.*
[94] *G. C.,* fols. 8 v. y 16 r.
[95] *Instituciones oratorias,* págs. 54-55.
[96] *Gramática castellana,* pág. 83, 24.
[97] Pág. 30, 13-17.
[98] *Epítome, Instituciones,* fol. 33 r.
[99] Véase Collart, *op. cit.,* pág. 77.

indivisibles y articulados. En general, la tradición latina no realiza esta distinción y hace converger en el significante *letra* los significados de signo gráfico y signo fónico [100]. Veamos algunas definiciones de los gramáticos latinos. Prisciano: «littera est vox, quae scribi potest individua» [101]. Mario Victorino: «Littera est vox simplex una figura notabilis» [102]. Sergio: «Littera dicta est quasi legitera, eo quod quasi legentibus iter ad legendum ostendat vel quod scripta deleri possit. ideo dixit partem minimam esse litteram vocis articulatae, quod, cum omnis oratio solvatur in verba, verba denuo solvantur in syllabas, rursum syllabae solvantur in litteras, littera sola non habet quo solvatur, ideo a philosophis atomos dicitur» [103]. Probo: «Littera est elementum vocis articulatae» [104]. Donato: «Littera est pars minima vocis articulatae» [105], y lo mismo Diomedes [106].

El factor común de estas definiciones es que la letra es voz articulada indivisible que podemos escribir, confundiendo, como dijimos al principio, los niveles fónico y gráfico. Por ello, no es de extrañar que nuestra cultura occidental heredase esa misma confusión.

Para los gramáticos latinos, por otra parte, la letra tiene tres propiedades: *nomen, figura* y *potestas:* «nomen est quo appellatur, figura qua notatur, potestas qua valet» [107].

¿Qué significado tiene para Nebrija la lexía *letra?* ¿Fonema, grafema, ambas cosas? Estamos en parte de acuerdo con F. Tollis [108] en considerar algo oscura la nomenclatura empleada por nuestro gramático. Haciendo unas calas en la *Gramática castellana* y en las *Reglas de Orthographía* encontramos los siguientes conceptos:

1. «... el primer inventor de letras, ... miró cuántas eran todas las diversidades de las bozes en su lengua, y tantas figuras de letras hizo, por las cuales, puestas en cierta orden, representó las palabras que quiso. De manera que no es otra cosa la letra sino figura por la cual se representa la boz, ni la boz es otra cosa sino el aire que respiramos ... herido después en el áspera arteria ... Assí que las letras representan las bozes, y las bozes significan, como dice Aris-

100 Varrón, p. ej., según Collart, *op. cit.*, pág. 77.
101 Pág. 5.
102 Pág. 5.
103 Pág. 475.
104 Pág. 47.
105 Pág. 367.
106 Pág. 421.
107 Charisio, pág. 7; y en el mismo sentido se expresan todos los demás gramáticos.
108 F. Tollis, *L'ortographe d'après Villena et Nebrija*, pág. 91.

tóteles, los pensamientos que tenemos en el ánima» [109]. «El primero inuentor de letras ... miro quantas differentias de bozes avia en su lengua, y tantas figuras de letras hizo, por las cuales, puestas en cierta orden, representó todas las palabras que quiso» [110].

2. En el capítulo III de la *Gramática* [111], habla de la *l* doblada que «es boz propria de nuestra nación, que ni judios, ni moros, ni griegos, ni latinos la pueden pronunciar, i menos tienen figura de letra para la poder escrevir» ... «esto que nos otros escrivimos con *x*, assí es pronunciación propria de moros» ... «aquéllo que los judios escriven por la décima nona letra de su abc assí es boz propria de su lenguaje».

3. «Las figuras delas letras que la lengua castellana tomo prestadas del latin para representar veinte i seis pronunciaciones que tiene son aquestas veinte i tres» [112].

4. «Que la diuersidad de las letras no está en las figuras dellas, sino en la diuersidad de la pronunciación, porque aunque tú escriuas el *aleph* hebraico, el *alpha* griego, y el *alipha* morisco, y el *a* latino, todavía es una *a* ... y por el contrario, quando por vna figura se representan dos bozes o más, ya aquella no es vna letra, sino dos o tres, pues que le damos más officios del vno que auía de tener» [113].

5. «no es otra cosa la letra, sino traço o figura por la qual se representa la boz» [114].

6. «Que la letra es la menor parte de la boz que se puede escriuir» [115]. «Si yo digo *señor,* esta boz se parte en dos síllabas, que son: *se* y *ñor;* el *se,* después, en *s* y *e;* y la *s* ya no se puede partir» [116].

7. «assi como las bozes y palabras responden a los conceptos, assi las figuras de las letras han de responder a las bozes». «Ninguno que tenga seso común puede negar que las letras, y las bozes, y los conceptos, y las cosas dellos han de concordar» [117].

---

109 *GC,* fol. 6 v.
110 *RO,* fol. 2 r.
111 Fols. 6 v y 7 r.
112 *GC,* fol. 54 v.
113 *RO, Principio tercero,* fol. 3 v.
114 *RO,* fol. 2 r.
115 *RO,* fol. 2 r.
116 *RO,* fol. 2 v.
117 *RO, Principio primero,* fol. 3 v.

8. «Que aunque las bozes humanas sean infinitas, porque los instrumentos y miembros donde se forman, en infinitas maneras se pueden variar, cada lengua tiene ciertas y determinadas bozes; y por consiguiente, ha de tener otras tantas figuras de letras para las representar» [118].

En Nebrija, encontramos *letra* (y sus sinónimos *figura* de letra, *traço)* con el significado de grafema, y como elemento que sirve para representar la *boz.* Sólo en el texto del punto 4, atribuye a *letra* tanto la figura (representación gráfica) como la fuerça (la pronunciación), pero más que confusión de significados, creemos ver en ello un desliz de la tan divulgada inexactitud, que llega hasta nuestros días, de que las letras se pronuncian, pues en la mayoría de los textos está claro el sentido de que las letras son la representación escrita de los fonemas.

El término *boz* (y sus sinónimos *pronunciación, fuerça)* lo opone constantemente (con la salvedad hecha más arriba) a *letra* para referirse al sonido (o al fonema, como veremos más abajo).

Hay otro punto que resulta algo oscuro, pero cuya interpretación es para nosotros distinta de la de F. Tollis: es el que se refiere a la equivalencia entre *boz* y *palabra.* Para el investigador francés, existe ambigüedad entre ambas: *boz* tanto significa «pronunciación» (=fonema) como «palabra» [119]. Sin embargo, para nosotros hay una diferencia que creemos importante destacar: el concepto «palabra» tiene para el gramático andaluz dos aspectos distintos: uno, el grafémico, la representación escrita, que él denomina *palabra:* «y tantas figuras de letras hizo, por las cuales puestas en cierta orden represento las palabras ... Assi las letras representan las bozes, y las bozes significan ... los pensamientos». «De las letras se componen las sílabas ...; de las sílabas se compone la palabra» [120]. Otro aspecto, es el fónico, es la palabra dicha, no escrita, que es lo que también denomina *boz:* «Si yo digo *señor,* esta boz se parte en dos sílabas»; «las bozes significan los pensamientos». Esta dicotomía, como indica el mismo Nebrija, está expresada en Aristóteles cuando dice que las palabras habladas son símbolos de impresiones del alma; las palabras escritas son los signos de las palabras habladas [121]. Abunda en esta concepción el texto del párrafo 8: «assí como las bozes e palabras responden a los conceptos, assi las figuras de las letras han de responder a las bozes», o el texto que sigue en el mismo párrafo.

---

118 *RO,* Principio quarto, fol. 4 r.
119 F. Tollis, *op. cit.,* pág. 91.
120 *GC,* fol. 55 r.
121 Aristóteles, *The Organon,* pág. 114.

Resumiendo, podríamos decir que en Nebrija:

letra = grafema (representa la «boz»);
boz = a) sonido;
b) palabra hablada;
palabra = palabra escrita.

2.2.5. *Clasificación de los sonidos, según Nebrija*

Cuando Antonio de Nebrija clasifica los sonidos, utiliza los mismos criterios latinos:

1. *Función silábica*

En primer lugar, el de la *función silábica,* para establecer la dicotomía entre vocales y consonantes:

a) *Vocales:* «que por si mesmas tienen boz sin se mezclar con otras letras» «porque las vocales suenan por sí no hiriendo alguno de los instrumentos con que se forman las consonantes, mas sola mente colocando el espíritu por lo angosto de la garganta, y formando la diversidad dellas en la figura de la boca» [122]; «Que la vocal es letra que se forma en tal parte de la boca que puede sonar por sí sin se mezclar ni ayuntar con otra letra alguna, y por eso se llama vocal, porque tiene boz por sí, como la *a,* la qual, sin ayuda de otra cualquiera letra, se puede pronunciar y por esso competirle ha la definición de vocal» [123]. «Llamadas assí porque suenan por sí mesmas» [124].

b) *Consonantes:* «porque no pueden sonar sin herir las vocales»[125] ; «Que la consonante es letra, la qual se forma en tal parte de la boca que no se puede pronunciar sin ayuda de alguna vocal, y por eso se llama consonante, porque suena con otra letra vocal, como la *b* no puede sonar sin la ayuda de la *e*» [126].

2. *Audibilidad y modo de articulación*

El de la *audibilidad,* y el del *modo de articulación,* por el que establece una nueva división, dentro del grupo de las consonantes:

---

122 *GC,* fol. 7 v y fol. 8 r.
123 *RO,* fol. 2 v. *Diffinición segunda.*
124 *GC,* fol. 54 v.
125 *GC,* fols. 7 v y 54 v.
126 *RO,* fol. 2 v. *Diffinición tercera.*

a) *Mudas: b, c, ch, d, f, g, p, ph, t, th, i* consonante, *u* consonante. «Mudas se dizen aquellas, porque en comparación delas vocales casi no tienen sonido alguno» [127]; «Que la muda es letra que se forma en tal parte de la boca que ni poco ni mucho puede sonar por estar cerrados los lugares por donde auía de salir aquella boz, como la *b* y la *p* que no pueden por sí sonar por estar los beços apretados; la *t* y la *d* por estar la lengua atrauesada entre las helgueduras de los dientes; la *c* y la *g* por estar la campanilla trauesada en el gargauero» [128].

b) *Semivocales: l, m, n, r, s, z.* «las otras [se dizen] semivocales, porque en comparación de las mudas tienen mucho de sonoridad» [129]; «Que la semivocal es letra, la qual se forma en tal parte de la boca que, aunque no suena tanto como la vocal, suena más que la muda, y por esso se llama assí, como la *l, n, r, s,* las quales, estando abiertos aquellos lugares donde se formauan las mudas, estando cerrados, e hiriendo la lengua en ciertos lugares del paladar, en alguna manera suenan» [130].

Evidentemente, estas dos primeras clasificaciones están dentro del marco taxonómico grecolatino. La segunda clasificación presenta aspectos diferentes en la *Gramática* y en las *Reglas de Orthographía.* En la primera, se manifiesta más acorde con la teoría helénica, basándose en la impresión auditiva; en la *Orthographía* añade, además, otro criterio basado en el grado de abertura de los órganos articulatorios. Por ello, se podría considerar como una clasificación basada en un rudimentario modo de articulación. Contemplando las definiciones dadas para las vocales, las mudas y las semivocales, podríamos establecer: 1) abertura máxima: vocales; 2) abertura media: semivocales; 3) ninguna abertura (abertura cero): mudas.

3. *Lugar de articulación*

El del *lugar de articulación,* expuesto sistemáticamente en la *Gramática,* y muy rápidamente enunciado en la *Orthographía.* Según este lugar de articulación, Nebrija clasifica los sonidos en [131]:

a) [*bilabiales*]: «la *p ph b* suenan expediendo la boz, después de los beços apretados más o menos, por que la *p* suena limpia de

---

127 *GC,* fol. 7 v.
128 *RO,* fol. 3 r. *Diffinición quarta.*
129 *GC,* fol. 8 r.
130 *RO,* fol. 3 r. *Diffinición quinta.*
131 *GC,* fols. 8 r y v. En lo que sigue la terminología clasificatoria es la que hoy se utiliza; la enmarcamos entre corchetes.

א	אָלֶף	a	aleph
ב	בֵּית	b	beth
ג	גִימַל	g	gimal
ד	דָּלֵית	d	daleth
ה	הֵא	h	he
ו	וָיו	u	vau
ז	זַיִן	z	zain
ח	חֵית	hh	heth
ט	טֵית	t	teth
י	יוֹד	i	iod
כ	כַּף	c	caph
ך	כַ	ch	chaph
ל	לָמֶד	l	lamed
מֶ ם	מֶם	m	mem
נוּן	נוּן	n	nun
ס	סָמֶךְ	ſ	ſamach
ע	עָ׳	h	hain
פ	פֵּא	p	pe
ף	פֵא	ph	phe
צ	צָדִּיק	ſ	ſaddic

ץ	צָדִיק	ſ	ſaddic
ק	קוֹף	c	coph
ר	רֵישׁ	r	res
שׁ	שִׁי	ſ	ſin
ת	תָּיו	th	tau
ַ	פַּתַח	a	patha
ָ	קָמֵץ	a	cames
ֵ	צֵירֵי	e	ſere
ֶ	סֶגוֹל	e	ſegol
ְ	שְׁבָא	e	ſeba
ִ	חִירֵק	i	hiric
ֹ	חוֹלֶם	o	holem
ֻ	שׁוּרֶק	u	ſurec
וּ	שׁוּרֶק	u	ſurec
ֲ	פַּתַח חֲטֵף		ſeba patha
ֳ	קָמֵץ חֲטֵף		ſeba cames
ֱ	סֶגוֹל חֲטֵף		ſeba ſegol

De litteris hebraicis (Alcalá, ¿1515?)

aspiración; la *ph* espessa; la *b,* en medio, porque comparada a la *ph* es sotil, comparada a la *p* es gruessa. La *m* suena en aquel mesmo lugar; mas, por sonar hazia dentro, suena escuro, maior mente, como dize Plinio, en fin de las diciones»; «como la *b* y la *p,* que no pueden por sí sonar por estar los beços apretados» [132].

b) [*labiodentales*]: «la *f* con la *v* consonante, puestos los dientes de arriba sobre el beço de baxo, y soplando por las helgaduras dellos: la *f* más defuera, la *v* más adentro un poco» [132].

c) [*linguodentales*]: «La *t th d* suenan expediendo la boz, puesta la parte delantera de la lengua entre los dientes, apretándola o afloxándola más o menos, porque la *t* suena limpia de aspiración; la *th,* floxa y espessa; la *d,* en medio, porque comparada a la *th* es sotil, comparada a la *t* es floxa»; «la *t* y la *d* por estar la lengua atrauessada entre las helgaduras de los dientes» [132].

d) [*linguoalveolares*]: palatales para Nebrija «Las medio vocales todas suenan arrimando la lengua al paladar, donde ellas pueden sonar mucho, en tanto grado, que algunos pusieron la *r* en el número de las vocales; y por esta razón podríamos poner la *i* consonante entre las semivocales»; «e hiriendo la lengua en ciertos lugares del paladar, en alguna manera suenan»[132] . En este grupo, hay que incluir todas sus semivocales, menos la *m,* clasificada en el grupo de las bilabiales. De este modo, quedarían: *l, n, r, s, z.*

e) [*linguovelares*]: «la *c ch g,* apretando o hiriendo la campanilla más o menos, por que la *c* suena limpia de aspiración; la *ch,* espessa y más floxa; la *g,* en media manera, porque comparada a la *c* es gruessa, comparada a la *ch* es sotil»; «la *c* y la *g,* por estar la campanilla trauessada en el gargauero» [132]. Debemos observar que por medio de las grafías *c* y *ch,* indica Nebrija /k/ y /kh/, respectivamente.

El material fónico que utiliza Nebrija en estas clasificaciones es el de las lenguas clásicas. Por ello, no están incluidos grafemas propios del español que él describe en otros lugares y que corresponden, como veremos, a fonemas no incluidos aquí, como las consonantes palatales, por ejemplo.

4. *Tensión articulatoria*

En las descripciones nebrisenses, existe aún otra clasificación, fundada en el rasgo de aspiración que deriva también del criterio grecolatino: consonantes no aspiradas/consonantes aspiradas. Pero esta taxonomía no abarca todos los fonemas de la misma serie, ya

132 *GC,* fol. 8 r. y *RO,* fol. 3 r. *Diffinición quarta,* respectivamente.

que dentro de las no aspiradas se encuadran, a su vez, otras dos clases de consolantes: las que hoy llamamos sordas y sonoras, y que para él van a ser más o menos «apretadas». Por lo tanto, Nebrija da paso al criterio de la tensión, que se entremezcla con el de la aspiración en el caso de las series que posean fonemas aspirados. Leyendo de nuevo los textos de Nebrija transcritos en los párrafos anteriores *a), c)* y *e),* deducimos que:

no aspiradas		aspiradas
apretadas	*medias*	*flojas*
p	b	ph
t	d	th
c	g	ch

La fonética experimental moderna ha corroborado plenamente esta clasificación: la diferencia entre p/b, t/d, k/g, además de ser de sonoridad es también de tensión: las sordas son fuertes, las sonoras, débiles. De este modo, la oposición *sorda/sonora* es concomitante con *fortis/lenis,* o, en la terminología nebrisense, *apretada/media.* Pero, una consonante aspirada tiene siempre menos tensión que cualquier consonante no aspirada. Siguiendo a G. Straka *(1957,* 420-425), podemos decir que, desde el punto de vista de la fuerza articulatoria, se establece la siguiente escala: «las consonantes sordas no aspiradas son las más fuertes; inmediatamente, vienen las sordas débiles, llamadas también «dulces» desonorizadas del tipo germánico *b, d, g;* las consonantes sonoras («dulces») del tipo románico y eslavo son aún más débiles; por último, las sordas aspiradas son las más débiles».

Cuando describe los sonidos del español, en los que no hay consonantes aspiradas, traduce el grado de tensión con los términos *floxo/apretado,* aplicándolo a /z/, /s/; /r/, /rr/, y relacionándolo, en este caso, con la audibilidad: «Acontece a las letras ser floxas o apretadas, y por consiguiente, sonar poco o mucho [133]. En el primer par, el grado de tensión coincide con el de sonoridad: /s/ = sordo, apretado; /z/ = sonoro, floxo; pero no en el segundo, donde la sonoridad es análoga, aunque sí es mayor la tensión en [rr]: /r/ = floxo; /rr/ = apretado.

[133] Capítulo V de las *RO.*

5. *Haces de correlaciones*

Las mudas forman, según la descripción de Nebrija, que sigue a Prisciano, unos haces en los que se repiten los mismos rasgos:

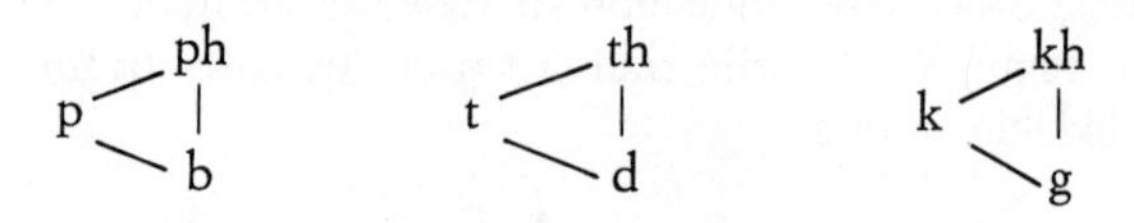

p/ph, t/th, k/kh por el rasgo de aspiración y de tensión (/p t k/ son apretadas, no aspiradas; /ph th kh/ son flojas, aspiradas); p/b, t/d, k/g por el rasgo de tensión: apretada/media; b/ph, d/th, g/kh también por el rasgo de tensión: media/floja.

2.2.6. *La fonología española, según Nebrija*

Amado Alonso *(1949,* 17-20) afirma con razón que el centro de interés de Nebrija se polariza en resucitar el saber antiguo, en formular unas descripciones lo más exactas posibles de la pronunciación de las lenguas áulicas, concretamente del latín [134]. El pretender enseñar a sus contemporáneos cómo tenían que pronunciar su propia lengua era un tanto ocioso, pero mostrarles minuciosamente la pronunciación del latín, no lo era tanto: en primer lugar, por razones de orden didáctico; en segundo lugar, por un prurito de docto prestigio: puede ser más pasable cometer equivocaciones en la lengua vulgar que en la latina; en una ocasión, diría: «Permitamos antes que digan que no pronunciamos bien el español, que no que se burlen de nosotros ... queriendo parecer sabios en latín y cometiendo mil barbarismos» [135]. En tercer lugar, creemos, que por poder mostrar la dignidad de la lengua vulgar que él quería instaurar en el mismo orden de valores que la clásica. Esta valoración de su lengua vulgar pretendía realizarla demostrando su filiación directa con la latina, haciendo ver que algunos de los cambios se habían efectuado dentro de nuestra misma lengua, pero que otros, eran debidos a influencias ajenas a ella.

Pero, en nuestra opinión, lo que más le interesa a Nebrija es fijar la ortografía: todos los castellanos pronuncian su lengua, pero la escriben mal, hay vacilaciones y malos usos: «Los días passados ... le dixe que esta razón de letras que agora teníamos en el vso del

---

[134] Sus observaciones sobre la pronunciación del latín fueron admirables: por ejemplo, como cita Louis Koukenheim *(1932,* 60), «Erasmo admite que los latinos debieron pronunciar las letras *c* y *g* como explosivas delante de *e* e *i,* lo que Nebrija había hecho observar ya treinta años antes».

[135] Citado en Félix G. Olmedo, *Humanistas y pedagogos españoles,* pág. 74.

castellano, por la mayor parte estaua corrompida. No digo yo agora que las palabras antiguas se ouiessen de reformar en otras nueuas ... Mas digo que el día de oi ninguno puramente escriue nuestra lengua por falta de algunas letras que pronunciamos y no escreuimos; y otras, por el contrario, que escreuimos y no pronunciamos» [136]. Junto con el propósito de enmendar este defectuoso uso de la ortografía, está el de dotar al castellano de una ortografía digna de la universalidad espacial y temporal que el incipiente Imperio necesitaba. Porque tan importante es la difusión en ese momento de nuestra lengua, cuanto que en ella puedan quedar reflejadas para la posteridad las hazañas de sus hombres: «el primero inuentor de las letras, quien quiera que fue, miró quántas differentias de bozes avía en su lengua, y tantas figuras de letras hizo; por las quales, puestas en cierta orden, representó todas las palabras que quiso, assí para su memoria, como para hablar con los absentes y los que están por venir ... Y por esta causa pensé de poner algún remedio: assí para emendar lo que está escripto, como para lo que de ahí adelante se ouiere de escriuir» [137].

Además, es lógico que aquel incipiente español tenga problemas con el uso de sus letras, como los tuvo el latín [138] también. Lo que debemos hacer, según Nebrija, es remediarlos, como intentaron hacer los gramáticos de Roma, no del todo felizmente, como se desprende de las críticas del mismo Nebrija.

Su enfoque, excesivamente ortográfico y práctico, es el motivo de que desatienda la descripción exhaustiva del sistema fonológico de la época. Sin embargo, por sus alusiones, por sus indicaciones, más o menos exactas, se puede llegar a su conocimiento [139].

2.3. El criterio ortográfico de Nebrija

Todo el empeño de Nebrija se centra en dotar al español de un sistema gráfico unívoco: cada letra debe responder a un fonema y sólo a uno. Por ello, cada signo gráfico tendrá un solo «oficio»: aquél que tiene como suyo propio, el que le fue encomendado en su origen. La antiplurivalencia gráfica de nuestro gramático resulta a todas luces evidente: el castellano toma su alfabeto del latín. En

---

136 *RO,* fol. 1 r.

137 *RO,* fol. 2 r y *GC,* fol. 6 v y, en general, para toda la gramática, el *Prólogo* de la *GC.*

138 Véase el cap. IV de la *GC.*

139 Véase, en primer lugar, el trabajo de B. Escudero de Juana, *La «Ortografía» de Nebrija comparada con la de los siglos XV, XVI y XVII,* y los estudios de A. Alonso, *Examen de las noticias de Nebrija;* el de F. Tollis, *L'ortographie du castillane d'après Villena et Nebrija,* y Quilis *(1977,* 67-81).

esta lengua, su empleo ya no era muy ortodoxo, según él mismo critica en el capítulo IV de la *Gramática,* y cuando se trasvasa a nuestro romance, aumentan las inexactitudes, al multiplicar los oficios que es menester adjudicar a las mismas letras, pues se trata, evidentemente, del sistema gráfico de una estructura fonológica aplicado a otra estructura fonológica. Por otra parte, existe una cuestión de principio en la univocidad y relación letra-fonema, que explica muy claramente Amado Alonso *(1949,* 5-6): «Los conceptos del entendimiento responden a las cosas, las palabras responden a los conceptos del entendimiento, los sonidos responden a las palabras que forman, *y las figuras de las letras son imágenes de los sonidos.* Dicho de otro modo, entre el significante y el significado, entre la letra y su sonido existe (en su origen) una relación de naturaleza, no de mera convención. Esto es algo más que una de las respuestas al viejo pleito socrático *(Crátilo);* es la herencia de la filosofía escolástica que, buscando la harmonización universal de todos los conocimientos, veía la instancia última del lenguaje no en la justificación de las formas por sí mismas ('En la lengua, todo es forma, nada es sustancia', Saussure), sino en la adecuación entre el lenguaje y la realidad; en la verdad que tiene siempre su base en Dios.»

Son varias las citas de Nebrija que podríamos traer a colación: «las figuras de las letras han de responder a las voces» (Principio primero); «las letras, y las bozes, y los conceptos, y las cosas dellos han de concordar» (ídem); «no tienen otro vso las figuras de las letras, sino representar aquellas bozes que en ellas depositamos ..., y que, si algunas se escriuen que no se pronuncian, o, por el contrario, algo se pronuncia de lo que no está escripto, esto será por necessidad de no auer figuras de letras para señalar todo lo que se puede hablar» (Principio segundo); «Que la diuersidad de las letras no está en las figuras dellas, sino en el diuersidad de la pronunciación» (Principio tercero); «cada lengua tiene ciertas y determinadas bozes, y, por consiguiente, ha de tener otras tantas figuras de letras para las representar» (Principio cuarto, todos de la *Orthographía*), etc.

¿Cómo pretende realizar la reforma Nebrija? Creando nuevas letras, que son necesarias, y suprimiendo las que son ociosas: del latín, tomamos prestadas veintitrés letras, pero sólo hay doce que tengan un solo oficio: *a, b, d, e, f, m, o, p, r, s, t, z.* Las demás son polivalentes o son inútiles. Examinemos sus criterios:

1. El grafema *c* tiene tres oficios: uno propio: *c* + *a, o, u;* otros dos, prestados: *ç* y *ch.* Por ello, sería conveniente que *ç* pasase a ser letra y para representar el valor de *ch,* usar esta misma combinación

de letras, pero con tilde. Es decir, que para representar /k/ se podría usar siempre *c: ca, ce* /ke/, *ci* /ki/, *co, cu;* para representar /ts/, siempre *ç,* y para /č/, siempre *ch* con tilde. De este modo, quedaban sobrantes *q* y *k,* que junto a *c* eran tres letras para una sola función.

2. El grafema *g* tiene dos valores: uno, propio: *g* + *a, o, u,* otro prestado: *g*+*e, i.* La letra *i* también tiene dos valores: uno propio, como vocal, y otro que coincide con el prestado de *g: i* + *a, o, u.* Nebrija propone: para el valor de /g/, *g* y para el del africado o fricativo palatal, valores prestados de *g, i,* la *i* consonante o *i* luenga: *j.*

3. El grafema *h* tiene un solo oficio propio: el que sirve para representar /h/ < f- latina. Los otros son más bien oficios impropios porque: *a)* se usa, con valor de cero fónico para representar la *h-* de las palabras latinas; *b)* se emplea en la combinación *h* + *u* + *vocal* para indicar que *u* es vocal y no consonante, lo que no sería «menester si las dos fuerças que tiene la *u* distinguimos por estas dos figuras *u, v*»[140].

4. El grafema *l* tiene dos valores, correspondientes a: /l/ *l* y a /λ/, *l doblada.* Solución: dar a la variante *l doblada* de *l* la categoría de letra.

5. El grafema *n* tiene también dos oficios: uno, propio: *n,* y otro ajeno: *nn* o *ñ.* La solución es la misma que para el caso anterior: para /n/, *n* y para /ñ/, *ñ* (o *gn,* en la *Gramática castellana*).

6. El grafema *u,* también con dos oficios: uno, propio, de vocal, como en *uno, uso,* otro prestado, de consonante, en las secuencias *u* + *vocal.* Para estos dos usos, se podrían emplear, según señalamos en el anterior punto 3, *u* o *v,* pero Nebrija no señala una función clara para cada uno de ellos.

7. El grafema *x* tenía en latín el valor de *cs,* pero en el sistema fonológico de Nebrija representa /š/, por lo que conviene señalarlo con «*x* + tilde», según el gramático andaluz.

En resumen, el nuevo sistema gráfico de Nebrija resulta del reajuste siguiente:

a) Eliminación de los grafemas *q, k, y.*

b) Cuatro signos que se consideran alografemas de *c, l, n,* pasan al rango de grafemas propios: *ç, ll, ñ, ch* con tilde.

[140] *GC,* fol. 11 v.

c) Adjudicar a *j,* variante larga de *i,* los valores prestados de *g* (+ e, i) y de *i* (+ a, o, u).

d) Emplear *u* consonante en el oficio prestado de *u,* en las secuencias *u* + *vocal.*

e) Modificar *x,* añadiéndole tilde para representar el valor que tiene en castellano.

Estos reajustes pueden resumirse en el siguiente cuadro:

ALFLBETO USADO EN LA ÉPOCA		REFORMA DE NEBRIJA	
letras	oficios	en *GC*	en *RO*
a	1	a	a
b	1	b	b
c	3: propio: c + a, o, u	c	c
	prestado: ç	ç	ç
	» : ch	ch + tilde	ch + tilde
d	1	d	d
e	1	e	e
f	1	f	f
g	2: propio: g + a, o, u	g	g
	prestado: g + e, i	j	i cons.=j
h	3: propio *h* (=cero fónico)	h	h
	h + u + vocal (*u*=vocal)		
	aspiración		
i	2: propio: vocal	i	i vocal
	prestado:	j	i cons.=j
	(∼ g + e, i):		
	i + a, o, u		
k	ocioso		
l	2: propio: *l*	l	l
	ajeno: *ll* (*l* doblada)	ll	ll
m	1	m	m
n	2: propio: *n*	n	n
	ajeno: *nn* o *ñ*	ñ, gn	ñ
o	1	o	o
p	1	p	p
q	ocioso		
r	1	r	r
s	1	s	s
t	1	t	t
u	3: propio: vocal	v (?)	u vocal
	prestado: u + vocal	u (?)	u consonante
	tercer oficio: «*u* muerta»: *q* + *u* + *e*, *i*		
x	1	x + tilde	x
y	ocioso		
z	1	z	z

2.4. Nebrija, lexicógrafo

La ingente labor lingüística de Nebrija no se limita a sus estudios gramaticales u ortográficos, como gratuitamente se piensa muchas veces, sino que se extiende también al léxico, y en profundidad tal, que sus estudios lexicográficos no van a la zaga de los gramaticales.

Nebrija publica dos obras fundamentales:

a) El *Lexicon hoc est Dictionarium ex sermone latino in hispaniensem* o *Diccionario latino-español* [141], impreso en Salamanca en 1492, en la misma imprenta —y año— de la *Gramática castellana*

b) El *Dictionarium hispanum latinum* o *Vocabulario español-latino* [142], impreso en Salamanca alrededor de 1495. Su fecha exacta se desconoce, pero Colón y Soberanas aseguran que su composición es posterior a la del *Diccionario latino español* [143].

Sobre la importancia de la labor lexicográfica de Nebrija da cuenta Annamaría Gallina [144] cuando dice que sus diccionarios son «inesauribile miniera per i lessicografi di tutti i paesi», y refiriéndose al *Vocabulario español-latino* comenta: «non solo il merito di essere stato il primo lessico bilingue contenente una lingua viva, concepito modernamente, ma anche l'ispiratore dei suoi successori, miniera inesauribile cui essi attinsero a pieni mani durante più di due secoli» [145]. Y sus más recientes estudiosos comentan que «A Antonio de Nebrija como lexicógrafo románico hay que verlo desde las vertientes latino-hispana e hispano-latina», advirtiendo, además, «que su actividad no tiene precedentes y que ha de actuar como un pionero para reunir en el *Vocabulario* la ingente cantidad de más de veintidós mil entradas. Esta cifra tardará en ser superada no sólo en España, sino también fuera. El justamente celebrado *Dictionnaire français-latín* de Robert Estienne o Stefanus (París, 1539) todavía no llega a tanto» [146]. Evidentemente, Nebrija es el pionero en el estudio de nuestro léxico, pese a que dos años antes Alfonso de Palencia había publicado su

---

141 Este nombre ha recibido en la reciente y magnífica reedición: Elio Antonio de Nebrija: *Diccionario latino-español* (Salamanca, 1492), con estudio preliminar de Germán Colón y Amadeu-J. Soberanas, Puvill-Editor, Biblioteca Hispánica Puvill, Barcelona, 1979.

142 Con este título fue reproducido facsimilarmente por la Real Academia Española en 1951.

143 En la edición citada anteriormente, pág. 10.

144 *Contributi alla storia della lessiocografia italo-spagnola dei secoli XVI e XVII*, Firenze, 1959, pág. 102.

145 *Op. cit.*, pág. 330.

146 G. Colón y A.-J. Soberanas en el «Estudio preliminar» a la edición del *Diccionario latino-español*, ya citado, pág. 25.

Universal vocabulario en latín y romance[147]. Pero, como dicen Colón y Soberanas *(1979,* 24), la «modernidad de Nebrija salta inmediatamente a la vista, si comparamos sus diccionarios con el *Universal vocabulario...* Esta obra se halla todavía anclada en la tradición medieval y nos recuerda, con sus prolijas explicaciones, a los compiladores de los glosarios mediolatinos». El ejemplo que aducen es el de *lupinus* 'altramuz'. Alfonso de Palencia dice: «Lupini son altramuzes, linaie de legumbre. llaman los tristes porque son amargos mas echados en agua se façen mas dulçes tanto que se pueden comer», frente a la objetiva equivalencia de Nebrija: «Lupinus. i. por el altramuz legumbre.» Por ello, Nebrija «se sitúa a la cabeza de los lexicógrafos españoles, y se habrá que aguardar la publicación en el siglo XVIII del llamado *Diccionario de Autoridades* para contemplarle un sucesor digno y a la altura de los tiempos nuevos. Todos los autores de los siglos XVI y XVII, sin excluir al gran Covarrubias, dependieron de la obra nebrisense»[148], hasta tal punto, que, por ejemplo, el *Vocabulista arábigo impreso en letra castellana* (Granada, 1506), de fray Pedro de Alcalá, traduce las palabras latinas del *Vocabulario* al árabe, y lo mismo hace Buŝa al reemplazar las equivalencias españolas de *Lexicon* por las catalanas, etc.

¿Cómo lleva a cabo estas obras, ¿Es que la publicación en primer lugar del *Diccionario latino-español* y después del *Vocabulario español-latino* puede indicar un orden cronológico en la elaboración de estas dos obras? Por sus mismas palabras, parece deducirse que trabajó al mismo tiempo en ambas, y que incluso pensaba publicarlas en un mismo volumen: «siempre dimos palabras castellanas a las latinas, y latinas a las castellanas. Porque en cotejar las palabras de estas dos lenguas ninguna cosa tuvimos más ante los ojos que en lo que la lei de la interpretación mui hermosa mente dixo Tullio: que las palabras se han de pesar y no contar. Ni pienso que fue cosa demasiada publicar dos obras en una mesma, porque tan bien miramos por el provecho de todos: assí de los que por la lengua castellana dessean venir a la latina como de los que ia osan leer libros latinos y aún no tienen perfecto conocimiento de la lengua latina» *(DLE,* fol 4 v. s. n.). Sea cual fuere la cronología de estas dos obras, podría pensarse que en una de ellas el autor realizara una mera inversión de los términos contenidos en la otra, pero, como han demostrado sus más recientes estudiosos, si la ordenación del *Vocabulario español-*

147 Véase la reciente reimpresión de la Academia: Alfonso de Palencia: *Universal Vocabulario en Latín y en Romance.* Reproducción facsimilar de la edición de Sevilla, 1490. Madrid, Comisión permanente de la Asociación de Academias de la Lengua Española, 1967.

148 G. Colón y A.-J. Soberanas, *1979,* 25-26.

latino está pensada a partir del español, la del *Diccionario latino-español* lo está desde el latín: «no hay ni siquiera sombra de que Nebrija se haya entregado a una tarea meramente automática. Por ejemplo, tomando el lema *ciudad* en el *Vocabulario* vemos cómo las entradas están concebidas desde el español; o lo mismo ocurre con las treinta y dos entradas de *cantar* para caracterizar el canto de los animales con su correspondencia en latín *(cantar el tordo o zorzal,* tritulo: *cantar el estornino,* piscito, etc.). Pero si vamos al *Lexicon,* habremos de convenir que los artículos están todos redactados partiendo de la lengua latina (cfr., por ej., *unde).* Y resulta interesante comprobar que el autor ha trabajado con un esmero extraordinario y pocos materiales se le han escapado al trasponerlos a la otra obra» [149].

Como es lógico pensar, la importancia de estas dos obras para la historia de nuestro léxico y, en definitiva, de nuestra lengua es considerable; a pesar de ello, no han sido explotadas exhaustivamente por los especialistas. Según han puesto de relieve Colón y Soberanas, las primeras documentaciones para, por ejemplo, *gazela, cencerrón, joyo, usagre, vaivén, cloque, aziar,* etc., aparecen ya en los repertorios lexicográficos de Nebrija, por lo que es menester retrasar las fechas que se daban para ellos. Por otro lado, la inexistencia de ciertos cultimos en su época se pone de manifiesto cuando se definen algunos términos del *Lexicon* por medio de una circunlocución y no directamente con el término español, como es lo usual. Por ejemplo, *spectaculum: a)* «por aquel mirar»; *b)* «por lugar de do miran»; *c)* «por el juego que se mira»; *spurius;* «por bastardo no legítimo»; *insensatus* «por cosa sin seso», etc.

¿Qué criterios utiliza Nebrija en la elaboración de sus obras lexicográficas?

En primer lugar, la actualidad: piensa que el léxico incorporado debe responder a las necesidades del momento, porque si algunos quisieren «tomar consejo de aquellos que escrivieron delas significaciones delos vocablos, o ninguna cosa hallarán, o si algo hallaren tanto monta como si ninguna cosa hallassen, porque todos los que en este cuidado se pusieron están por la maior parte ocupados en palabras mui antiguas, desusadas, bárbaras y estrangeras» *(DLE,* fol. 2 v. s. n.).

En segundo lugar, la arbitrariedad y el cambio: «Porque las cosas de que son los vocablos, o son perdurables con la mesma naturaleza, o están puestas en solo el uso y alvedrío delos ombres. Las natura-

149 G. Colón y A.-J. Soberanas *(1979,* 10-11).

les por la maior parte son conocidas en nuestra tierra por nombres peregrinos. Y estas otras voluntarias sintiéndolo nos otros se mudan cada día con sus nombres. Pues qué diremos de aquellas cosas las especies delas cuales como dizen los filósofos son eternas, que unas del todo se perdieron y otras por el contrario nunca vistas subita mente parió la naturaleza *(DLE,* fol. 3 r. s.n.)... Y no sólo en las cosas que permanecen con la naturaleza, los vocablos junta mente nacen y mueren con las cosas, mas aun tanto puede el uso y desusança que permaneciendo las mesmas cosas, unos dellos echa en tinieblas y otros saca a luz. Las aves de caça que propria mente assi se llaman y delas cuales usan los caçadores de nuestro tiempo, en dos géneros las repartió Aristóteles, el autor de todos el más diligente. Y llamólas baxo bolantes y alto bolantes; nosotros nombramoslas açores y halcones. Mas porque en aquellos tiempos esta arte del acetrería aún no era hallada, ni el uso destas aves tan espesso, harto les pareció partirlas en dos linajes por la diversidad del buelo. Pero los nuestros, que tienen esta arte en gran estima, hizieron en este género muchas differencias: gavilanes, açores, girifaltes, neblíes, sacres, alfaneques, baharíes, tagarotes... *(DLE,* fol. 4 r. s. n.). Si tanta mudança ai enlos vocablos delas cosas que duran con la naturaleza, qué será en aquellas que cada día halla la necesidad umana o pare la luxuria, o busca la ociosidad. Deste género son las vestiduras, armas, manjares, vasos, naves, instrumentos de música, y agricultura» *(DLE,* fol. 4 v. s. n.).

En tercer lugar, la falta de correspondencia exacta entre los términos de las dos lenguas: «Pues de aquellas cosas que están ala mano y siempre fueron, muchas dize el latín más propria mente por una palabra que nos otros por muchas. Como *omen,* lo cual, a manera de dezir, significa 'aquel agüero que tomamos delo que alguno habló a otro propósito', si quisiéremos volver lo en castellano a penas lo podremos hazer en muchas palabras, y si lo bolviéssemos en 'alfil toledano', sería la interpretación derecha y castellana, mas pocos entienden qué cosa aquello sea [150]. Y por el contrario, muchas cosas tiene nuestra lengua, la fuerça delas cuales aunque siente la latina, no tiene una palabra por la cual las pueda dezir, como de *codo* nos otros hezimos *codada,* por lo que enel latín se dize 'golpe de codo', *codear* por lo que 'dar del codo'» [151].

---

150 En el *Diccionario latino-español* aparecen las siguientes definiciones: *omen:* «por el arfil toledano», nada más, mientras que *ominosus* u *omino:* «por agorar dela palabra».

151 *DLE,* fols. 4 r. y v.s.n. Ni *codo,* ni sus derivados aparecen en el *Vocabulario Español-Latino.*

En cuarto lugar, los tipos de vocablos, de los que Nebrija distingue cinco: los oscos, los antiguos, los nuevos, los bárbaros y los aprobados.

Los vocablos oscos, usados por este pueblo de Italia, «condéno los del todo punto».

Las palabras antiguas «dan al razonamiento alguna majestad con mucha delectación, porque tienen autoridad de antiguo y por ser desusadas, tienen gracia como si fuessen nuevas. Mas es menester alguna templança: que ni sean espessas, ni manifiestas, porque ninguna cosa es más odiosa que lo exquisito».

«Nuevas son las palabras que los autores mui aprovados osaron sacar a luz no aviendo las en antes, por aquella notable regla de Oracio: fue lícito y siempre será sacar nombre del cuño que se usa. Assi, Tulio, de *beatus* hizo *beatitas* y *beatitudo.*»

«Bárbaras son las palabras que tomadas de alguna lengua peregrina los auctores mezclaron al latín ... mas, como dice Quintiliano, escusa se este vicio o por costumbre o por autoridad o por vejedad o, finalmente, por alguna vezindad de hermosura.»

«Aprovadas son las palabras de que usan aquellos autores que florecieron casi dentro de dozientos y cincuenta años desde el nacimiento de Tullio hasta Antonino Pío, quiero dezir, cien años ante del nacimiento de Christo hasta ciento y cincuenta años después dela salvación delos christianos. Del cual linaje de palabras dize Quintiliano que assi como delas nuevas son mejores las más viejas, assi, delas viejas, las más nuevas» *(DLE,* fol. 6 r. s. n.).

Y por último, no debemos olvidar un aspecto sumamente práctico, que nada se le escapa al lingüista andaluz: «Estrechamos esso mesmo el volumen debaxo de una maravillosa brevedad, porque la grandeza del precio no espantasse alos pobres de lo comprar, ni la frente alta del libro alos ricos bastiosos de lo leer, y tan bien por que más ligero se pudiesse traer de un lugar a otro en la mano y seno y so el braço» *(DLE,* fol. 4 v. s. n.).

Nebrija, en su lucha contra la barbarie, se adentró, ya lo hemos indicado, en el dominio de las otras disciplinas; así, nos dejó el *Juris Civilis Lexicon,* del que transcribimos unas palabras de su Prólogo que exponen bien claramente su modo de pensar en este punto:

«Pero, puesto que ahora tengo el propósito de internarme en el campo de otras disciplinas, aunque sin abandonar mi peculiar punto de vista, he querido teneros especialmente como juez, patrono y defensor, sobre todo en este escrito, que ha de tener muchos émulos, envidiosos y detractores; porque escribo de temas relacionados con esa despreciable turba de hombres que, aparentando tener una profunda ciencia, asesoran a los demás en cuestiones de leyes, ejercen la judicatura e incluso desempeñan cargos de mando, quienes con razón se alborotarán e indignarán, al ver que pretenden enseñarles hombres de ínfima profesión. Mas tengo un modo de librarme de los embates de la envidia, dejando su tranquilidad imperturbada: Trataré las cuestiones relativas al derecho no como jurisperito, sino como gramático»[152].

2.5. Villalón, Valdés y Nebrija

La obra filológica, en general, de Antonio de Nebrija tuvo críticos de toda índole, pero éstos más abundaron en número que en calidad. La obra de Félix Olmedo *(1942)* recoge en sus páginas algunos de ellos, y lo mismo la de Francisco Rico *(1978)*. El artículo de Eugenio A. de Asís *(1935)* traduce el discurso que con el título *Pro Antonio Nebrissensi* pronunció el catedrático de prima de latinidad de la Universidad de Salamanca, Francisco Martínez Lusitano, en 1575, en el que pone de relieve la conciencia que el mismo Nebrija tenía de los defectos que se podían encontrar en su obra (recuérdese cómo él constantemente revisó las *Introductiones)* y la necesidad de su corrección. En una palabra, él y todos los gramáticos posteriores a Nebrija reconocían que, como decía Palmireno, con la lumbre de Antonio se habían encendido muchas hachas y se había renovado el estudio del latín, aunque su Arte podía ser mejorado.

En lo que sigue nos vamos a detener sólo en dos puntos: en Villalón y en Valdés, ya que dos estudios relativamente recientes obligan a un nuevo planteamiento de lo que hasta ahora conocíamos.

1. *Villalón y Nebrija*

El artículo de Sola-Solé *(1974)*, a la par que recoge las críticas de Villalón a Nebrija, arroja luz sobre algunos aspectos que no se habían considerado hasta ahora.

En primer lugar, en la *Gramática castellana*[153] dice: «Antonio de Nebrixa traduxo a la lengua Castellana el arte que hizo de la lengua latina. Y por tratar allí muchas cosas muy impertinentes dexa de ser arte para lengua Castellana y tienesse por tradución de la Latina; por lo qual queda nuestra lengua segun comun opinion en su pris-

---

[152] *Léxico de Derecho Civil,* págs. 20-21.
[153] Citamos por la edición de Constantino García.

tina barbaridad, pues con el arte se consiguiera la muestra de su perfeçion» (pág. [6]).

En un pasaje del *Viaje a Turquía*[154], hablando de las gramáticas latinas de que se servían italianos, franceses y alemanes para aprender la mencionada lengua, se dice:

«Pedro.—¿Pues cómo sabes más latín sin estudiar el arte del Antonio?

Juan.—¿Cómo sin estudiarle? pues, ¿no aprenden por él la gramática?

Pedro.—No, ni sabel quién es; que tienen otras mill artes muy buenas por donde estudian.

Juan.—¿Que no conocen al Antonio en todas esas partes ni desprenden por él? Agora yo callo y me doy por sujetado a la razón. ¿Qué artes tienen?

Pedro.—De Erasmo, de Felipe Melanthon, del Donato. Mirad si supieron más que vuestro Nebrisense; *cinco o seis pliegos de papel tiene cada una,* sin versos ni burlerías, sino *todos los nombres que se acaban en tal y tal letra, son de tal género,* sacando tantos que no guardan aquella regla, y en un mes sabe muy bien todo cuanto el Antonio escribió en su arte. La gramática griega, ¿teneísla por menos dificultosa que la latina?

Juan.—No.

Pedro.—Pues en dos meses se puede saber desta manera, con ser mucho más dificultosa» (pág. 185).

En otro pasaje del mismo *Viaje a Turquía,* dialogan los personajes del siguiente modo:

«Pedro.—¿Pues todavía se lee la gramática del Antonio?

Juan.—¿Pues cuál se había de leer? ¿Hay otra mejor cosa en el mundo?

Pedro.—Agora digo que no me maravillo que todos los españoles sean bárbaros, porque el pecado original de la barbarie que a todos nos ha tinido es esa arte.

Juan.—No os salga otra vez de la boca, si no queréis que cuantos letrados y no letrados hay os tengan por hombre extremado, y aun necio» (pág. 185).

También en *El Crótalon* (ca. 1558), que atribuye asimismo a Villalón, éste ataca a Nebrija y a Santo Tomás al mismo tiempo:

---

[154] 1557. Sola-Solé lo atribuye a Villalón. Cita por la ed. de A. G. Solalinde, reimpresión, Madrid, 1965.

«Como a uno que me preguntó qué preceptor daría a un hijo suyo que le quería poner al estudio de las letras, respondí que le diese por preceptores al Antonio de Nebrija y a Santo Tomás. Dando a entender que le hiciese estudiar aquellos dos autores, el uno en la gramática y el otro en la teología. Y sucedió morirse el mochacho dentro de ocho días; y como sus amigos burlaren del padre porque daba crédito a mis desvaríos y juicios llamándolos falsos, respondió que muy bien había yo dicho, porque sabiendo yo que había de morir, di a entender que había de tener por preceptores aquellos allá» [155]

Ahora bien, según Sola-Solé, hay un hecho curioso. Todas las referencias gramaticales de Villalón [156] se refieren a las *Introductiones,* con su versión española, o al *Vocabulario español-latino,* pero no a la *Gramática de la Lengua castellana,* que no debió conocer, y por ello se cree que es el primero en escribirla. Sin embargo, ciertos pasajes de Villalón, son un resumen de las ideas de Nebrija en el prólogo de su *Gramática* o de su *Libro I* sobre la ortografía. Sola-Solé concluye diciendo que «La única conjetura plausible... es que... circulara de ella [la Gramática] la parte relacionada con la ortografía, que acaso en alguna edición que desconocemos fuera acompañada del prólogo tan sonado de la gramática entera» (pág. 43). Posiblemente, este fragmento fuese, como decimos en el § 3.1, la *muestra* que compuso para enseñar a la reina, aunque de todas formas es muy extraño que pudiese conocer una *muestra,* razonablemente de un reducido número de ejemplares, y no la *Gramática* entera publicada más de medio siglo antes. ¿O es que viajero «tal vez por Alemania» [157] no conociese la mencionada obra? ¿Pretendió, quizá, ignorarla?

2. *Valdés y Nebrija*

Juan de Valdés, en su *Diálogo de la Lengua,* escrito en la segunda mitad del siglo XVI (ca. 1535), arremete siete u ocho veces contra Nebrija. Aunque la mayoría de ellas es refiriéndose al *Diccionario latino-español,* también una vez critica su gramática cuando dice:

«Marcio: Según esso, no devéis aver leído el *Arte de Gramática Castellana* que diz que compuso vuestro Antonio de Librixa para las damas de la Serenísima Reina doña Isabel de inmortal memoria.

155 Ed. de A. Cortina, Madrid, 1945, pág. 61.

156 Las ya mencionadas, así como cuando habla de los verbos neutros, págs. [41] y siguientes, o cuando habla de las consonantes, págs. [63] y [67], o de los tiempos del verbo, págs. [36] y sgs., etc.

157 C. García, «Estudio introductorio» a Villalón, pág. 15.

Valdés: Assí es verdad que no lo he leído.

M.: ¿Por qué?

V.: Porque nunca pensé tener necessidad dél, y porque nunca lo he oido alabar; y en esto podeis ver cómo fue recibido y cómo era provechoso que, según entiendo, no fue imprimido más que una vez» [158].

Al *Diccionario* se refiere en los siguientes pasajes: uno, casi al principio de la obra, en el diálogo entre Torres y Valdés:

«T.: No os hagáis, por vuestra fe, tanto de rogar en una cosa // que tan fácilmente podéis cumplir, quanto más aviéndola prometido y no teniendo causa justa con que scusaros, porque la que dezís de los autores que os faltan para defenderos no es bastante, pues sabéis que para la que llamáis ortografía y para los vocablos os podéis servir del autoridad del *Vocabulario* de Antonio de Librixa y, para el estilo, de la del libro de *Amadís de Gaula.*

V.: Sí, por cierto, muy grande es el autoridad dessos dos para hazer fundamento en ella, y muy bien devéis aver mirado el *Vocabulario* de Librixa, pues dezís esso.

T.: ¿Cómo?, ¿no os contenta?

V.: ¿Por qué queréis que me contente? ¿Vos no veis que, aunque Librixa era muy doto en la lengua latina (que esto nadie se lo puede quitar), al fin no se puede negar que era andaluz y no castellano, y que scrivió aquel su *Vocabulario* / con tan poco cuidado que parece averlo escrito por burla? Si ya no queréis dezir que hombres imbidiosos por afrentar al autor an gastado el libro.

T.: En esso yo poco m'entiendo, pero, ¿en qué lo veis?

V.: En que, dexando aparte la ortografía, en la qual muchas vezes peca, en la declaración que haze de los vocablos castellanos en los latinos se engaña tantas vezes que sois forçado a creer una de dos cosas: o que no entendía la verdadera significación del latín (y ésta es la que yo menos creo) o que no alcançaba la del castellano, y ésta podría ser, porque él era de Andaluzía, donde la lengua no sta muy pura.

T.: Apenas puedo creer esso que me dezís, porque a hombres muy señalados en letras he oído dezir todo lo contrario.

V.: Si no lo queréis creer, id a mirarlo y hallaréis que por *aldeano* dice VICINUS, // por *brío en costumbres* MOROSITAS, por *cecear* y *ceceoso* BALBUTIRE y BALBUS; por *loçano* LASCIUUS, por *malherir* DELIGERE, por *moço para mandados* AMANUENSIS, por *mote* o *motete* EPIGRAMA, por *padrino de boda* PARANIMPHUS, por *ración de palacio*

[158] *Diálogo,* ed. de C. Barbolani, págs. 29-30; ed. de Lope Blanch, pág. 75.

SPORTULA, por *sabidor de lo suyo solamente* IDIOTA, por *villano* CASTELLANUS y por *rejalgar* ACONITUM. No os quiero dezir más porque sé que entendéis poco de la lengua latina y porque me parece bastan estos vocablos para que, si los entendéis, creáis que los hombres de letras que dezís no devían tener tantas como vos pensáis, o no lo devían aver mirado con tanta atención como yo, y para que veáis que no me puedo defender con el autoridad de Librixa.

T.: Confiesso que tenéis razón.

V.: Es / tanta que, si bien la entendiéssedes, soy cierto me terníades antes por modesto en el notar poco, que por insolente en el reprehender mucho. Mas quiero que sepáis que aun ay otra cosa por qué no estoy bien con Librixa en aquel *Vocabulario*, y es ésta: que parece que no tuvo intento a poner todos los vocablos españoles, como fuera razón que hiziera, sino solamente aquellos para los quales hallava vocablos latinos o griegos que los declarassen» [159].

La otra referencia extensa es la siguiente:

«M.: Otros dizen *envergonçar, enhorcar, enriscar;* vos ponéis *avergonçar, ahorcar, arriscar.*

V.: No me acuerdo jamás aver visto escritos esos vocablos con *en.*

M.: Pues yo sí los he visto.

V.: Ya tornáis a vuestro Librixa. ¿No os tengo dicho que, como aquel hombre no era castellano, sino andaluz, hablava y escrivía, como en la Andaluzía, y no como en Castilla.»

M.: Ya me lo havéis dicho, y ya yo lo sé; pero también os tengo yo dicho a vos que os he de hazer picar en Librixa más de diez veces» [160].

Colón y Soberanas *(1979,* 27-28) dicen que Valdés «arremetió contra el *Vocàbulario* con no demasiada buena fe» porque «El lector podrá consultar en el presente repertorio [161] las traducciones de esos trece términos latinos. Será quizá una mera casualidad, pero Valdés fue a elegir muestras que representaban algún cambio, por lo general poco afortunado, en el *Vocabulario* frente al *Lexicon.* Al comprobar en éste las equivalencias castellanas, echamos de ver que únicamente *aconitum, idiota* y *paranynphus* ofrecen el texto tal como viene en el *Vocabulario* y lo cita Valdés. Por lo demás, no se puede afirmar que en estos casos el teólogo conquense lleve razón. También resulta raro que sólo acudiera al *Vocabulario* y no a la otra fuente; allí hu-

159 *Diálogo,* ed. de C. Barbolani, págs. 7-8; ed. de Lope Blanch, págs. 45-47.
160 *Diálogo,* ed. de C. Barbolani, pág. 56; ed. de Lope Blanch, pág. 114.
161 Se refieren al *Diccionario Latino-Español,* de Nebrija, que ellos editan.

biera visto que el 'andaluz' Nebrija explicaba en buen castellano el sentido recto de las palabras.»

El artículo de Guillermo Guitarte *(1974)* ha arrojado nueva luz sobre la polémica de Valdés contra Nebrija. Según Guitarte, Valdés se muestra en todos los aspectos de su vida como un hombre lleno de contradicciones, que afectan no sólo a cuestiones cotidianas, sino incluso a las religiosas. Por eso no es de extrañar que Valdés se forjase «una hipótesis sobre el origen de las fallas del *Diccionario* de Nebrija, y después, apasionadamente, ha tomado como realidad su propia conjetura. En el momento en que se inicia el *Diálogo* ya tiene Valdés como una convicción el andalucismo de Nebrija (se ha visto que lo siente al comenzar la discusión sobre la autoridad del *Diccionario),* que se descubre, ser una simple hipótesis cuando razona cómo ha llegado a ella, y en algún otro pasaje que muestra igualmente un intento razonante» (pág. 260).

2.6. La norma lingüística

La lengua española ha alcanzado en los tiempos de Nebrija el desarrollo, madurez y dignidad propios de aquel «annus mirabilis» de 1492, en el que comienza un nuevo Imperio, y en todo es comparable con las lenguas de Grecia y Roma. Pero es éste también un momento decisivo de su crecimiento en el que conviene encauzarla por un camino seguro y unívoco. ¿Procedimiento? Fijarla por medio de unas reglas que emanen de la misma naturaleza de esta lengua y convengan a ella. A esta tarea se compromete Nebrija, con todo el bagaje de sus conocimientos lingüísticos y con todas las ideas, palpitantes aún, surgidas en las conversaciones de los círculos humanísticos italianos. Mas, poco se adelanta con esta labor de estudio e investigación, si los usuarios hacen caso omiso de estos cánones: se hace necesario, por ello, una autoridad que obligue a su cumplimiento. Se plantean, entonces, dos cuestiones: una, de índole teórica, y otra, de índole práctica.

Desde el punto de vista teórico, las leyes que van a fijar la lengua deben responder al uso que de ella se hace: el axioma tantas veces repetido de escribir como pronunciamos y pronunciar como escribimos. Pero hay casos en los que el legislador no se puede guiar por el uso, porque el uso no es correcto, y entonces debe seguir la opinión y el ejemplo de una autoridad que no es otra que la de los doctos y sabios. En el capítulo VIII de las *Reglas de Orthographia,* al hablar de la conjugación de los verbos irregulares, nos dice: «No hai cosa que tanto nos guíe en la conjugación de los verbos, como la proporción y semejança de vnos a otros, y esto no solamente en el griego y latín, mas avn en el castellano; pero ésta muchas vezes nos engaña, porque el vso de los sabios siempre vence, y por esto dize Quintiliano que la proporción no tiene fuerça en la razón, sino en el exemplo. Así, si de *amar, yo amé,* de *alabar, yo alabé* y de *burlar, yo burlé,* «alguno, siguiendo la proporción [regularidad], formasse de *andar, yo andé* y de *estó, estar, yo esté,* contra el común vso de los doctos que tiene de *ando, yo anduve* y de *estar, yo estuve*». Y más adelante, reitera: «teniendo el vso de los que saben...». Pero el hablante común, el no sabio, también fija un uso, aun en estos casos en los que la «proporción» tiene sus excepciones: «Siguiendo esso mesmo la proporción, como de *lees* dezímos *leo* y de *corres, corro,* y de *cabes, cabo,* auíamos de dezir *sabo* de *sabes,* y con el vso dezimos *se*». Y más abajo: «Si quisiesses, siguiendo la proporción dezir de *tengo, tener, teneré* ... vernía contra el vso que tiene por *teneré, terné,* ...». Es decir, que la norma que debe aplicarse deriva por una parte de los mismos hablantes, y, por otra, de los módulos que utilizan los hombres cultos y los conocedores de la lengua.

Esta idea se encuentra ya plasmada en algunos gramáticos latinos cuando hablan de la «latinidad». Por ejemplo, en los *Excerpta,* leemos: «Latinitas quid est? Observatio incorrupte loquendi secundum Romanam linguam. Quot modis constat latinitas? Tribus. Quibus? Ratione, auctoritate, consuetudine. Ratione quatenus? Secundum artium traditores. Quid auctoritate? Veterum scilicet lectionum. Quid consuetudine? Eorum quae e medio loquendi usu placita adsumptaque sunt» [162].

Desde el punto de vista práctico, Nebrija pide en la *Gramática* que se pongan en vigor determinadas normas para el uso del español. Esto se puede lograr por dos procedimientos: bien por imposición de la autoridad real, bien porque los usuarios doctos las aprueben democráticamente y las acepten: «I mientras que para ello no entreviene el autoridad de Vuestra Alteza o el común consentimiento de los que tienen poder para hazer uso» [163]. «Y que, hasta que entrevenga el autoridad de Vuestra Alteza o el consentimiento de aquellos que pueden hazer uso» [164]. Pero en las *Reglas de Orthographía,* años después, pide exclusivamente el total apoyo de la Corona, con una mezcla de halago y de tristeza por darse cuenta, seguramente, de la poca influencia y del poco éxito que tuvo su *Gramática:* «E agora nuestros

162 Pág. 322. Los mismos principios pueden encontrarse en Diomedes (pág. 439).
163 *GC,* fol. 10 v.
164 *GC,* fol. 16 r.

príncipes, teniendo tan aparejada la materia para ganar honrra, ... dissimúlanlo, y passan por ello no curando de proueer a tanta necessidad, ni a tan poca costa y trabajo conseguir tan glorioso renombre entre los presentes y los que están por venir. Esto quise, señor, entre tanto, testificar a vuestra limpieza y generoso ánimo porque por auentura en algún tiempo me será buen intercessor para poner en obra este mi cuidado. El qual, a mi peligro, ya auría puesto so la censura del pueblo, sino que temo que para juzgar della se hará lo que suele contando los votos y no ponderándolos, como vemos que se hizo en el comienço del pontificado de Nicolao quinto: que poniéndose en dubda si la *c* de aquel nombre auía de ser aspirada o sotil, metida la cosa a partido de votos entre copistas y escriptores de la vna parte, y los varones doctos de aquel tiempo de la otra, venció la ignorancia porque tuuo más votos» [165].

2.7. Las ideas métricas de Nebrija

El *Libro II* de la *Gramática castellana,* «En que trata de la prosodia y sílaba», está dedicado principalmente al estudio de la métrica española. Indudablemente, supone un notable avance sobre sus predecesores, y otra vez hay en esta materia una forma peculiar y nueva de ver las cosas de nuestra lengua, porque Nebrija es el primero que trata con cierta extensión las cuestiones de la versificación española. Las alusiones que hace al final del capítulo X —último de este *Libro II*— a «un arte de poesía castellana» [166], que según la opinión de todos los comentaristas sería el *Arte de poesía castellana* que Juan del Encina colocó al frente de su *Cancionero* [167], llevaron a algunos investigadores, como Casares *(1947,* 353-354), a pensar que Nebrija se había inspirado en Encina [168] cuando escribió esta parte de su *Gramática.* Nosotros opinamos, sin embargo, que pudo darse un conocimiento mutuo de ambas obras por parte de sus respectivos autores, dado que existen algunos puntos de coincidencia, no muchos, siendo la mayor parte de su contenido diferente. Es más, de los puntos tratados en común se percibe un desarrollo posterior en Encina, como si quisiese completar una idea sugerida por el Maestro [169]. De las pa-

165 *RO,* fol. 1 v.

166 «Pudiera io mui bien en aquesta parte con ageno trabajo estender mi obra, y suplir lo que falta de un arte de poesía castellana, que con mucha copia y elegancia compusso un amigo nuestro, que agora se entiende y en algún tiempo será nombrado.»

167 Véase en la ed. facsimilar de la R.A.E., Madrid, 1928.

168 Sobre la obra de Juan del Encina, véase D. C. Clarke «On Juan del Encina's, "Una arte de poesía castellana"». *Romance Philology,* VI, 1953, 254-259.

169 Por ejemplo, en lo que se refiere al *asonante.*

labras de Nebrija entendemos que considera el *Arte* de Encina como un complemento de su *Libro II*[170].

Los puntos más importantes que se deducen de esta obra de Nebrija son los siguientes:

1. *La sílaba y el acento.*—Nebrija declara en el capítulo I que el griego y el latín tienen sílabas cortas o breves, «que gastan un tiempo en su pronunciación», y largas, «que gastan dos tiempos». «Mas el castellano no puede sentir esta diferencia, ni los que componen versos pueden distinguir las sílabas luengas de las breves.» Y al final del capítulo V del mismo libro reitera: «Mas, por que nuestra lengua no distingue las sílabas luengas de las breves.» De ahí que el ritmo cuantitativo latino sea sustituido por el intensivo, y surja la necesidad de contemplar el acento en español: «ai en el castellano dos acentos simples: uno, por el cual la sílaba se alça, que llamamos agudo; otro, por el cual la sílaba se abaxa, que llamamos grave. Como en esta dición *señor,* la primera sílaba es grave, la segunda aguda» (fol. 47 r.).

Ve en español la función distintiva del acento cuando habla de distinguir en *amo* entre [ámo] y [amó]: «Como diciendo *amo,* esta palabra es indiferente a *io ámo* y *alguno amó*», debiendo colocar el signo gráfico del acento para distinguirlas[171].

En español, Nebrija distingue tres patrones acentuales: «todas las palabras de nuestra lengua común mente tienen el acento agudo en la penúltima sílaba, y en las diciones bárbaras o cortadas del latín, en la última sílaba muchas veces, y mui pocas en la tercera contando desde el fin» (fol. 48 r.). Su intuición coincide con la realidad estadística de hoy[172].

Para el cómputo silábico señala que si la última sílaba del verso es tónica, hay que contar una sílaba más (fols. 58 r. y 61 r.) «por que común mente son cortadas del latín». No menciona el patrón proparoxítono en el cómputo silábico[173].

Contempla asimismo la licencia poética de la traslación de acento, como *machína* por *máchina* o *Penelópe* por *Penélope*, en Juan de Mena.

---

170 Sobre las ideas métricas de Nebrija, véanse también los trabajos de Clarke *(1957)* y de Balaguer *(1945)*.

171 Lo mismo puede verse en el Capítulo IX del *Arte* de Enzina.

172 Esquema paroxítono: 79,5 por 100; esquema oxítono: 17,68 por 100; esquema proparoxítono: 2,76 por 100, según A. Quilis: «Frecuencia de los esquemas acentuales en español», en *Homenaje Alarcos Llorach* (en prensa).

173 Compárese la prolijidad con que es tratado este tema por Juan del Encina, en el Capítulo VI de su *Arte,* donde especifica que si las dos postreras sílabas son breves, no valen sino por una.

2. *Prosa/verso.*—«Por que todo aquello que dezimos, o está atado debaxo de ciertas leies, lo cual llamamos verso; o está suelto dellas, lo cual llamamos prosa» (fol. 20 r.). La distinción se comenta por sí sola.

3. *La rima.*—«Los que compusieron versos en ebraico, griego y latín, hiziéronlos por medida de sílabas luengas y breves. Mas después que con todas las buenas artes se perdió la gramática, y no supieron distinguir entre sílabas luengas y breves, dessatáronse de aquella lei y pusiéronse en otra necessidad: de cerrar cierto número de sílabas debaxo de consonantes» (fol. 21 r.). De este modo explica, cómo al debilitarse el ritmo de cantidad, basado en las sílabas largas y breves, nace necesariamente la rima (el consonante) como indicadora de la longitud del verso, a la par que de la frontera versal.

En cuanto a los consonantes, distingue dos clases: «una, cuando dos palabras o muchas de un especie caen en una manera por declinación, como Juan de Mena:

Las grandes hazañas de nuestros señores,
Dañadas de olvido por falta de auctores;

señores y *auctores* caen en una manera, por que son consonantes en la declinación del nombre. Esta figura los gramáticos llaman homeóptoton... La segunda manera de consonante es cuando dos o muchas palabras de diversas especies acaban en una manera, como el mesmo autor:

Estados de gentes que giras y trocas,
Tus muchas falacias, tus firmezas pocas;

trocas y *pocas* son diversas partes de la oración, y acaban en una manera. A esta figura los gramáticos llaman homeotéleuton» (fol. 22 r.). Son, en el sentido de Jakobson [174], las rimas antigramaticales (es decir, que no pertenecen a la misma categoría gramatical) y las gramaticales.

¿A partir de dónde se toma en cuenta la rima?, «desde la vocal donde principal mente está el acento agudo, en la última o penúltima sílaba» (fol. 22 r.), «Assí que no será consonante entre *treinta* y *trinta,* más será entre *tierra* y *guerra*» (fol. 22 v.), aunque en *tierra,* *ie* sea diptongo.

---

174 *Essais de Linquistique générale,* Cap. XI, págs. 209-248.

Frente a los consonantes se encuentran los asonantes —cuyo término no usa Nebrija—: «Nuestros maiores no eran tan ambiciosos en tassar los consonantes, y harto les parecía que bastava la semejança de las vocales, aunque no se consiguiesse la de las consonantes; y assí hazían consonar estas palabras: *santa, morada, alva,* como en aquel romance antiguo:

Digas tú el ermitaño, que hazes la vida santa:
Aquel ciervo del pie blanco, ¿dónde haze su morada?
Por aquí passó esta noche, una ora antes del alva»

(fol. 22 v.) [175].

4. *Unidades métricas.*—«i assí como la sílaba se compone de letras, assí el pie se compone de sílabas» (fol. 20 v.), y el pie «es lo menos que puede medir el verso y la prosa» (fol. 20 v.), y «assí como dezimos que de los pies se componen los versos, assí dezimos agora que de los versos se hazen las coplas» (fol. 26 v.). Sílaba, pie, verso, en este orden sucesivo de inserción hasta llegar a la copla —«aiuntamiento de versos en que se coge alguna notable sentencia»— son las unidades métricas nebrisenses [176].

5. *La sinalefa.*—El capítulo VII de este *Libro II* está dedicado a la «sinalepha y apretamiento de las vocales». Según Nebrija, cuando una palabra acaba en vocal y la siguiente comienza también por vocal «echamos fuera la primera dellas; como Juan de Mena en el *Labirintho:*

Hasta que al tiempo de agora vengamos;

después de *que* y *de* síguese *a,* y echamos la *e,* pronunciando en esta manera: *Hasta qual tiempo dagora vengamos.* A esta figura los griegos llaman sinalepha, los latinos compressión; nos otros podemos la llamar ahogamiento de vocales». Pero Nebrija no se da cuenta de que el verso citado es compuesto; por lo tanto, no puede hacer la sinalefa entre *que* y *al* para obtener las seis sílabas del primer componente. Sin embargo, al contemplar este otro verso del mismo Mena:

---

175 Encina, en el Cap. VI de su *Arte,* titulado «De los consonantes y assonantes y de la esaminación dellos», trata con mayor amplitud este punto.

176 Para Juan del Encina, en el Cap. V de su *Arte,* «Pie no es otra cosa en el trobar sino un ayuntamiento de cierto número de sílabas, y llámase pie por que por él se mide todo lo que trobamos y sobre los tales pies corre y roda el sonido de la copla... y nosotros podremos llamar verso adonde quiera que ay ayuntamiento de pies que común mente llamamos copla, que quiere dezir cópula o ayuntamiento».

Al gran rei de España, al César Novelo,

no realiza la sinalefa: «después de *a* síguese otra *a,* pero no tenemos necessidad de echar fuera la primera dellas».

Además, este apretamiento de vocales no ocurre sólo en el verso, sino también «en la oración suelta, como si escriviesses: *nuestro amigo está aquí,* puedes lo pronunciar como se escrive, y por esta figura puedes lo pronunciar en esta manera: *nuestramigo staquí*».

6. *Clases de versos.*—Nebrija no se desprende del todo en sus ideas métricas de la servidumbre latina, y así, en su terminología, y en el ir computando el número de sílabas por pies, sigue apegado a la tradición latina. En lo que se refiere a la clase de versos, distingue entre los versos *yámbicos* —porque es «en los lugares pares donde se hacen los asientos [177] principales», y los *adónicos,* compuestos por un dáctilo y un espondeo. Entre los primeros señala:

a) El *monómetro* o *pie quebrado,* de cuatro sílabas», y llámanle assí, porque tiene dos pies espondeos y una medida o assiento, como el Marqués en los *Proverbios:*

Hijo mío mucho amado,
Para mientes;
No contrastes a las gentes
Mal su grado.
Ama y serás amado,
Y podrás
Hacer lo que no harás
Desamado.

Para mientes y *Mal su grado* son versos monómetros regulares, por que tienen cada cuatro sílabas».

Tratando de este pie quebrado, señala una de las condiciones que se pueden dar para considerar el *pie perdido:* que el verso anterior al del pie quebrado sea oxítono: «Puede entrar este verso con medio pie perdido..., y assí puede tener cinco sílabas; como don Jorge Manrique:

Un Constantino en la fe
Que mantenía.

---

177 El *assiento* equivale al acento principal.

Que mantenía tiene cinco sílabas, las cuales valen por cuatro por que la primera no entra en cuenta con las otras» [178]. No señala la otra condición: que se puede producir sinalefa entre el verso de pie quebrado y el anterior [179].

b) El *dímetro yámbico,* «que los latinos llaman quaternario», o *pie de arte menor* o de *arte real,* de ocho sílabas; lo ejemplifica con los octosílabos del fragmento de los *Proverbios,* transcrito anteriormente.

Considera versos compuestos los formados por dímetros y monómetros:

Pues tantos son los que siguen la passión
Y sentimiento penado por amores,
A todos los namorados trobadores
Presentando les demando tal quistión...

c) El *trímetro yámbico,* «que los latinos llaman senario, regularmente tiene doze sílabas»:

No quiero negaros, señor, tal demanda,
Pues vuestro rogar me es quien me lo manda;
Mas quien solo anda cual veis que io ando,
No puede, aunque quiere, complir vuestro mando.

d) El *tetrámetro yámbico,* «que llaman los latinos octonario, y nuestros poetas pie de romances, tiene regular mente diez y seis sílabas; ... como en este romance antiguo:

Digas tú el ermitaño, que hazes la santa vida,
Aquel ciervo del pie blanco ¿dónde haze su manida?

En los adónicos, distingue:

a) El verso adónico, que podríamos llamar simple, tiene cinco o seis sílabas métricas, como en el rondel antiguo que cita:

---

178 Señala también este otro ejemplo:

Sólo por aumentación
De umanidad.

179 Véanse sobre este punto los siguientes artículos de Aurelio M. Espinosa: «La sinalefa entre versos en la versificación española», *The Romanic Review,* XVI, 1925, 103-121; «La compensación entre versos en la versificación española», *The Romanic Review,* XVI, 1925, 306-329; «La sinalefa y la compensación en la versificación española», *The Romanic Review,* XIX, 1928, 289-301 y XX, 1929, 44-53.

Despide plazer
Y pone tristura,
Crece en querer
Vuestra hermosura.

b) El verso «adónico doblado» que «es compuesto de dos adónicos», llamado también *pie de arte mayor,* coincidiendo en esta denominación con el dímetro yámbico, ya mencionado antes. Este tipo de verso puede tener, según Nebrija, entre ocho y doce sílabas.

7. *De la composición de los versos.*—La estrofa puede estar formada por versos isosilábicos, es decir, todos los versos son «uniformes», como el *Laberinto* de Mena. En caso contrario, los versos son «diformes», como «los *Proverbios* del Marqués, la cual obra es compuesta de dímetros y monómetros iámbicos».

En cuanto a la posición de la rima, pueden ser:

a) *Distrofos: a b a b;* «cuando el tercero verso consuena con el primero».

b) *Tristrofos: a b b a;* «cuando el cuarto torna al primero».

c) *Astrofos: a a a a;* «si todos los versos caen debaxo de un consonante llamarse an astrophos, que quiere decir sin tornada; cuales son los tetrámetros en que diximos que se componían aquellos cantares que llaman romances».

Como reconocimiento de la rima en función de frontera versal es interesante el siguiente párrafo: «No pienso que ai copla en que el quinto verso torne al primero, salvo mediante otro consonante de la mesma caída; lo cual por ventura se dexa de hazer, por que cuando viniesse el consonante del quinto verso, ia sería desvanecido de la memoria del auditor el consonante del primero verso».

8. *Principios de estilística.*—Al hablar en el capítulo VI de la pesantez que puede producir el consonante en el verso, se desprenden unos principios de rudimentaria estilística que merece la pena destacar: *a)* Predominio del significado sobre el significante: «las palabras fueron halladas para dezir lo que sentimos, y no, por el contrario el sentido a de servir a las palabras»; *b)* «las palabras son para traspassar en las orejas del auditor aquello que nos otros sentimos teniendo lo atento en lo que queremos dezir; *c)* «no ai cosa que más ofenda las orejas, ni que maior hastio nos traiga, que la semejança, la cual traen los consonantes entre sí».

2.8. Otras actividades científicas de Nebrija

Como hemos indicado anteriormente, el espíritu curioso y abierto a toda manifestación científica llevó a Antonio de Nebrija a interesarse por las cuestiones más insospechadas y varias. La obra de Cotarelo Valledor *(1947),* a quien fundamentalmente seguimos en este epígrafe, recoge lo más importante de esta vertiente nebrisense.

1. En primer lugar hay que señalar su tratado *De liberis educandis* [180], que lo sitúa en la línea de los educadores españoles. Escribió la obra para satisfacer el deseo mostrado por el secretario del rey, Miguel Pérez de Almazán, de que se ocupase de la educación de sus hijos. Esta obra, incompleta, fue escrita hacia 1509 y consta de doce capítulos, de los que parte están dedicados al educando (desde la preeducación: lactancia, vestiduras del niño, educación física, juegos infantiles y aprovechamiento didáctico, hasta el perfeccionamiento de las aptitudes naturales, la exploración de las vocaciones, la edad para comenzar los estudios, etc.; rechaza los castigos físicos y propugna la educación colectiva frente a la individual, con el objeto de incorporar plenamente al niño a la vida social) y parte al educador, cuyas cualidades deben ser óptimas.

2. Durante tres años consecutivos, Nebrija leyó en la Universidad de Salamanca otras tantas Repeticiones cuyo contenido estaba bastante alejado de sus cotidianas preocupaciones: la Repetitio VI: *De Mensuris* (junio de 1510); la VII: *De Ponderibus* (junio de 1511), y la VIII: *De Numeris* (junio de 1512); las tres serían publicadas juntas bajo el título de *Repetitio septima: De Ponderibus* (febrero de 1527).

En *De Mensuris* [181] se exponen las unidades métricas de los antiguos, tanto de longitud como de capacidad. «Advierte la dificultad de medir áridos por su densidad variable, y como de costumbre resume en un glosario de 77 voces las unidades mensurales, con sus equivalencias y definiciones» (Cotarelo, *1947,* 19). Fija la medida de la milla, del estadio, del paso, y del *pie* español, algo menor que el romano, equivalente a un tercio de la vara de Castilla. Protesta contra

---

[180] Publicado por Roque Chabás, en la *Revista de Archivos, Bibliotecas y Museos,* VII, 1903, págs. 56 y sgs. Véase Cotarelo *1947,* 7-9; Olmedo *1942,* 167-200; H. Keniston: «Notes on the *De liberis educandis* of Antonio de Lebrixa». *Homenaje a Menéndez Pidal,* III, 1925, 126-141; Karl Hadank: *Des «Büchlein von der Kindererziehung» des spanischen Humanisten Aelius Antonius Nebrissensis,* Leipzing, Fock, 1912 (se trata de una traducción y estudio de la obra indicada; v. la reseña de M. Artigas, en *Rev. de Filología Española,* 1916, III, 324.

[181] Impresa en el mismo año, posiblemente en Salamanca.

la diversidad de medidas existentes y pide una unidad de valor que sirva de referencia entre las unidades de longitud, peso y volumen.

En *De Ponderibus* [182] examina las antiguas unidades de peso y capacidad, y las reduce a 50 términos que, en forma de glosario, dispone al final de esta repetición.

En *De Numeris* habla «de las diversas denominaciones aplicadas por los clásicos a los números cardinales y ordinales, y denuncia unos 30 pasajes de la Biblia en que las cantidades referidas en la Vulgata no se corresponden con las expresadas en los textos hebraicos» [183].

3. Los estudios astronómicos también colmaron la curiosidad de Nebrija: alrededor de 1499 publica la obra *In Cosmographiae libros introductorium;* en ella trata «de la esfericidad de la tierra y de su colocación en el centro del universo, y de cómo las aguas la cubren en mayoría, contra lo que muchos pensaban, situando y designando los mares con mayor exactitud que los predecesores y hablando de los controvertidos antípodas, que llama *antichthonos,* siguiendo a Mela, y cuya existencia admite, honrosamente, sin obstáculo. Cuenta y define los círculos de la esfera armilar, los vientos y sus nombres, según los clásicos, estableciendo una rosa de dieciséis rumbos, conforme a los marinos; expone cómo a un grado medido en el cielo corresponden 500 estadios sobre un círculo máximo terrestre, combatiendo a Sacrobosco, que le da 700, y reduciendo a 5.400 leguas todo el ámbito del planeta, aceptando así la falsa estimación de Posidonio y el famoso error de Tolomeo, error fecundo, pues condujo al descubrimiento de América. Estudia la proporción de los paralelos por razones simples, analizando en especial el paralelo medio de España y los de Sicilia, Chipre, Rodas y Germania, con sus respectivas longitudes. Escribe de las unidades métricas usadas por los cosmógrafos, y por este motivo evoca sus mediciones en las ruinas de Mérida y en la Vía de la Plata, para deducir que su propio pie descalzo ('Soy de mediana estatura', dice) es el verdadero pie hispano-romano, al cual deben referirse todas las medidas. Explica la sencilla cartografía tolomaica: representar la superficie de la Tierra como un rectángulo plano y fijar los puntos geográficos por el cruce de las coordenadas, paralelos y meridianos, tomando como origen de las longitudes en el cielo el principio del signo de Aries, y en la tierra, la última isla Afortunada, y después indica la variable duración del día según

---

182 Publicada en el mismo 1511.

183 Cotarelo, *1947,* 20-21. Según este mismo autor, no se conoce impresión de esta repetición en 1512, aunque seguramente la habría. Se conoce la realizada por Brocar, en Alcalá, en 1521.

las latitudes» (Cotarelo, *1947,* 25-26). El libro termina con un glosario de 80 «vocablos que usan los cosmógrafos».

Íntimamente relacionado con este tratado está la *Tabla de la diversidad de días y horas,* folleto escrito en español, publicado ca. 1517, en el que se expone lo que se ha de entender por día y hora, la desigualdad de los días; proporciona unas tablas para saber los «días, horas y partes de hora en las ciudades, villas y lugares de España y otros de Europa, que les corresponden por sus paralelos». Como es habitual, declara algunos vocablos, explicando la división sexagesimal de la circunferencia, etc.

Cotarelo Valledor *(1947,* 30) da por seguro que Nebrija escribió la obra *De ratione calendarii,* posiblemente para asesorar a la Universidad de Salamanca sobre la respuesta que debía dar a la pregunta formulada por León X sobre la reforma del calendario. No hay noticias de su publicación.

4. Y para terminar, indiquemos la composición de un *Vocabulario de Medicina* que anunciaba en prólogo del *Lexicon iuris civilis,* y que no sabemos que haya visto nunca la luz [184].

[184] Cotarelo Valledor incluye al final de su obra *(1947,* 39-42) la «Traducción del *Cálculo por los dedos,* de Elio Antonio de Nebrija».

III

LA «GRAMÁTICA DE LA LENGUA CASTELLANA»

3.1. Finalidad de la obra

La *Gramática de la Lengua castellana* aparece aproximadamente seis años después de publicada la obra *Introducciones latinas... contrapuesto el romance al latín* (Salamanca, ca. 1486). Como dijimos, esta última la compuso por mandato de la reina, porque, según él mismo, «en el comienço no me pareció materia en que io pudiesse ganar mucha honra, por ser nuestra lengua tan pobre de palabras, que por ventura no podría representar todo lo que contiene el artificio del latín» [1]. Posiblemente, cuando terminó la traducción, se dio cuenta de que la lengua española no tenía por qué representar puntualmente todo el artificio del latín, ya que tenía su propia estructura, diferente de la de su lengua original; y también se apercibió de lo útil que sería hacer un Arte de aquella lengua vulgar, aún no sometida a reglas.

¿Cuándo se escribió esta *Gramática?* Debió empezar a escribirla inmediatamente después de terminar la traducción de las *Introducciones latinas,* ya que según dice en el «Prólogo», al final del año 1486, cuando los reyes están en Salamanca, de regreso de su peregrinación a Santiago, enseñó a la reina una *muestra* de la obra [2]. La terminaría de escribir en el mismo 1492. Según González-Llubera *(1926,* XLI-XLII), el prólogo fue escrito después de la capitulación de Granada

[1] Fol. a.ii., v., col. 1.

[2] «... cuando en Salamanca di la muestra de aquesta obra a vuestra real Majestad».

—el 2 de enero de 1492—, ya que en él se alude a este acontecimiento [3], y no después del mes de mayo, puesto que a Fray Hernando de Talavera se le menciona aún como obispo de Avila. La impresión se terminó el 18 de agosto de 1492.

La aparición de la *Gramática castellana* en 1492 coincide en España con otros dos hechos de capital importancia: la toma de Granada y el descubrimiento de América. Si el primero es el broche que cierra la unidad de nuestra Patria, el segundo abrirá a la lengua y a la cultura españolas amplios mundos nunca soñados hasta entonces. En la historia del humanismo, la publicación de la *Gramática* marca un hito importante al ser el primer logro de uno de sus hombres.

Por otra parte, la *Gramática* nebrisense se adelanta treinta y siete años a la primera gramática italiana de Trissino [4], cincuenta y ocho a la primera gramática francesa de Louis Meigret [5], y cuarenta y cuatro años a la *Grammatica de Lingoagem portuguesa,* de Fernando de Oliveira, en 1536. La gramática española es la primera de una lengua romance compuesta según los principios humanistas.

El *Prólogo* encierra su programa, que podemos reducir a los siguientes puntos:

1. Utilidad de la obra: «Cuando en Salamanca di la muestra de aquesta obra a Vuestra Real Majestad, y me preguntó que para qué podía aprovechar, el muy reverendo padre Obispo de Avila me arrebató la respuesta, y respondiendo por mi dixo: que, después que Vuestra Alteza metiese debaxo de su iugo muchos pueblos bárbaros y naciones de peregrinas lenguas, y con el vencimiento aquellos ternían necessidad de recibir las leies quel vencedor pone al vencido y con ellas nuestra lengua, entonces por esta mi *Arte* podrían venir en el conocimiento della, como agora nos otros deprendemos el arte de la gramática latina para deprender el latín. Y cierto assí es que no sola mente los enemigos de nuestra fe que tienen ia necessidad de saber el lenguaje castellano, mas los vizcaínos, navarros, franceses, italianos y todos los otros que tienen algun trato y conversación en España y necessidad de nuestra lengua, si no vienen desde niños a la deprender por uso, podranla más aina saber por esta mi obra». Estas palabras,

---

3 «... después de los enemigos de nuestra fe vencidos por guerra y fuerça de armas».

4 La *Grammaticheta,* publicada en 1529. Trissino había publicado ya en 1524 su *Epistola de le lettere nouvamente aggiunte ne la ligua italina,* y publicará en el mismo 1529 sus *Dubbii grammaticali,* compendio de cuestiones ortográficas.

5 Su *Tretté de la Grammere françoeze* fue publicado en 1550. Antes, en 1442, había publicado un *Traité touchant le commun usage de l'escriture françoise, auquel est debattu des faultes et abus en la vraye et ancienne puissance des lettres.* Véase L. Kukenheim: *Esquisse historique de la linguistique française,* Leiden, 2.ª ed., 1966, págs. 26-27.

pronunciadas cuando aún ni se pensaba en la empresa americana, parecen verdadera profecía.

2. La lengua compañera del Imperio (Asensio, *1960*): «Siempre la lengua fue compañera del imperio, y de tal manera lo siguió que junta mente començaron, crecieron y florecieron, y después junta fue la caída de ambos.» Existe para Nebrija un paralelismo, que ejemplifica con testimonios antiguos hebreos, griegos y latinos, entre la lengua y el poder político y cultural del país. Por eso, «Lo que diximos de la lengua ebraica, griega y latina, podemos mui más clara mente mostrar en la castellana que tuvo su niñez en el tiempo de los jueces y reies de Castilla y de León, y començó a mostrar sus fuerças en tiempo del mui esclarecido y digno de toda la eternidad el rei don Alonso el Sabio... Y assí creció hasta la monarchia y paz de que gozamos, primeramente por la bondad y providencia divina, después por la industria, trabajo y diligencia de Vuestra Real Majestad». Muchos de sus contemporáneos no estaban de acuerdo con esta idea porque veían en Italia una literatura descollante junto a una tremenda decadencia política.

3. La lengua al servicio de la unidad de la nación: así como «los miembros y pedaços de España, que estaban por muchas partes derramados, se reduxeron y aiuntaron en un cuerpo y unidad de reino, la forma y travazón del cual assí está ordenada que muchos siglos, injuria y tiempos no la podrán romper ni desatar», es necesario que después florezcan los «artes de la paz. Entre las primeras es aquella que nos enseña la lengua, la cual nos aparta de todos los otros animales, y es propia del ombre, y en orden la primera después de la contemplación que es oficio propio del entendimiento».

4. Fijar el uso del español, estabilizar la lengua vulgar de España, para que evitando posteriores cambios y variaciones pueda servir a la unidad nacional ya que nuestra lengua «hasta nuestra edad anduvo suelta y fuera de regla, y a esta causa a recebido en pocos siglos muchas mudanças por que si la queremos cotejar con la de oi a quinientos años, hallaremos tanta diferencia y diversidad cuanta puede ser maior entre dos lenguas». Quizá temiera Nebrija la desintegración del castellano como siglos antes había ocurrido con el latín. Por eso quiere dotar al español de un arte, de una gramática que lo fije. La posibilidad de reducir a reglas una lengua vulgar y dotarla de un arte similar al que poseían las lenguas áulicas fue idea de Flavio Biombo; aunque sus teorías fueron acogidas con entusiasmo

en Italia, cayeron en el olvido en aquel país, siendo Nebrija el primero en llevarlas a la práctica.

5. La lengua debe ser el vehículo fiel de transmisión a la posteridad de las hazañas y glorias culturales presentes: «Y por que mi pensamiento y gana siempre fue engrandecer las cosas de nuestra nación y dar a los ombres de mi lengua obras en que mejor puedan emplear su ocio, que agora lo gastan leiendo novelas o istorias embueltas en mil mentiras y errores, acordé ante todas las otras cosas reduzir en artificio este nuestro lenguaje castellano, para lo que agora y de aqui adelante en él se escriviere pueda quedar en un tenor, y estenderse en toda la duración de los tiempos que están por venir, como vemos que se a hecho en la lengua griega y latina, las cuales, por aver estado debaxo de arte, aunque sobre ellas an passado muchos siglos, toda via quedan en una uniformidad». En este punto coincide con los objetivos que guiaron a los primitivos filólogos de la India que fijaron sus textos sagrados manteniéndolos inalterados para la posteridad, o con los gramáticos griegos que sometieron sus poemas épicos al mismo tratamiento, o los fines políticos que motivaron la regularización de la lengua latina en el Imperio Romano, etcétera [6].

Nebrija, en definitiva, ve en el español una lengua totalmente independiente de la latina, y de la misma categoría. Si sus detractores le achacaron en los años posteriores que estaba demasiado apegado a la tradición latina, ello puede justificarse del siguiente modo: en primer lugar, es la primera gramática que se escribe de una lengua vulgar, y la escribe precisamente un gran latinista, autor de otra gran gramática latina; de este modo, es muy difícil despegarse de los moldes de la latina para escribir la española; pero es que, además, Nebrija pensaba que la *Gramática castellana* debía ser útil para los que quieran estudiar la gramática latina, ya que el conocimiento exacto de la lengua materna es una gran ayuda para la adquisición del latín como segunda lengua. En segundo lugar, para convencer a los demás de las excelencias de la lengua vulgar era predeciso mostrar que ésta se hallaba muy próxima de la latina, con la que se podía parangonar en suma de artificiosidades. Es por eso por lo que un tan buen observador del lenguaje ejemplifica continuamente con Mena, el más latinizante de todos los escritores que podía utilizar el gramático sevillano: si observa, por ejemplo, que *gelo* es

[6] Para lo anteriormente expuesto, véase, además, Menéndez-Pidal *(1950)*, Kukenheim *(1932)*, Bahner *(1966)* y Quilis *(1977)*.

poco usual, pero tolerable, no se le puede escapar el latín subyacente en las *Trescientas*[7].

3.2. Estructura de la obra

La *Gramática castellana,* como puede verse a continuación, se divide en cinco libros, además del *Prólogo.* Una primera parte está dedicada al significante; comprende la ortografía y la pronunciación, en el Libro primero, y la sílaba, acento y métrica, en el segundo. Una segunda parte, dedicada a la morfología y al orden de palabras, en los libros tercero y cuarto. Y la tercera parte, que es como un compendio: «De las introduciones de la lengua castellana para los que de estraña lengua querrán deprenderla» (Libro quinto).

Su estructura difiere de la de las *Introductiones latinae*[8]; no es una mera traducción, como algunos comentaristas posteriores le achacaron, sino algo muy diferente, primero por su concepción, pues no hay paralelismo con las *Introductiones,* y luego por su contenido y estructura: la *Gramática castellana* está pensada desde la misma lengua vulgar, y no desde el latín. No contradice esta afirmación el hecho de que utilizase los conceptos lingüísticos que los gramáticos latinos acuñaron sobre su propia lengua, pues eran las únicas fuentes a las que se podía acudir.

3.3. Ediciones de la «Gramática»

Sabemos que la «editio princeps» fue impresa en Salamanca, pero se ignora quién fue su impresor.

Sus características son las siguientes: 66 hojas; signaturas a.ii.- a.iiii. + 4 s.s.; b.i.- b.iiii + 4 s.s.; .... h.i.- h.iiii. + 4 s.s.; i.i.- i.ii. + 1 s.s. Sin portada. El fol. 1 r.s.n. lleva el siguiente encabezamiento: «A la mui alta y assi esclarecida princessa Doña Isabel, la / tercera

7 Véase también Erasmo Buceta: «La tendencia a unificar el español con el latín», en *Homenaje a Menéndez Pidal,* I, 85 y sgs., y «De algunas composiciones hispano-latinas en el siglo XVII», *RFE,* XIX, 1932, págs. 388-414.

8 En éstas, el Libro primero está dedicado a las conjugaciones *(De conjugationibus),* a la formación de los verbos regulares *(De formatione verborum regularium),* a los verbos defectivos *(De verbis defectivis)* y como final un *De primis puerorum praexercitamentis,* resumen dedicado a las partes de la oración, accidentes del nombre, etc. El Libro segundo trata del género *(De genere nominum),* de la declinación *(De nominum declinatione),* del pretérito *(De praeteritis verborum),* del supino *(De supinis verborum).* El Libro tercero, *qui est de erotematis, hoc est, de interrogationibus, quibus pueri de omnibus grammaticae partibus interrogandi sunt.* El Libro cuarto que es *De constructione octo partium orationis,* y el Libro quinto dedicado a la cantidad de las sílabas, a los pies y a los acentos.

deste nombre, Reina y Señora natural de Espa- / ña y las islas de nuestro mar. Comiença la Gramática / que nuevamente hizo el Maestro Antonio de Lebrixa / sobre la Lengua castellana. Y pone primero el prólogo. / Léelo en buen ora».

A continuación, empieza el texto, hasta el fol. 66 v.s.n., donde se copia tras el *Deo Gracias* el siguiente colofón: «Acabóse este tratado de Grammática que nueva mente / hizo el Maestro Antonio de Lebrixa sobre la Lengua cas- / tellana, en el año del Salvador de mil y CCCCXCII, a XVIII / de Agosto. Empresso en la mui noble ciudad de Sa- / lamanca» [9].

La *Gramática* no conoce otra edición en vida de su autor. La segunda aparece en el siglo XVIII, debida probablemente a Francisco Miguel de Goyoneche, Conde de Saceda. Posiblemente, se realizara, según Galindo Romeo y Ortiz Muñoz *(1946,* XXI y XXII) entre los años 1744 y 1747. El Conde de la Viñaza reprodujo esta edición a finales del siglo XIX [10].

¿Cuál fue el motivo de que no se reimprimiese esta obra? «La razón de tan inexplicable olvido —según sus más modernos editores— acaso haya podido ser, de una parte, la tormenta de críticas que el ensayo del nebrisense despierta, y de otra, la serie de gramáticas semejantes, e incluso inspiradas en la de Elio Antonio, que van viendo sucesivamente la luz en el transcurso de los siglos XVI y XVII» [11].

Para Julio Casares *(1947,* 358), la razón se centra en la pugna entre la latinidad y el romance. Éste es utilizado por magníficos escritores, poetas y prosistas, que continuamente lo perfeccionan y lo van dando a conocer en los rincones más apartados de aquél aún reducido mundo. Pero el latín sigue siendo la lengua de la ciencia: «Los teólogos, los juristas, los cosmógrafos, los historiadores, los médicos, los filósofos, los doctos, en una palabra, no se atreven a ser infieles al latín. Lo estudian cada día con mayor ahínco porque esta lengua, tan ennoblecida por los antiguos y tan trabajada por los sabios que produjo el Renacimiento en toda Europa, se ha convertido en el instrumento ecuménico para las ciencias y las artes y es, por eso mismo, la única que trae y lleva la fama por encima de las fronteras. Quien no pueda escribir en buen latín habrá de conformarse con la modesta gloria que le ofrezca su patria chica, sin aspirar al renombre universal. Así, hasta ya entrado el siglo XVII, circula por el

---

[9] Para la localización de los diversos ejemplares hoy conocidos de la «editio princeps», véase Galindo Romeo y Ortiz Muñoz *(1946,* XIX-XX).

[10] En su *Biblioteca histórica de la Filología castellana,* Madrid, 1893, cols. 373-452; 791-811; 1077-1098.

[11] Galindo Romeo y Ortiz Muñoz *(1946,* XXI).

mundo intelectual cierto reproche desdeñoso hacia quienes se rebajan a tratar de graves materias en esa lengua vulgar que, por otra parte, se alaba cada día con mayor encarecimiento.»

Existe aún otra consideración que conviene mencionar: según Gröber, «En la formación de la lengua literaria de España, tal como la vemos manejada en las obras de Hernando de Herrera, Jorge de Montemayor, Cervantes, Lope de Vega y Calderón, entre otros, sólo ha tenido parte el saber y el buen gusto del escritor, y no, como en Italia y en Francia, la gramática» [12].

Quizá se puedan añadir otras razones, además de las aludidas [13], que moviesen a nuestro humanista a editar la Ortografía: como han demostrado excelentes críticos [14], Nebrija fue en su tiempo, y después de su tiempo, una autoridad en filología clásica, y como tal lo consideraron sus contemporáneos. Es posible que éstos, ocupados excesivamente en los problemas y en la enseñanza de las lenguas áulicas, mostrasen poco interés por su lengua vernácula, y aún menos por la obra gramatical castellana de Nebrija, al que mirarían, bajo este prisma, como un excéntrico, cosa que suele ocurrir frecuentemente con el que rompe con toda una línea de tradición, porque, como él mismo dijo, «en aquello que es como lei consentida de todos, es cosa dura hazer novedad». Lo cierto es que ningún humanista de su generación escribe nada sobre nuestra lengua. Es la generación posterior la que hace suyo el problema planteado por Nebrija, unos, atacándole, otros siguiendo fielmente su doctrina.

Posiblemente aquí haya que buscar la razón de que publicase veinticinco años después de la Gramática sus *Reglas de Orthografía.* Nuestro gramático sentiría pasar el tiempo viendo que no se ponía remedio alguno y doliéndose con el fracaso de su intento. Hombre ávido de lectura, percibiría en los libros, que cada vez con más frecuencia se comenzaban a imprimir, en los manuscritos de sus alumnos y de sus colegas, el caos ortográfico que imperaba. La ortografía, bien a su pesar, seguía estando suelta; y la ortografía era lo que podía reflejar más espectacularmente en la época, un estado de anarquía lingüística, mucho más fácil de aprehender en este nivel, que en el morfosintáctico, por ejemplo. Creemos que ésta es la causa que lo mueve a intentar por segunda vez la fijación de nuestra lengua; e intuyendo que la ortografía es un fuerte vínculo de koiné lingüística,

---

[12] G. Gröber, *Geschichte der Romanische Philologie,* pág. 32. Citado por Casares, *loc. cit.*

[13] Nebrija muere en Alcalá el 3 de julio de 1522. Y las gramáticas y ortografías españolas que aparecen después de las suyas ven la luz después de su muerte.

[14] Véanse los trabajos, citados en la bibliografía, de Drerup, Errandonea, Meier, y Gil y López Rueda.

insiste en su unificación, para lo que pide, como veremos, la ayuda de la autoridad real.

Es en el siglo xx cuando han aparecido más ediciones de esta obra. Primero, la de Walberg, en 1909 [15]. En segundo lugar, la de González Llubera, en 1926, junto con la *Muestra de la Istoria de las Antigüedades de España* y las *Reglas de Orthographía en la Lengua castellana.* En tercer lugar, la de Pascual Galindo Romeo y Luis Ortiz Muñoz, en 1946 [16], acompañada de la reproducción facsimilar de la edición «princeps». Y por último, la edición en facsímil realizada por Espasa-Calpe, con una «Nota preliminar» de F. C. Sáinz de Robles (Madrid, 1976).

3.4. Nuestra edición

Para nuestra edición hemos seguido, cotejándolas, las ediciones facsimilares de Galindo Romeo y Ortiz Muñoz y la más reciente de Espasa-Calpe. Se trata, en el primer caso, de facsímiles procedentes de los ejemplares custodiados en la Biblioteca de la Facultad de Derecho de la Universidad Central de Madrid, de la Biblioteca Colombina de Sevilla y de la Biblioteca Nacional de Madrid [17], mientras que la edición de Espasa-Colpe utiliza un ejemplar de la Biblioteca Nacional de Madrid, distinto, evidentemente, del utilizado en la mayor parte de la edición de Galindo Romeo y Ortiz Muñoz: compruébese, por ejemplo, en esta última, los subrayados del fol. 8 r.s.n. (o *b.i*), renglón 28, en *helgaduras* y 30 en *medio vocales;* fol. 6 r.s.n. renglones 13 y 14, *momos.* El trazo ondulado al final del renglón 20 del fol. 30 r.s.n. o el subrayado de *cuamaños* en los renglones 13 y 14 del fol. 29 v.s.n., etc., etc.; estas señales no aparecen en el facsímil de Espasa-Calpe.

Basamos nuestra edición en los siguientes criterios:

1. Unificamos el uso del acento ortográfico de acuerdo con las normas actuales. La «editio princeps» lo señala algunas veces, cuando puede desempeñar las funciones contrastiva y distintiva, por ejemplo, *hállo, sáco* y *llámo* en fol. 1 r.; *osó, començó* (dos veces) en fol. 1 v.; *disputé,* fol. 7 r.; *está,* fol. 8 v.; *ámo* y *amó,* fol. 18 r., etc.;

---

[15] Editada por Max Niemeyer, Halle, a.S.

[16] Hay que citar también la que, con finalidad pedagógica, editó en 1931 don José Rogerio Sánchez, siguiendo la edición de González Llubera, en Madrid, vol. VIII, de la «Serie escogida de autores españoles».

[17] Galindo Romeo y Ortiz Muñoz, *1946,* vol. II.

pero no aparece tilde en *pacífico,* fol. 1 v.; *capítulo,* fol. 14 r.; *género,* fol. 15 r.; *sabia,* fols. 26 r. y v., etc.

Hemos de advertir que cuando Nebrija acentuó intencionadamente algún ejemplo, lo hacemos también constar en nota de pie de página.

2. Respetamos la separación de los dos elementos del adverbio en *-mente,* como emplea Nebrija en todas sus obras españolas: *antigua mente.*

3. Restituimos la diéresis de *antigüedades* (por *antiguedades* en la «editio princeps»), por ejemplo, y casos similares.

4. En al edición original, se usa tilde sobre *ch* en las palabras españolas, como pide tanto en las *Reglas de Orthographía* [18], capítulo IIII, como en la *Gramática,* fol. 10 v. Lo mismo pasa con *x,* que también utiliza con tilde para distinguir la fricativa sorda española de *cs* en latín [19].

5. Unificamos alternancias como *iudios - judios,* a *judíos, cual-qual,* a *cual,* etc.

6. Reservamos la grafía *u* para la vocal, y *v* para la fricativa sonora: *escrivir* por *escriuir, tuvo* por *tuuo, deve, etc.,* frente a *cuando, una.*

7. Corregimos erratas evidentes, pero dando siempre la forma original en nota de pie de página. Lo mismo hacemos cuando damos otra interpretación al texto; es decir: la forma original aparece siempre.

8. Conservamos el signo ꝛ para representar la conjunción copulativa.

9. No reproducimos la *s* larga.

10. Deshacemos las abreviaturas, sin proporcionar ninguna información sobre ellas.

11. En el paradigma de la declinación que ofrece Nebrija, sobre todo en los fols. 55 v. y 58 r. de la *Gramática,* en los casos segundo

---

18 Sin embargo, en éstas no aparece.

19 *Reglas de Orthographía,* Cap. II, y *Gramática,* fol. 11 v.

y tercero, funde la preposición con el artículo, resultando *del, dela, delo, delos, delas; a el, ala, alo, alos, alas*. En la edición príncipe, se mantiene esta postura, así como la unión con las preposiciones *a, con, en, de; conla, enla,* etc. Este uso es corriente en las otras obras en lengua española, de Nebrija. Pese a ello, sólo hemos mantenido la unión en casos como *dellos, del,* etc., en los que se funden dos vocales iguales en una sola (*de* + *el* = *del*), separando, como hoy *en la, de lo, a la,* en lugar de *enla, delo, ala, conesta,* unidos en el texto.

Lo mismo hacemos cuando la secuencia consta de preposición y demostrativo: *en esta* por *enesta,* pero *desta.*

12. Puntuamos conforme al criterio actual.

13. En el texto, el uso de las mayúsculas es caótico; por ello, las unificamos conforme al criterio actual.

14. Como hemos indicado, los folios están sin numerar, por lo que en nuestra edición indicamos el número del folio, recto o vuelto, omitiendo la abreviatura *s.n.*

En general, procuramos que nuestra edición sea lo más fiel posible a la príncipe. Las pequeñas modificaciones que hacemos, comprensibles, por otra parte, van —ya lo hemos dicho— siempre indicadas.

BIBLIOGRAFÍA

ALONSO, A. *(1949):* «Examen de las noticias de Nebrija sobre antigua pronunciación española», en *Nueva Revista de Filología Hispánica,* III, pp. 1-82.

ALONSO, A. *(1955): De la pronunciación medieval a la moderna en español.* Madrid, Gredos.

ALLUÉ SALVADOR, M. *(1944):* «Vida y hechos de Nebrija», en *Revista Nacional de Educación,* XLI, pp. 44-46.

ARISTÓTELES *(1974): Poética,* Ed. de V. García Yebra. Madrid, Gredos.

ARISTÓTELES *(1949): The Organon.* I The Categories on Interpretation. London.

ASENSIO, E. *(1960):* «La lengua compañera del imperio. Historia de una idea de Nebrija en España y Portugal», en *Revista de Filología Española,* XLIII, 399-413.

ASIS, E. A. de *(1935):* «Nebrija y la crítica contemporánea de su obra», en *Boletín de la Biblioteca Menéndez Pelayo,* XVII, 30-45.

Audacis de Scavri et Paladii libris excerpta per interrogationem et responsionem, ed. Keil, VII, 320-362.

BAHNER, Werner *(1966): La lingüística española del Siglo de Oro.* Madrid.

BALAGUER, J. *(1945):* «Las ideas de Nebrija acerca de la versificación castellana», en *Boletín del Instituto Caro y Cuervo,* I, 558-573.

BASSOLS DE CLIMENT, M. *(1946):* «Nebrija en Cataluña», en *Miscelánea Nebrija.* Madrid, 49-64.

BELLIDO, José *(1945): La patria de Nebrija. Noticia histórica.* Madrid.

BERMÚDEZ PLATA, C. *(1946):* «Las obras de Antonio de Nebrija en América», en *Anuario de Estudios Americanos.* Sevilla, III, 1029-1032.

CALDERÓN Y TEJERO, A. *(1946):* «La casa natal de Antonio de Nebrija», en *Miscelánea Nebrija.* Madrid, 1-10.

CASARES, Julio *(1947):* «Nebrija y la Gramática castellana», en *Boletín de la Real Academia Española,* XXVI, 335-367.

CLARKE, D. C. *(1957):* Nebrija on Versification», en *Publ. of the Modern Language Association of America,* LXXII, 27-42.

COLÓN, G. y SOBERANAS, A. J. *(1979):* «Estudio preliminar» del *Diccionario Latino-Español* de Nebrija. Véase Nebrija, *DLE,* 9-36.
COLLART, Jean *(1954): Varron grammairien latin.* París.
COTARELO VALLEDOR, Armando *(1947): Nebrija científico.* Madrid, Publicaciones del Instituto de España.
CHARISSI, F. S.: *Artis Grammaticae,* ed. Keil, I.
DIOMEDES, *Artis Gramaticae,* ed. Keil, I.
DONATUS, *Ars Grammatica,* ed. Keil, IV_2.
DRERUP, Engelbert *(1930-32): Die Schulaussprache des Griechischen von der Renaissance bis zur Gegenwart,* 2 vols. Verlag Ferdinand Schöningh Paderborn, 1930-1932. Reedición, New York, 1968.
ERRANDONEA, Ignacio *(1946):* «¿Erasmo o Nebrija? Vicisitudes de la pronunciación del griego en las escuelas», en *Miscelánea Nebrija.* Madrid, 65-96.
ESCUDERO DE JUANA, B. *(1923): La «Ortografía» de Nebrija comparada con la de los siglos XV, XVI y XVII.* Madrid.
FERNÁNDEZ-SEVILLA, Julio *(1974):* «Un maestro preterido: Elio Antonio de Nebrija», en *Boletín del Instituto Caro y Cuervo,* XXIX, 1-33.
GALINDO ROMEO, Pascual, y ORTIZ MUÑOZ, L. *(1946): «Introducción» a la edición de la* Gramática castellana, *de Antonio de Nebrija.* Madrid, C. S. I. C.
GALLEGO MORELL, A. *(1947):* «Antonio de Nebrija en la imprenta granadina de sus hijos», en *Revista Bibliográfica y Documental,* I, 213-232.
GALLINA, Annamaría *(1959): Contributi alla storia della lessicografia italo-spagnola dei secoli XVI e XVII.* Firenze.
GARCÍA, Constantino *(1960): Contribución a la historia de los conceptos gramaticales. La aportación del Brocense.* Madrid, C. S. I. C.
GIL, Luis, y LÓPEZ RUEDA, José *(1969):* «Reuchlinianos y erasmistas en el siglo XVI español», en *Revista de la Universidad de Madrid,* XVIII, 151-178 *(Homenaje a Menéndez Pidal,* vol. II).
GILI GAYA, Samuel *(1948): Documentos relativos al «Arte» de Nebrija.* Lérida.
GONZÁLEZ DE LA CALLE, P. U. *(1945):* «Elio Antonio de Lebrija. Notas para un bosquejo biográfico», en *Boletín del Instituto Caro y Cuervo,* I, 114-115.
GONZÁLEZ LLUBERA, I. *(1927):* «Notas para la crítica del Nebrisense», en *Bulletin of Spanish Studies,* IV, 89-92.
— *(1926):* «Introducción» a la edición de la *Gramática de la Lengua castellana. Muestra de la Istoria de las antigüedades de España. Reglas de Orthographía en la Lengua castellana,* de Antonio de Nebrija. London, Oxford University Press.
Gramática de la lengua vulgar de España (1966). Ed. facsimilar y estudio de Rafael de Balbín y Antonio Roldán. Madrid, C. S. I. C.
GUITARTE, Guillermo *(1974):* «Alcance y sentido de las opiniones de Valdés sobre Nebrija», en *Estudios filológicos y lingüísticos. Homenaje a Angel Rosenblat en sus setenta años.* Caracas, Instituto Pedagógico, 247-253.
HERRERO MAYOR, Avelino *(1965):* «Esperanza y desesperanza del Nebrisense», en *Contribución al estudio dal español americano.* Buenos Aires, 41-46.
JAKOBSON, R. *(1963): Essais de linguistique générale.* París.
KEIL, H. *(1857-1878): Grammatici Latini,* 7 vols. Leipzig, Teubner.
KUKENHEIM, Louis *(1932): Contributions à l'histoire de la grammaire italienne, espagnole et française à l'époque de la Renaissance.* Amsterdam.
— *(1951): Contributions à l'histoire de la grammaire grecque, latine et hebräique à l'époque de la Renaissance. Leiden.*

Lemus y Rubio, P. *(1910-1913):* «El maestro Antonio de Lebrija», en *Revue Hispanique,* XXII, 460-508, y XXIX, 13-120.

M. G. B. *(1946):* «La casa de Nebrija en Salamanca», en *Miscelánea Nebrija.* Madrid, 16-40.

Madurell, José M.ª *(1946):* «Algunas ediciones de Nebrija, en Barcelona», en *Miscelánea Nebrija,* 281-288.

Marín Ocete, Antonio *(1946):* «Nebrija y Pedro Mártir de Anglería», en *Miscelánea Nebrija,* 160-174.

Marius Victorinus: *Ars Grammatica,* ed. Keil, VI.

Meier, H. *(1935):* «Spanische Sprachbetrachtung und Geschichtschreibung am Ende des XV. Jahrhunderts», en *Romanische Forschungen,* 1-20.

Menéndez Pidal, R. *(1950):* «La lengua en tiempo de los Reyes Católicos», en *Cuadernos Hispanoamericanos,* V, 9-24.

Miscelánea Nebrija I (1946). Madrid, C. S. I.C.

Muñoz, J. B. *(1796):* «Elogio de Antonio de Nebrija», en *Memorias de la Real Academia de la Historia.* Madrid, III, 1-30.

Nebrija, Elio Antonio *(DLE): Diccionario latino-español.* Salamanca, 1492. Citamos por la edición facsimilar realizada por Puvill-Editor, con estudio preliminar de G. Colón y A.-J. Soberanas. Barcelona, 1979.

— «Epístola a Cisneros», en *Revista de Archivos,* 3.ª época, VIII, 1903, 493-496.

— *Gramática de la Lengua castellana.* Salamanca, 1492. Véanse las ediciones de González Llubera *(1926),* y de Galindo Romeo y Ortiz Muñoz *(1946),* y la facsimilar de Espasa-Calpe *(1976).*

— *Introducciones latinas... contrapuesto el romance al latín.* Zamora, 2.ª ed., ca. 1492.

— *Introductiones in latinam grammaticam.* Compluti, 1523 [la última edición, corregida por su autor].

— *Léxico de Derecho civil.* Textos latino y castellano, notas y prólogo de Carlos Humberto Núñez. Madrid, C. S. I. C., 1944.

— *Reglas de Orthographia en la Lengua castellana.* Alcalá de Henares, 1517. Véase ed. de A. Quilis: *Reglas...* Bogotá, Instituto Caro y Cuervo, 1977.

— *(VEL): Vocabulario español-latino.* Salamanca, ¿1495? Edición facsimilar de la Real Academia Española. Madrid, 1951.
Véase la edición, con transcripción crítica de la edición de Sevilla de 1516, hecha por Gerald J. Macdonald (Madrid, Castalia, 1973).

Odriozola, A. *(1947): La Caracola del bibliófilo nebrisense. Extracto seco de bibliografía de Nebrija en los siglos XV y XVI.* Madrid.

Olmedo, Félix G. *(1942): Nebrija (1441-1522). Debelador de la barbarie. Comentador eclesiástico. Pedagogo. Poeta.* Madrid, Editora Nacional.

— *(1943):* «Nuevos datos y documentos sobre Nebrija», en *Razón y Fe,* CXXVIII, 121-135.

— *(1944): Nebrija en Salamanca (1475-1513).* Madrid.

Piccardo, L. J.: *(1949):* «Dos momentos en la Historia de la Gramática: Nebrija y Bello», en *RFHC,* 4, 87-112.

Priscianus: *Institutionum Grammaticarum,* ed. Keil, II, III.

Probus: *Instituta Artium,* ed. Keil, IV₁.

Quintiliano: *Instituciones oratorias,* trad. de Ignacio Rodríguez y Pedro Sandier. Madrid, 1942.

Quilis, Antonio *(1977):* «Estudio y edición» de las *Reglas de Orthographia en Lengua castellana.* Bogotá, Instituto Caro y Cuervo.

RICO, Francisco *(1978): Nebrija frente a los bárbaros.* Universidad de Salamanca, Salamanca.

RIDRUEJO, Emilio *(1977):* «Notas romances en gramáticas latino-españolas», en *Revista de Filología Española,* LIX, 47-80.

RODRÍGUEZ ANICETO, C. *(1931):* «Reformas del Arte de Antonio de Nebrija», *Boletín de la Biblioteca Menéndez Pelayo. Homenaje a D. Miguel Artigas,* I, 226-245.

ROSENBLAT, Angel *(1951):* «Las ideas ortográficas de Bello», en *Andrés Bello: estudios gramaticales.* Caracas, IX-CXXXVIII, 226-245.

SÁNCHEZ ALONSO, Benito *(1946):* «Nebrija, historiador», en *Miscelánea Nebrija.* Madrid, 129-152.

SENIOR, J. *(1959):* «Dos notas sobre Nebrija», en *Nueva Revista de Filología Hispánica,* XIII, 83-88.

SIMÓN DÍAZ, J. *(1951): La Universidad de Salamanca y la reforma del Arte de Nebrija. Aportación documental para la erudición española,* 8.ª serie, 1-7.

SOLA-SOLÉ, J. M. *(1974):* «Villalón frente a Nebrija», en *Romance Philology,* XXVIII, 35-43.

STRAKA, G. *(1957):* «Respiration et Phonation. Deux chapitres d'introduction phonétique à l'étude des langues», en *Bulletin de la Faculté des Lettres de Strasbourg,* 35, 397-429.

SUAÑA, Emeterio *(1879): Elogio del cardenal Cisneros, seguido de un estudio crítico-biográfico del maestro Elio Antonio de Nebrija.* Madrid.

TATE, R. B. *(1957):* «Nebrija the historian», en *Bulletin of Hispanic Studies,* XXXIV, 125-146.

TERENTIANUS: *De litteris,* ed. Keil, VI.

TOLLIS, F. *(1971):* «L'ortographe du castillan d'après Villena et Nebrija», en *Revista de Filología Española,* LIV, 53-106.

TORRE, Antonio de la *(1946):* «La casa de Nebrija en Alcalá de Henares y la casa de la imprenta de la *Biblia Poliglota Complutense*», en *Miscelánea Nebrija.* Madrid, 175-182.

VALDÉS, Juan: *Diálogo de la Lengua,* ed. de Cristina Barbolani de García. Firenze, 1967. Y ed. de Juan M. Lope Blanch. Madrid, 1969.

VILLALÓN: «*Gramática castellana*» *por el Licenciado...,* ed. facsimilar y estudio de Constantino García. Madrid, C. S. I. C., 1971.

VILLENA, Enrique de: *Arte de trovar,* edición, prólogo y notas de F. J. Sánchez Cantón. Madrid, 1923.

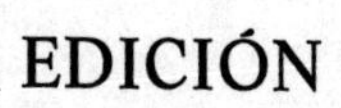

EDICIÓN

GRAMÁTICA
DE LA LENGUA CASTELLANA

A LA MUI ALTA ꝛ ASSÍ ESCLARECIDA PRINCESA DOÑA ISABEL, LA TERCERA DESTE NOMBRE, REINA I SEÑORA NATURAL DE ESPAÑA ꝛ LAS ISLAS DE NUESTRO MAR. COMIENÇA LA GRAMÁTICA QUE NUEVA MENTE HIZO EL MAESTRO ANTONIO DE LEBRIXA SOBRE LA LENGUA CASTELLANA. ꝛ PONE PRIMERO EL PRÓLOGO. LEE LO EN BUEN ORA. 5

Cuando bien comigo pienso, mui esclarecida Reina, i pongo delante los ojos el antigüedad de todas las cosas que para nuestra recordación ꝛ memoria quedaron escriptas, una cosa 10 hállo ꝛ sáco por conclusión mui cierta: que siempre la lengua fue compañera del imperio; ꝛ de tal manera lo siguió, que junta mente començaron, crecieron ꝛ florecieron, ꝛ después junta fue la caida de entrambos. I dex̃adas agora las cosas mui antiguas de que a penas tenemos una imagen ꝛ sombra de la verdad, 15 cuales son las de los assirios, indos, sicionios ꝛ egipcios, en los cuales se podría mui bien provar lo que digo, vengo a las más frescas, ꝛ aquellas especial mente de que tenemos maior certidumbre, ꝛ primero a las de los judíos. Cosa es que mui ligera mente se puede averiguar que la lengua ebraica tuvo su 20 niñez, en la cual a penas pudo hablar. I llámo io agora su primera niñez todo aquel tiempo que los judíos estuvieron en tierra de Egipto. Por que es cosa verdadera o muy cerca de la verdad, que los patriarcas hablarían en aquella lengua que trax̃o Abraham de tierra de los caldeos, hasta que decendieron en 25 Egipto, ꝛ que allí perderían algo de aquélla ꝛ̇ mezclarían algo de la egipcia. Mas después que salieron de Egipto ꝛ començaron a hazer por sí mesmos cuerpo de gente, poco a poco apartarían su lengua, cogida, cuanto io pienso, de la caldea ꝛ de la egipcia, ꝛ de la que ellos ternían comunicada entre sí, por ser apar- 30 tados [fol. 1 v.] en religión de los bárbaros en cuia tierra moravan. Assí que començó a florecer la lengua ebraica en el tiempo de Moisén, el cual, después de enseñado en la filosofía ꝛ letras de los sabios de Egipto, ꝛ mereció hablar con Dios, ꝛ comunicar las cosas de su pueblo, fue el primero que osó escrivir las antigüedades de los judíos ꝛ dar comienço a la lengua ebraica. La cual, de allí en adelante, sin ninguna contención, nunca estuvo tan empinada cuanto en la edad de Salomón, el cual se interpreta pacífico, por que en su tiempo, con la monarchía floreció la paz, criadora de todas las buenas artes ꝛ onestas. Mas después que se començó a desmembrar el reino de los judíos, junta mente se començó a perder la lengua, hasta que vino al estado en que agora la vemos, tan perdida que, de cuantos judíos oi biven, ninguno sabe dar más razón de la lengua de su lei, que de cómo perdieron su reino, ꝛ del Ungido que en vano esperan.

Tuvo esso mesmo la lengua griega su niñez, ꝛ començó a mostrar sus fuerças poco antes de la guerra de Troia, al tiempo que florecieron en la música ꝛ poesía Orfeo, Lino, Muséo, Amphión, ꝛ poco después de Troia destruida, Omero ꝛ Esiodo. I assí creció aquella lengua hasta la monarchía del gran Alexandre, en cuio tiempo fue aquella muchedumbre de poetas, oradores ꝛ filósofos, que pusieron el colmo, no sola mente a la lengua, mas aún a todas las otras artes ꝛ ciencias. Mas después que se començaron a desatar los reinos ꝛ repúblicas de Grecia, ꝛ los romanos se hizieron señores della, luego junta mente començó a desvanecer se la lengua griega ꝛ a esforçar se la latina. De la cual otro tanto podemos dezir: que fue su niñez con el nacimiento ꝛ población de Roma, ꝛ començó a florecer quasí quinientos años después que fue edificada, al tiempo que Livio Andrónico publicó primera mente su obra en versos latinos. I assí creció hasta la [fol. 2 r.] monarchía de Augusto César, debax̃o del cual, como dize el Apóstol, 'vino el cumplimiento del tiempo en que embió Dios a su Unigénito Hijo'; ꝛ nació el Salvador del mundo, en aquella paz de que avían hablado los profetas ꝛ fue significada en Salomón, de la cual en su nacimiento los ángeles cantan: 'Gloria en las alturas a Dios, ꝛ en la tierra paz a los ombres de buena voluntad'. Entonces fue aquella multitud de poetas ꝛ oradores que embiaron a nuestros siglos la copia ꝛ deleites de la lengua latina: Tulio, César, Lucrecio, Virgilio, Oracio, Ovidio, Livio, i todos los otros que después se siguieron hasta los tiempos de Antonino Pío. De allí, començando a declinar el imperio de los romanos, junta mente

A la mui alta z assi esclarecida princesa doña Isabel la tercera deste nombre Reina i señora natural de españa z las islas d nuestro mar. Comiença la gramatica que nueva mente hizo el maestro Antonio de lebrixa sobre la lengua castellana. z pone primero el prologo Lee lo en buen ora.

Cuando bien comigo pienso mui esclarecida Reina: i pongo delãte los ojos el antiguedad de todas las cosas: que para nuestra recordacion z memoria quedaron escriptas: una cosa hállo z sáco por conclusion mui cierta: que siempre la lengua fue compañera del imperio: z de tal manera lo siguió: que junta mente començarõ. crecieron. z florecieron. z despues jũta fue la caida de entrambos. I dexadas agora las cosas mui antiguas de que a penas tenemos una imagen z sombra dela verdad: cuales son las delos assirios. indos. sicionios. z egipcios: enlos cuales se podria mui bien provar lo que digo: vengo a las mas frescas: z aquellas especial mẽte de que tenemos maior certidumbre: z primero a las delos judios. Cosa es que mui ligeramente se puede averiguar que la lengua ebraica tuvo su niñez: en la cual a penas pudo hablar. I llámo io agora su primera niñez todo aquel tiempo que los judios estuvieron en tierra de egipto. Por que es cosa verdadera o mui cerca dela verdad: que los patriarcas hablarian en aquella lengua que traxo Abraham de tierra delos caldeos: hasta que decendieron en egipto: z que alli perderiã algo de aq̃lla: z mezclarian algo de la egipcia. Mas despues q̃ salieron de egipto: z comẽçarõ a hazer por si mesmos cuerpo de gẽte: poco a poco apartarian su lẽgua cogida cuanto io pienso dela caldea z dela egipcia: z dela que ellos ternian comunicada entre si: por ser apartados

a.ii.

Primera página de la *Gramática castellana* (Salamanca, 1492)

començó a caducar la lengua latina, hasta que vino al estado en que la recebimos de nuestros padres, cierto tal que cotejada con la de aquellos tiempos, poco más tiene que hazer con ella que con la aráviga. Lo que dix̃imos de la lengua ebraica, griega τ latina, podemos mui más claramente mostrar en la castellana; que tuvo su niñez en el tiempo de los juezes τ reies de Castilla τ de León, τ començó a mostrar sus fuerças en tiempo del mui esclarecido τ digno de toda la eternidad el Rei don Alonso el Sabio, por cuio mandado se escrivieron las *Siete Partidas,* la *General Istoria,* τ fueron trasladados muc̃hos libros de latín τ arávigo en nuestra lengua castellana; la cual se estendió después hasta Aragón τ Navarra, τ de allí a Italia, siguiendo la compañía de los infantes que embiamos a imperar en aquellos reinos. I assí creció hasta la monarchía τ paz de que gozamos, primera mente por la bondad τ providencia divina; después, por la industria, trabajo τ diligencia de vuestra real Majestad; en la fortuna τ buena dic̃ha de la cual, los miembros τ pedaços de España, que estavan por muc̃has partes derramados, se redux̃eron τ aiuntaron en un cuerpo τ unidad de Reino [fol. 2 v.], la forma τ travazón del cual, assí está ordenada, que muc̃hos siglos, injuria τ tiempos no la podrán romper ni desatar. Assí que, después de repurgada la cristiana religión, por la cual somos amigos de Dios, o reconciliados con Él; después de los enemigos de nuestra fe vencidos por guerra τ fuerça de armas, de donde los nuestros recebían tantos daños τ temían muc̃ho maiores; después de la justicia τ essecución de las leies que nos aiuntan τ hazen bivir igual mente en esta gran compañía, que llamamos reino τ república de Castilla; no queda ia otra cosa sino que florezcan las artes de la paz. Entre las primeras, es aquélla que nos enseña la lengua, la cual nos aparta de todos los otros animales τ es propria del ombre, τ en orden, la primera después de la contemplación, que es oficio proprio del entendimiento. Ésta hasta nuestra edad anduvo suelta τ fuera de regla, τ a esta causa a recebido en pocos siglos muc̃has mudanças; por que si la queremos cotejar con la de oi a quinientos años, hallaremos tanta diferencia τ diversidad cuanta puede ser maior entre dos lenguas. I por que mi pensamiento τ gana siempre fue engrandecer las cosas de nuestra nación, τ dar a los ombres de mi lengua obras en que mejor puedan emplear su ocio, que agora lo gastan leiendo novelas o istorias embueltas en mil mentiras τ errores, acordé ante todas las otras cosas reduzir en artificio este nuestro lenguaje castellano, para que lo que agora τ de aquí adelante en él se escriviere pueda quedar en un tenor, τ estender se en toda la duración de los tiempos que están por venir, como vemos que se a hecho en la lengua griega τ latina, las cuales por aver estado debaxo de arte, aun que sobre ellas an passado muchos siglos, toda vía quedan en una uniformidad. 5

Por que si otro tanto en nuestra lengua no se haze como en aquéllas, en vano vuestros cronistas τ estoriadores [fol. 3 r.] escriven τ encomiendan a inmortalidad la memoria de vuestros loables hechos, τ nos otros tentamos de passar en castellano las cosas peregrinas τ estrañas, pues que aqueste no puede ser sino negocio [1] de pocos años. I será necessaria una de dos cosas: o que la memoria de vuestras hazañas perezca con la lengua; o que ande peregrinando por las naciones estrangeras, pues que no tiene propria casa en que pueda morar. En la çanja de la cual io quise echar la primera piedra, τ hazer en nuestra lengua lo que Zenodoto en la griega τ Crates en la latina; los cuales, aun que fueron vencidos de los que después dellos escrivieron, a lo menos fue aquella su gloria, τ será nuestra, que fuemos los primeros inventores de obra tan necessaria. Lo cual hezimos en el tiempo más oportuno que nunca fue hasta aquí, por estar ia nuestra lengua tanto en la cumbre, que más se puede temer el decendimiento della que esperar la subida. I seguir se a otro no menor provecho que aqueste a los ombres de nuestra lengua que querrán estudiar la gramática del latín; por que después que sintieren bien el arte del castellano, lo cual no será mui dificile, por que es sobre la lengua que ia ellos sienten, cuando passaren al latín no avrá cosa tan escura que no se les haga mui ligera, maior mente entreveniendo aquel *Arte de la Gramática* que me mandó hazer vuestra Alteza, contraponiendo línea por línea el romance al latín; por la cual forma de enseñar no sería maravilla saber la gramática latina, no digo io en pocos meses, más aún en pocos días, τ mucho mejor que hasta aquí se deprendía en muchos años. El tercero provecho deste mi trabajo puede ser aquel que, cuando en Salamanca di la muestra de aquesta obra a vuestra real Majestad, τ me preguntó que para qué podía aprovechar, el mui reverendo padre Obispo de Ávila me arrebató la respuesta; τ, respondiendo por mí, dixo que después que vuestra Alteza metiesse [fol. 3 v.] debaxo de su iugo muchos pueblos bárbaros τ naciones de pere- 10 15 20 25 30 35 40

[1] En la edición original, *nagocio*.

grinas lenguas, ꝛ con el vencimiento aquellos ternían necessidad de recebir las leies quel vencedor pone al vencido, ꝛ con ellas nuestra lengua, entonces, por esta mi *Arte,* podrían venir en el conocimiento della, como agora nos otros deprendemos el arte de la gramática latina para deprender el latín. I cierto assí es que no sola mente los enemigos de nuestra fe, que tienen ia necessidad de saber el lenguaje castellano, mas los vizcainos, navarros, franceses, italianos, ꝛ todos los otros que tienen algún trato ꝛ conversación en España ꝛ necessidad de nuestra lengua, si no vienen desde niños a la deprender por uso, podrán la más aina saber por esta mi obra. La cual, con aquella vergüença, acatamiento ꝛ temor, quise dedicar a vuestra real Majestad, que Marco Varrón intituló a Marco Tulio sus *Orígenes de la Lengua Latina;* que Grilo intituló a Publio Virgilio poeta, sus *Libros del Acento;* que Dámaso papa a sant Jerónimo; que Paulo Orosio a sant Augustín sus *Libros de Istorias;* que otros muchos autores, los cuales endereçaron sus trabajos ꝛ velas a personas mui más enseñadas en aquello de que escrivían, no para enseñar les alguna cosa que ellos no supiessen, mas por testificar el ánimo ꝛ voluntad que cerca dellos tenían, ꝛ por que del autoridad de aquéllos se consiguiesse algún favor a sus obras. I assí, después que io deliberé, con gran peligro de aquella opinión que muchos de mí tienen, sacar la novedad desta mi obra de la sombra ꝛ tinieblas escolásticas a la luz de vuestra corte, a ninguno más justa mente pude consagrar este mi trabajo que a aquella en cuia mano ꝛ poder, no menos está el momento de la lengua que el arbitrio de todas nuestras cosas.

LIBRO PRIMERO

EN QUE TRATA DE LA ORTHOGRAPHÍA

CAPÍTULO PRIMERO

EN QUE PARTE LA GRAMÁTICA EN PARTES

Los que bolvieron de griego en latín este nombre, gramática, llamaron la arte de letras, ⁊ a los professores ⁊ maestros della dix̃eron grammáticos, que en nuestra lengua podemos dezir letrados. Ésta, según Quintiliano, en dos partes se gasta: la primera los griegos llamaron methódica, que nos otros podemos bolver en doctrinal, por que contiene los preceptos ⁊ reglas del arte; la cual, aun que sea cogida del uso de aquellos que tienen autoridad para lo poder hazer, defiende que el mesmo uso no se pueda por ignorancia corromper. La segunda los griegos llamaron istórica, la cual nos otros podemos bolver en declaradora, por que expone ⁊ declara los poetas ⁊ otros autores por cuia semejança avemos de hablar. Aquélla que dix̃imos doctrinal en cuatro consideraciones se parte: la primera los griegos llamaron Orthographía, que nos otros podemos nombrar en lengua romana, sciencia de bien ⁊ derec̄ha mente, escrivir. A ésta esso mesmo pertenece conocer el número ⁊ fuerça de las letras, ⁊ por qué figuras se an de representar las palabras ⁊ partes de la oración. La segunda los griegos llaman Prosodia; nos otros podemos la interpretar acento, o más verdadera mente, quasi canto. Ésta es arte para alçar ⁊ abax̃ar cada una de las sílabas de las diciones o partes de la oración. A ésta se reduze esso mesmo el arte de contar, pesar ⁊ medir los pies de los versos ⁊ coplas. La tercera los griegos llamaron Etimología; Tulio interpretóla anotación; nos otros [fol. 4 v.] podemos la nombrar verdad de palabras. Ésta considera la significación ⁊ accidentes de cada una de las partes de la oración, que, como diremos, en el castellano son diez. La cuarta los griegos llamaron Syntaxis, los latinos costrución; nos otros podemos la llamar orden. A ésta pertenece ordenar entre sí las palabras ⁊ partes de la oración. Assí que será el primero libro de nuestra obra, de Orthographía ⁊ letra; el segundo, de Prosodia ⁊ sílaba; el tercero, de Etimología ⁊ dición; el cuarto de Sintaxi, aiuntamiento ⁊ orden de las partes de la oración.

CAPÍTULO SEGUNDO

DE LA PRIMERA INVENCIÓN DE LAS LETRAS, ꝛ DE DÓNDE VINIERON PRIMERO A NUESTRA ESPAÑA

Entre todas las cosas que por experiencia los ombres hallaron, o por revelación divina nos fueron demostradas para polir ꝛ 5
adornar la vida umana, ninguna otra fue tan necessaria, ni que maiores provechos nos acarreasse, que la invención de las letras. Las cuales, assí como por un consentimiento ꝛ callada conspiración de todas las naciones fueron recebidas, assí la invención de aquellos todos los que escrivieron de las antigüedades dan a los assirios, sacando Gelio, el cual haze inventor de 10
las letras a Mercurio en Egipto; ꝛ en aquella mesma tierra, Anticlides a Menón, quinze años antes que Foroneo reinasse[1] en Argos, el cual tiempo concurre con el año ciento ꝛ veinte después de la repromissión hecha al patriarca Abraham. Entre 15
los que dan la invención de las letras a los assirios ai mucha diversidad. Epigenes, el autor más grave de los griegos, ꝛ con él Critodemo ꝛ Beroso, hazen inventores de las letras a los babilonios, ꝛ segund el tiempo que ellos escriven, mucho antes del nacimiento de Abraham. Los nuestros, en favor de nuestra reli- 20
gión, dan esta onra a los judíos; como quiera que la maior antigüedad de letras en- / [fol. 5 r.] tre ellos es en la edad de Moisén, en el cual tiempo, ia las letras florecían en Egipto, no por figuras de animales, como de primero, más por líneas ꝛ traços. Todos los otros autores dan la invención de las letras 25

[1] En la edición original, *reinassa*.

a los fenices, los cuales no menos fueron inventores de otras mucħas cosas, como de cuadrar piedras, de hazer torres, de fundir metales, de formar vasos de vidro, de navegar al tino de las estrellas, de teñir el carmeso con la flor ⁊ sangre de las púrpuras, de trabucos ⁊ hondas, no, como dix̂o Juan de Mena, los mallorqueses. Assí que los judíos las pudieron recebir de aquéstos, por ser tan vezinos ⁊ comarcanos, que deslindavan ⁊ partían término con ellos; o de los egipcios, después que Jacob decendió con sus hijos en Egipto, a causa de aquella hambre que leemos en el libro de la *Generación* del cielo ⁊ de la tierra; lo cual se me haze más provable, por lo que entre los griegos escrive Eródoto, padre de las istorias, ⁊ entre los latinos Pomponio Mela: que los egipcios usan de sus letras al revés, como agora vemos que los judíos lo hazen. ⁊ si verdad es lo que escriven Epigenes, Critodemo ⁊ Beroso, la inventora de las letras fue Babilonia; considerando el tiempo que ellos escriven, pudo las traer Abraham, cuando por mandado de Dios salió de tierra de los caldeos, que propria mente son babilonios, ⁊ vino en tierra de Canaán; o, después, cuando Jacob bolvió en Mesopotamia ⁊ sirvió a Laban, su suegro.

Mas, assí como no es cosa mui cierta quién fue el primero inventor de las letras, assí entre todos los autores es cosa mui constante que de Fenicia las trax̂o a Grecia, Cadmo, hijo de Agenor, cuando por la forçosa condición que su padre le puso de buscar a Europa, su ermana, la cual Júpiter avía robado, vino a Boecia, donde pobló la ciudad de Thebas. Pues ia ninguno dubda que de Grecia las trax̂o a Italia, Nicostrata, que los latinos llamaron Carmenta, la cual siguiendo el voluntario destierro de / [fol. 5. v.] su hijo Evandro, vino de Arcadia en aquel lugar donde agora Roma está fundada, ⁊ pobló una ciudad en el monte Palatino, donde después fue el palacio de los reies ⁊ emperadores romanos. Mucħos podrían venir en esta duda: ¿quién trax̂o primero las letras a nuestra España, o de dónde las pudieron recebir los ombres de nuestra nación? E aun, que es cosa mui semejante a la verdad, que las pudo traer de Thebas las de Boecia, Bacco, hijo de Júpiter ⁊ Semele, hija de Cadmo, cuando vino a España, quasi dozientos años ante de la guerra de Troia, donde perdió un amigo ⁊ compañero suio, Lisias, de cuio nombre se llamó Lisitania, ⁊ después Lusitania, todo aquel trecħo de tierra que está entre Duero ⁊ Guadiana; ⁊ pobló a Nebrissa, que por otro nombre se llamó Veneria, puesta, según cuenta Plinio en el tercero libro de la *Natural Istoria,* entre los esteros ꝛ albinas de Guadalquevir; la cual llamó Nebrissa, de las nebrides, que eran pellejas de gamas de que usavan en sus sacrificios, los cuales él intituió allí, según escrive Silio Itálico en el tercero libro de la *Segunda Guerra Púnica.* Assí que si queremos creer a las istorias de aquellos que tienen autoridad, ninguno me puede dar en España cosa más antigua, que la población de mi tierra ꝛ naturaleza; por que la venida de los griegos de la isla Zacinto ꝛ la población de Sagunto, que agora es Monviedro, o fue en este mesmo tiempo o poco después, según escriven Bocco ꝛ Plinio en el libro xvi de la *Natural Istoria.* Pudo las esso mesmo traer, poco antes de la guerra de Troia, Ércules el Thebano, cuando vino contra Geriones, rei de Lusitania, el cual los poetas fingieron que tenía tres cabeças; o poco después de Troia tomada, Ulisses, de cuio nombre se llamó Olissipo, la que agora es Lisbona; o Astur, compañero i regidor del carro de Menón, hijo del Alva, el cual, tan bien después de Troia destruida, vino en España, ꝛ dio nombre a las Asturias; o en el mismo tiempo, Teucro, hijo de Tela- / [fol. 6 r.] mon, el cual vino en aquella parte de España donde agora es Cartaghena, ꝛ se passó después a reinar en Galizia; o los moradores del monte Parnasso, los cuales poblaron a Cazlona, nombre sacado del nombre de su fuente Castalia; o los mesmos fenices, inventores de las letras, los cuales poblaron la ciudad de Calez, no Ércules ni Espán, como cuenta la *General Istoria;* o, después, los cartagineses, cuia possessión por muchos tiempos fue España. Mas io creería que de ninguna otra nación las recebimos primero, que de los romanos, cuando se hizieron señores della, quasi dozientos años antes del nacimiento de nuestro Salvador: por que, si alguno de los que arriba dix̌imos trax̌era las letras de España, oi se hallarían algunos momos, a lo menos de oro ꝛ de plata, o piedras cavadas de letras griegas ꝛ púnicas, como agora las vemos de letras romanas, en que se contienen las memorias de muchos varones illustres que la regieron ꝛ governaron, desde aquel tiempo hasta quinientos ꝛ setenta años después del nacimiento de nuestro Salvador, cuando la ocuparon los godos. Los cuales, no sola mente acabaron de corromper el latín ꝛ lengua romana, que ia con las muchas guerras avía començado a desfallecer, mas aun torcieron las figuras ꝛ traços de las letras antiguas, introduziendo ꝛ mezclando las suias, cuales las vemos escriptas en los libros que se escrivieron en aquellos ciento ꝛ veinte años que España estuvo debax̌o de los reies godos; la cual forma de letras duró después en tiempo de los juezes ꝛ reies de Castilla ꝛ de León, hasta que después, poco a poco, se començaron a concertar nuestras letras con las romanas ꝛ antiguas, lo cual en nuestros días ꝛ por nuestra industria en gran parte se a hecho. ꝛ esto abasta para la invención de las letras, ꝛ de dónde pudieron venir a nuestra España.

CAPÍTULO III

DE CÓMO LAS LETRAS FUERON HALLADAS PARA REPRESENTAR LOS BOZES

[fol 6 v.] La causa de la invención de las letras primera mente fue para nuestra memoria, ꝛ después, para que por ellas pudiéssemos hablar con los absentes ꝛ los que están por venir. Lo cual parece que ovo origen de aquello que ante que las letras fuessen halladas, por imágines representavan las cosas de que querían hazer memoria; como por la figura de la mano diestra significavan la liberalidad, por una culebra enroscada significavan el año. Mas por que este negocio era infinito ꝛ mui confuso, el primer inventor de letras, quien quiera que fue, miró cuántas eran todas las diversidades de las bozes en su lengua, ꝛ tantas figuras de letras hizo, por las cuales, puestas en cierta orden, representó las palabras que quiso. De manera que no es otra cosa la letra, sino figura por la cual se representa la boz; ni la boz es otra cosa sino el aire que respiramos, espesșado en los pulmones, ꝛ herido después en el áspera arteria, que llaman gargavero, ꝛ de allí començado a determinarse por la campanilla, lengua, paladar, dientes y beços. Assí que las letras representan las bozes, ꝛ las bozes significan, como dize Aristóteles, los pensamientos que tenemos en el ánima. Mas, aun que las bozes sean al ombre connaturales, algunas lenguas tienen ciertas bozes que los ombres de otra nación, ni aun por tormento no pueden pronunciar. E por esto dize Quintiliano, que assí como los trepadores doblegan ꝛ tuercen los miembros en ciertas formas desde la tierna edad, para después hazer aquellas mara-

villas que nos otros los que estamos ia duros no podemos hazer, assí, los niños, mientra que son tiernos, se an de acostumbrar a todas las pronunciaciones de letras de que en algún tiempo an de usar. Como esto que en nuestra lengua común escrivimos
5 con doblada *l*, assí es boz propria de nuestra nación, que ni judíos, ni moros, ni griegos, ni latinos, la pueden pronunciar, ꝛ menos / [fol. 7 r.] tienen figura de letra para la poder escrevir. Esso mesmo, esto que nos otros escrivimos con *x*, assí es pronunciación propria de moros, de cuia conversación nos otros la
10 recebimos, que ni judíos, ni griegos, ni latinos, la conocen por suia. Tan bien aquello que los judíos escriven por la décima nona letra de su a b c, assí es boz propria de su lenguaje, que ni griegos, ni latinos, ni otra lengua de cuantas io e oído, la pronuncia ni puede escrivir por sus letras. E assí, de otras mu-
15 c̃has pronunciaciones, que de tal manera son proprias de cada lengua, que por ningún trabajo ni diligencia ombre de otra nación las puede espressa mente proferir, si desde la tierna edad no se acostumbra a las pronunciar.

CAPÍTULO IIII

DE LAS LETRAS ꝛ PRONUNCIACIONES DE LA LENGUA LATINA

Dize nuestro Quintiliano en el primero libro de sus *Oratorias Instituciones,* que el que quiere reduzir en artificio algún lenguaje, primero es menester que sepa si de aquellas letras que 5
están en el uso sobran algunas, ꝛ si, por el contrario, faltan otras. E por que las letras de que nos otros usamos fueron tomadas del latín, veamos primero cuántas son las letras que están en el uso de la lengua latina, ꝛ si de aquellas sobran o faltan algunas, para que de allí más ligera mente vengamos a lo que 10
es proprio de nuestra consideración. E primera mente dezimos assí: que de veinte ꝛ tres figuras de letras que están en el uso del latín: *a, b, c, d, e, f, g, h, i, k, l, m, n, o, p, q, r, s, t, u, x, y, z,* las tres, *c, k, q,* tienen un sonido, ꝛ por consiguiente las dos dellas son ociosas, ꝛ presupongo que sean la *k, q;* ꝛ que la 15
x no es necessaria, por que no es otra cosa sino breviatura de *cs;* ꝛ que la *y* griega ꝛ la *z* sola mente son para las diciones griegas; ꝛ que la *h* no es letra, sino señal de espíritu ꝛ soplo. Tan bien, por el contrario, dezimos que faltan dos vocales, como más larga mente lo disputé en otro lugar: una /[fol. 7 v.] que 20
suena entre *e, i;* otra que suena entre *i, u.* Las cuales, por que en el latín no tenían figuras, ni desde la niñez nos otros acostumbramos a las pronunciar, agora en ninguna manera las podemos formar ni sentir; ꝛ mucho menos hazer diferencia entre la *i* iota ꝛ la *y* sotil, siendo tanta cuanta puede ser maior entre 25
dos vocales. Faltan esso mesmo dos consonantes, las cuales re-

presentamos por *i, u,* cuando no suenan por sí, mas hiriendo las vocales; ꝛ entonces dex̃an de ser *i, u,* ꝛ son otras cuanto a la fuerça, mas no cuanto a la figura. Por que no puede ser maior distancia entre dos letras, que sonar por sí, o sonar con otras;
5 ꝛ assí como dix̃imos que la *c, k, q,* son una letra, por que tienen una fuerça, assí, por el contrario, dezimos agora que la *i, u,* son cuatro, pues que tienen cada dos fuerças; por que la diversidad de las letras no está en la diversidad de las figuras, mas en la diversidad de la pronunciación. ꝛ por que, como dize Plinio
10 en el libro séptimo de la *Istoria Natural,* los latinos sienten en su lengua la fuerça de todas las letras griegas, veamos cuántas son las diversidades de las bozes que están en el uso del latín. ꝛ dezimos que son por todas, veinte ꝛ seis: och̃o vocales: *a, e, i, o, u, y* griega, con las otras dos, cuias figuras dix̃imos que
15 faltavan en el latín; diez och̃o consonantes: *b, c, d, f, g, l, m, n, p, r, s, t, z,* la *i, u,* cuando usamos dellas como de consonantes, ꝛ en las diciones griegas tres consonantes que se soplan: *ch, ph, th.* Assí que por todas son las veinte ꝛ seis pronunciaciones que dix̃imos: *a, b, c, ch, d, e, f, g, i, i* consonante, *l, m, n, o,*
20 *p, ph, r, s, t, th, u, u* consonante, *y* griega, *z,* ꝛ las dos vocales de que arriba dix̃imos. Llamaron se aquellas och̃o vocales, por que por sí mesmas tienen boz sin se mezclar con otras letras; llamaron se las otras consonantes, por que no pueden sonar sin herir las vocales. Estas se parten en doze mudas: *b, c, ch, d, f,*
25 *g, p, ph, t, th, i, u* consonantes; ꝛ en seis semivo-/[fol. 8 r.] cales: *l, m, n, r, s, z.* Mudas se dizen aquellas, por que en comparación de las vocales quasi no tienen sonido alguno; las otras, semivocales, por que en comparación.de las mudas tienen much̃o de sonoridad. Lo cual acontece por la diversidad de los lugares
30 donde es forman las bozes: por que las vocales suenan por sí, no hiriendo alguno de los instrumentos con que se forman las consonantes, mas sola mente colando el espíritu por lo angosto de la garganta, ꝛ formando la diversidad dellas en la figura de la boca; de las mudas, la *c, ch, g,* apretando o hiriendo la cam-
35 panilla más o menos: por que la *c* suena limpia de aspiración; la *ch,* espessa ꝛ más flox̃a; la *g,* en media manera, por que comparada a la *c* es gruessa, comparada a la *ch* es sotil. La *t, th, d,* suenan expediendo la boz, puesta la parte delantera de la lengua entre los dientes, apretándola o aflox̃ándola más o menos;
40 por que la *t* suena limpia de aspiración; la *th,* flox̃a ꝛ espessa; la *d,* en medio, por que comparada a la *th* es sotil, comparada a la *t* es flox̃a. La *p, ph, b,* suenan expediendo la boz, después

de los beços apretados más o menos; por que la *p* suena limpia de aspiración; la *ph,* espessa; la *b,* en medio, por que comparada a la *ph* es sotil, comparada a la *p* es gruessa. La *m* suena en aquel mesmo lugar, mas, por sonar hazia dentro, suena escuro, maior mente, como dize Plinio, en fin de las diciones; la *f,* con la *v* consonante, puestos los dientes de arriba sobre el beço de baxo, ꝛ soplando por las helgaduras dellos; la *f* más de fuera, la *v* más adentro un poco [1]. Las medio vocales todas suenan arrimando la lengua al paladar, donde ellas pueden sonar mucho, en tanto grado, que algunos pusieron la *r* en el número de las vocales; ꝛ por esta razón podríamos poner la *i* consonante entre las semivocales. De donde se con-/[fol. 8 v.]vence el manifiesto error de los que assí pronuncian la *ch* como la *c,* cuando se siguen *a, o, u,* ꝛ cómo la pronuncian falsa mente en el castellano, cuando se siguen *e, i;* la *th* como la *t;* la *ph* como *la f;* la *t,* cuando se sigue *i* ꝛ después de la *i* otra vocal, assí como la *c;* ꝛ por el contrario, los que en otra manera pronuncian la *c* [2], *g,* cuando se siguen *a, o, u,* que cuando se siguen *e, i;* ꝛ los que assí pronuncian la *i* griega como la latina, como más copiosa mente lo provamos en otro lugar.

---

1 En la edición original, *paco.*
2 En la edición original, *e.*

CAPÍTULO QUINTO

DE LAS LETRAS ꝛ PRONUNCIACIONES DE LA LENGUA CASTELLANA

Lo que dix̃imos en el capítulo passado de las letras latinas, podemos dezir en nuestra lengua: que de veinte ꝛ tres figuras de letras que tenemos prestadas del latín para escrivir el castellano, sola mente nos sirven por sí mesmas estas doze: *a, b, d, e, f, m, o, p, r, s, t, z,* por sí mesmas ꝛ por otras, estas seis: *c, g, i, l, n, u;* por otras ꝛ no por sí mesmas estas cinco: *h, q, k, x, y.* Para maior declaración de lo cual avemos aquí de presuponer lo que todos los que escriven de orthographía presuponen: que assí tenemos de escrivir como pronunciamos, ꝛ pronunciar como escrivimos; por que en otra manera en vano fueron halladas las letras. Lo segundo, que no es otra cosa la letra, sino figura por la cual se representa la boz ꝛ pronunciación. Lo tercero, que la diversidad de las letras no está en la diversidad de la figura, sino en la diversidad de la pronunciación. Assí, que contadas ꝛ reconocidas las bozes que ai en nuestra lengua, hallaremos otras veinte ꝛ seis, mas no todas aquellas mesmas que dix̃imos del latín, a las cuales de necessidad an de responder otras veinte ꝛ seis figuras, si bien ꝛ distinta mente las queremos por escriptura representar. /[fol. 9 r.] Lo cual, por manifiesta ꝛ suficiente indución, se prueva en la manera siguiente: de las doze letras que dix̃imos que nos sirven por sí mesmas, no ai duda sino que representan las bozes que nos otros les damos; ꝛ que la *k, q,* no tengan oficio alguno pruevase por lo que dix̃imos en el capítulo passado: que la *c, k, q,* tienen un oficio, ꝛ por consiguiente las dos dellas eran ociosas. Por que de la *k* ninguno duda sino que es muerta; en cuio lugar, como dize Quintiliano, sucedió la *c,* la cual igual mente traspassa [1] su fuerça a todas las vocales que se siguen. De la *q* no nos aprovec̄hamos sino por voluntad, por que todo lo que agora escrivimos con *q,* podríamos escrivir con *c,* maior mente si a la *c* no le diéssemos tantos oficios cuantos agora le damos. La *y* griega tan poco io no veo de qué sirve, pues que no tiene otra fuerça ni sonido que la *i* latina, salvo si queremos usar della en los lugares donde podría venir en duda, si la *i* es vocal o consonante; como escriviendo *raya, ayo, yunta,* si pusiéssemos *i* latina, diría otra cosa mui diversa: *raia, aio, iunta.* Assí que de veinte ⁊ tres figuras de letras quedan solas oc̄ho, por las cuales agora representamos quatorze pronunciaciones multiplicándoles los oficios en esta manera: La *c* tiene tres oficios: uno proprio, cuando después della se siguen *a, o, u,* como en las primeras letras destas diciones: *cabra, coraçón, cuero.* Tiene tan bien dos oficios prestados: uno, cuando debax̄o della acostumbramos poner una señal, que llaman cerilla, como en las primeras letras destas diciones: '*çarça, çevada*'; la cual pronunciación es propria de judíos ⁊ moros, de los cuales, cuanto io pienso, las recibió nuestra lengua, por que ni los griegos ni latinos que bien pronuncian, la sienten ni conocen por suia; de manera que, pues la *c,* puesta debax̄o aquella señal, muda la substancia de la pronunciación, ia no es *c,* sino otra letra, /[fol. 9 v.] como la tienen distinta los judíos ⁊ moros, de los cuales nos otros la recebimos cuanto a la fuerça, mas no cuanto a la figura que entrellos tiene. El otro oficio que la *c* tiene prestado es cuando después della ponemos *h,* cual pronunciación suena en las primeras letras destas diciones: *c̄hapin, c̄hico;* la cual, assí es propria de nuestra lengua, que ni judíos, ni moros, ni griegos, ni latinos, la conocen por suia; nos otros escrivimos la con *ch,* las cuales letras, como diximos en el capítulo passado, tienen otro son mui diverso del que nos otros les [1] damos. La *g* tiene dos officios: uno proprio, cual suena cuando después della se siguen *a, o, u;* otro prestado, cuando después della se siguen *e, i;* como en las primeras letras destas diciones: *gallo, gente, girón, gota, gula;* la cual, cuando suena con *e, i,* assí es propria de nuestra lengua, que ni judíos ni griegos, ni latinos, la sienten ni pueden conocer por suia, salvo el morisco, de la cual lengua io pienso que nos otros la recebimos.

---

1 En la edición original, *trespassa.*
2 En la edición original, *le.*

La *h* no sirve por sí en nuestra lengua, mas usamos della para tal sonido cual pronunciamos en las primeras letras destas diciones: *hago, hecho;* la cual letra, aunque en el latín no tenga fuerça de letra, es cierto que como nos otros la pronunciamos
5 hiriendo en la garganta, se puede contar en el número de las letras, como los judíos ꝛ moros, de los cuales nos otros la recebimos, cuanto io pienso, la tienen por letra. La *i* tiene dos officios: uno proprio, cuando usamos della como de vocal, como en las primeras letras destas diciones: *ira, igual;* otro común
10 con la *g,* por que cuando usamos della como de consonante, ponemos la siguiéndose *a, o, u,* ꝛ ponemos la *g* si se siguen *e, i;* la cual pronunciación, como diximos de la *g,* es propria nuestra ꝛ del morisco, de donde nos otros la pudimos recebir. La *l* tiene dos officios: uno proprio, cuando la ponemos sen-/[fol. 10 r.]
15 zilla, como en las primeras letras destas diciones: *lado, luna;* otro ageno, cuando la ponemos doblada ꝛ le damos tal pronunciación, cual suena en las primeras letras destas diciones: *llave, lleno;* la cual boz, ni judíos, ni moros, ni griegos, ni latinos, conocen por suia. Escrivimos la nos otros mucho contra toda
20 razón de orthographía, por que ninguna lengua puede sufrir que dos letras de una especie puedan juntas herir la vocal, ni puede la *l* doblada apretar tanto aquella pronunciación, para que por ella podamos representar el sonido que nos otros le damos. La *n* esso mesmo tiene dos oficios: uno proprio, cuando la po-
25 nemos sencilla, cual suena en las primeras letras destas diciones: *nave, nombre;* otro ageno, cuando la ponemos doblada o con una tilde encima, como suena en las primeras letras destas diciones: *ñudo, ñublado,* o en las siguientes destas: *año, señor;* lo cual no podemos hazer más que lo que dezíamos de la
30 *l* doblada, ni el título sobre la *n* [1] puede hazer lo que nos otros queremos, salvo si lo ponemos por letra, ꝛ entonces hazemos le injuria en no la poner en orden con las otras letras del a b c. La *u,* como diximos de la *i,* tiene dos oficios. uno proprio, cuando suena por sí como vocal, assí como en las primeras letras
35 destas diciones: *uno, uso;* otro prestado, cuando hiere la vocal, cual pronunciación suena en las primeras letras destas diciones: *valle, vengo.* Los gramáticos antiguos, en lugar della ponían el digama eólico, que tiene semejança de nuestra *f,* ꝛ aun en el son no está mucho lexos della; mas después que la *f* succedió en lu-
40 gar de la *ph* griega, tomaron prestada la *u,* ꝛ usaron della en

[1] En la edición original, *l*.

lugar del digama eólico. La *x,* ia di͂ximos qué son tiene en el latín, ꝛ que no es otra cosa sino breviatura de *cs.* Nos otros damos le tal pronunciación, cual suena en las primeras letras destas diciones: *x͂enabe, x͂abón,* o en las últimas de aquestas: *relox͂, balax͂,* /[fol. 10 v.] muc͂ho contra su naturaleza, por que esta pronunciación, como diximos, es propria de la lengua arábiga, de donde parece que vino a nuestro lenguaje. Assí que, de lo que avemos dic͂ho, se sigue ꝛ concluie lo que queríamos provar: que el castellano tiene veinte ꝛ seis diversas pronunciaciones; ꝛ que de veinte ꝛ tres letras que tomó prestadas del latín, no nos sirven limpia mente sino las doze, para las doze pronunciaciones que tra͂xeron consigo del latín, ꝛ que todas las otras se escriven contra toda razón de orthographía.

CAPÍTULO VI

DEL REMEDIO QUE SE PUEDE TENER PARA ESCRIVIR PURA MENTE EL CASTELLANO

Vengamos agora al remedio que se puede tener para escrivir
5 las pronunciaciones que agora representamos por ageno oficio
de letras. La *c,* como diximos, tiene tres oficios, ꝛ por el contrario,
la *c, k, q,* tienen un oficio; ꝛ si agora repartiéssemos
estas tres letras por aquellas tres pronunciaciones, todo el negocio
en aquesta parte sería hecho. Mas, por que en aquello que
10 es como lei consentida por todos, es cosa dura hazer novedad,
podíamos tener esta templança: que la *c* valiesse por aquella
boz que diximos ser suia propria, llamándola, como se nombran
las otras letras, por el nombre del son que tiene; ꝛ que la *ç,*
puesta debaxo aquella señal que llaman çerilla, valiesse por otra,
15 para representar el segundo oficio de la *c,* llamándola por el
nombre de su boz; ꝛ lo que agora se escrive con *ch,* se escriviesse
con una nueva figura, la cual se llamasse del nombre de su fuerça;
ꝛ mientras que para ello no entreviene el autoridad de vuestra
Alteza, o el común consentimiento de los que tienen poder
20 para hazer uso, sea la *c̄h,* con una tilde encima; por que si dexássemos
la *ch* sin señal, verníamos / [fol. 11 r.] en aquel error:
que con unas mesmas letras pronunciaríamos diversas cosas en
el castellano ꝛ en el latín. La *g* tiene dos oficios: una proprio,
ꝛ otro prestado. Esso mesmo la *i* tiene otros dos: uno, cuando
25 es vocal; ꝛ otro, cuando es consonante, el cual concurre con la *g,*
cuando después della se siguen *e, i.* Assí que, dexando la *g, i,* en
sus proprias fuerças, con una figura que añadamos para represen-

tar lo que agora escrivimos con *g, i,* cuando les damos ageno oficio, queda hech̃o todo lo que buscamos, dándoles todavía a las letras el son de su pronunciación. Ésta podría ser la *y* griega, sino que está en uso de ser siempre vocal; mas sea la *j* luenga, por que no seamos autores de tanta novedad, ꝛ entonces quedará sin oficio la *y* griega. La *l* tiene dos oficios: uno proprio, que trax̃o consigo del latín; otro prestado, cuando la ponemos doblada. ꝛ por no hazer mudança sino donde much̃o es menester, dex̃aremos esta doblada *ll* para representar lo que por ellas agora representamos, con dos condiciones: que quitando el pie a la segunda, las tengamos entrambas en lugar de una, ꝛ que le pongamos tal nombre cual son le damos. La *n* tiene dos fuerças: una que trax̃o consigo del latín, ꝛ otra que le damos agena, doblándola, ꝛ poniendo encima la tilde. Mas dex̃ando la *n* senzilla en su fuerça, para representar aquel son que le queremos dar prestado, pornemos una tilde encima, o haremos lo que en esta pronunciación hazen los griegos ꝛ latinos, escriviéndola con *gn;* como quiera que la *n* con la *g* se hagan adulterinas ꝛ falsas, según escrive Nigidio, varón en sus tiempos, después de Tulio, el más grave de todos ꝛ más enseñado. La *u* tiene dos fuerças: una de vocal, ꝛ otra de vau consonante. Tan bien tiene entre nos otros dos figuras [1]: una de que usamos en el comienço de las diciones, ꝛ otra de que usamos en el medio dellas; ꝛ, pues que / [fol. 11 v.] aquella de que usamos en los comienços, siempre allí es consonante, usemos della como de consonante; en todos los otros lugares, quedando la otra siempre vocal. La *h* entre nos otros tiene tres oficios: uno proprio, que trae consigo en las diciones latinas, mas non le damos su fuerça, como en éstas: *humano, humilde,* donde la escrivimos sin causa, pues que de ninguna cosa sirve; otro, cuando se sigue *u* después della, para demostrar que aquella *u* no es consonante, sino vocal, como en estas diciones: *huésped, huerto, huevo;* lo cual ia no es menester, si las dos fuerças que tiene la *u* distinguimos por estas dos figuras: *u, v.* El tercero oficio es cuando le damos fuerça de letra haziéndola sonar, como en las primeras letras destas diciones: *hago, hijo;* ꝛ entonces ia no sirve por sí, salvo por otra letra, ꝛ llamarla emos 'he', como los judíos ꝛ moros,

1 En la edición original, *oficios.* Parece oportuno corregir, como hacen González Llubera y Galindo-Ortiz, basándose en el párrafo semejante de las *RO,* donde dice: «también tiene dos figuras: vna redonda, de que vsamos en el comienço de las palabras, y otra de que en el medio dellas; y pues que aquella de que vsamos en los comienços, si se sigue vocal, siempre es allí consonante, vsemos della siempre como de consonante, quedando la otra por vocal en todos los otros lugares» *RO,* fol. 7. r.

de los cuales recebimos esta pronunciación. La *x,* aun que en el griego y latín, de donde recebimos esta figura, vale tanto como *cs,* por que en nuestra lengua de ninguna cosa nos puede servir, quedando en su figura con una tilde, damos le aquel son que
5 arriba diximos nuestra lengua aver tomado del arávigo, llamándola del nombre de su fuerça. Assí que será nuestro a b c destas veinte ꝛ seis letras: *a, b, c, ç, ch̄, d, e, f, g, h, i, j, l, ll, m, n*[1], *o, p, r, s, t, v, u, x, z;* por las cuales distinta mente podemos representar las veinte ꝛ seis pronunciaciones de que arriba ave-
10 mos disputado.

1 En la edición original, falta *ñ,* que evidentemente hay que añadir a esta relación.

CAPÍTULO VII

DEL PARENTESCO ꝛ VEZINDAD QUE LAS LETRAS ENTRE SÍ TIENEN

Tienen entre sí las letras tanta vezindad ꝛ parentesco, que ninguno se deve maravillar, como dize Quintiliano, por que las unas passan ꝛ se corrompen en las otras; lo cual principal mente acontece por interpretación o por derivación. Por interpretación se corrompen unas letras en otras, como / [fol. 12 r.] bolviendo de griego en latín este nombre 'sicos', dezimos 'ficus'; ꝛ de latín en romance, 'ficus', *higo,* mudando la *s* en *f,* ꝛ la *o* en *u,* ꝛ la *f* en *h,* ꝛ la *c* en *g,* ꝛ la *u* en *o.* Por derivación passa una letra en otra, cuando en la mesma lengua una dición se saca de otra, como de *miedo, medroso,* mudando la *ie* en *e;* de *rabo, raposa,* mudando [1] la *b* en *p.* De donde manifiesta mente demostraremos que no es otra cosa la lengua castellana, sino latín corrompido. Assí que pasa la *au* en *o,* como en el mesmo latín, de 'caupo', 'copo', por el tavernero; ꝛ de latín en romance, como de 'maurus', *moro;* de 'taurus', *toro.* Corrómpese tan bien la *a* en *e,* como en el latín, de 'facio', *feci,* por hazer; ꝛ de latín en romance, de 'factum', *hecho;* de 'tractus', *trecho;* de 'fraxinus', *fresno.* Corrómpese la *b* en *f* o *ph,* como de griego en latín, 'triambos', 'triumphus', por el triunfo; ꝛ de latín en romance, como de 'scobina', *escofina.* Corrómpese esso mesmo en *u* vocal, como en el mesmo latín, de 'faveo', *fautor,* por favorecedor; ꝛ de latín en romance, como de 'debitor', *deudor.*

[1] En la edición original, *muda.*

5 Corrómpese en *v* consonante, como de 'bibo', *bevo;* de 'debeo', *devo.* Passa la *c* en *g,* como de latín en romance, de 'dico', *digo;* de 'facio', *hago.* Corrómpese en *z,* como de latín en romance, de 'recens', *reziente;* de 'racemus', *razimo.* La *d* corrómpese en *l,* como en el latín, de 'sedeo', 'sella'[1], por la *silla;* ꝛ de latín en romance, como de 'cauda', *cola;* de 'odor', *olor*[2]. Corrómpese en *t,* como de 'duro', *turo;* de 'coriandrum', *culantro.* La *e* corrómpese en *i,* como de 'peto', *pido;* de 'metior', *mido.* Corrómpese en *ie,* como de 'metus', *miedo;* de 'caecus', *ciego.*
10 La *f* corrómpese en *h,* como nos otros la pronunciamos, dándole fuerça de letra, como de 'filius', *hijo;* de 'fames', *hambre.* Corrómpese en *v* consonante, como de 'rafanus', *rávano;* de 'cofinus', *cuévano.* Corrómpese en *b,* como de griego en latín, de 'amfo', 'ambo', por *ambos;* ꝛ de latín en romance, de 'trifolium',
15 *trébol* / [fol. 12 v.]; de 'fremo', *bramo.* La *g* corrómpese en *c,* como de 'Gades', *Calez;* de 'gammarus', *camarón.* La *gn* passan en aquel son que nos otros escrivimos con *n*[3] doblada, o con *ñ* tilde, como de 'signum', *seña;* de 'lignum', *leña.* La *h,* como no tiene en el latín sino fuerça de espíritu ꝛ soplo, no se corrom-
20 pe en alguna letra de latín en romance. La *i* corrómpese en *e,* como de 'pica', *pega;* de 'bibo', *bevo.* Corrómpese en *ie,* como de 'rigo', *riego;* de 'frico', *friego;* ꝛ, por el contrario, la *ie* en *e,* como de *viento, ventana.* Corrómpese en *i* consonante, como de 'Iesus', *Jesús;* ꝛ, por el contrario, la *i* consonante en *i* vocal,
25 como de 'jugum', *iugo.* La *l* doblada, o con la *c, f, p,* delante de sí, o con la *e, i,* después de sí, corrómpese en aquella boz, la cual dezíamos que se escrive en el castellano con doblada *l;* como de 'villa', *villa;* de 'clavis', *llave;* de 'flamma', *llama;* de 'planus', *llano;* de 'talea', *talla;* de 'milia', *milla.* La *m* passa en
30 nuestra lengua tomando consigo *b,* como de 'lumen', *lumbre;* de 'estamen', *estambre;* ꝛ, por el contrario, la *m* ecħa de sí la *b,* como de 'plumbum', *plomo;* de 'lambo', *lamo;* ꝛ en el mesmo castellano, de *estambre, estameña;* de *ombre, omezillo.* La *n* doblada passa en aquella boz que diximos que se avía de
35 escribir con *gn,* como de 'annus', *año;* de 'pannus', *paño.* La *o* corrómpese en *u,* como de 'locus', *lugar;* de 'coagulum', *cuajo.* Corrómpese esso mesmo en *ue* diphthongo, como de 'porta', *puerta;* de 'torqueo', *tuerço;* ꝛ, por el contrario, la *ue* en *o,* como de *puerta, portero;* de *tuerço, torcedura.* La *p* corrómpe-

---

[1] En la edición original, *sela.*
[2] En la edición original, *olór.*
[3] En la edición original, *con doblada* (falta *n).*

se en *b,* como de 'lupus', *lobo;* de 'sapor', *sabor.* Corrómpese tan bien en *u* vocal, como de 'rapidus', *raudo;* de 'captivus', *cautivo.* La *q,* por ser, como dix̃imos, la mesma letra que la *c,* corrómpese como ella en *z,* como de 'laqueus', *lazo;* de 'coquo', *cuezo.* Corrómpese tan bien en *g,* como de 'aquila', *águila;* de 'aqua', *agua.* El asperidad de la *r* passa en la blandura de la *l,* como los latinos, que de /[fol. 13 r.] Remo, ermano de Rómulo, hizieron 'Lemures', por las ánimas de los muertos que andan entre nos otros; ꝛ de latín en romance, de 'practica' [1], *plática;* ꝛ en el mesmo castellano, por lo que los antiguos dezían *branca tabra,* nos otros agora dezimos *blanca tabla.* La *s* corrómpesse en *c,* como nos otros la pronunciamos cuando se siguen *e, i,* como de 'setaceum', *cedaço;* de 'sucus', *çumo.* Corrómpese en nuestra *x̃,* como de 'sapo', *x̃abón;* de 'sepia', *x̃ibia.* La *t* corrómpese en *d,* como de 'mutus', *mudo;* de 'lutum', *lodo.* La *u* vocal passa en *ue* sueltas, como de 'nurus', *nuera;* de 'muria', *salmuera;* ꝛ, por el contrario, la *ue* buélvese en *o,* como de 'nuevo', *novedad* [2]; ꝛ de *salmuera, salmorejo.* Corrómpese muc̃has vezes en *o,* como de 'curro', *corro;* de 'lupus', *lobo;* de 'lucrum', *logro.* Corrómpese la *v* consonante en *b,* como de 'volo', *buelo;* de 'vivo', *bivo.* Corrómpese esso mesmo en *u* vocal, como de 'civitas', *ciudad,* por lo cual nuestros maiores escrivían *cibdad;* ꝛ en el mesmo castellano, de *levadura, leudar;* como los latinos hizieron de 'caveo', *cautela;* de 'avis', *auceps,* por el caçador de aves; ꝛ, por el contrario, de 'Juanes', *Ivañes.* La *x,* por ser, como dix̃imos, breviatura de *cs,* passa en *z,* como entrambas ellas; ꝛ assí, de 'lux' dezimos *luz;* de 'pax', *paz.* ꝛ esto abasta para poner en camino a los que se quieren ex̃ercitar en las letras, ꝛ conocer cómo tienen vezindad unas con otras.

---

[1] En la edición original, *pratica.*
[2] En la edición original, *nuvedad.*

CAPÍTULO VIII

DE LA ORDEN DE LAS VOCALES CUANDO SE COGEN EN DIPHTHONGO

Hasta aquí avemos disputado de las figuras ꝛ fuerça que
5 tienen las letras en nuestra lengua: sigue se agora de la orden que tienen entre sí; no, como dize sant Isidro, de la orden del a b c, que la *a* es primera, la *b,* segunda, la *c,* tercera; por que desta orden no tiene que hazer el gramático, antes, como dize Quintiliano, daña a los que comiençan aprender las letras; que
10 saben el a b c por memoria, ꝛ no conocen las letras por sus figuras ꝛ fuerças; mas /[fol. 13 v.] diremos de las letras en qué manera se ordenan ꝛ cogen en una sílaba. Lo cual demostraremos primera mente [1] en las vocales, cuando se aiuntan ꝛ cuajan entre sí por diphthongo. Diphthongo llaman los griegos,
15 cuando en una sílaba se arrebatan dos vocales, ꝛ llámasse assí, por que como quiera que sea una sílaba, haze en ella dos heridas. I aunque, según Quintiliano, nunca en una sílaba se pueden cuajar más de dos vocales, en nuestra lengua ai algunas diciones en que se pueden coger tres vocales, en cinco maneras:
20 en la primera, *iai,* como diziendo *aiais, vaiais, espaciais;* la segunda, *iei,* como diziendo *ensuzieis, desmaieis, alivieis;* la tercera, *iue,* como diziendo *poiuelo, arroiuelo, hoiuelo;* la cuarta, *uai,* como diziendo *guai, aguaitar* [2]*;* la quinta, *uei,* como diziendo *buei, bueitre.* Assí, que será proprio de nuestra lengua, lo cual
25 otra ninguna tiene, que en una sílaba se pueden cuajar tres

---

[1] En la edición original, *mete.*
[2] En la edición original, *aguitar.*

vocales. Tienen los griegos oc̄ho diphthongos de dos vocales; los latinos, seis: tres griegos ꝛ tres latinos. Nuestra lengua tiene doze, compuestos de dos vocales, ꝛ cinco, de tres, como parece en aquellas diciones que arriba pusimos, lo cual en esta manera se puede provar: cinco vocales tiene el castellano: *a, e, i, o, u;* de las cuales *a, e, o,* en ninguna manera se pueden cuajar entre sí ni coger en una herida; assí que no será diphthongo entre *ae, ea, ao, oa, eo, oe,* como en estas diciones: *saeta, leal, nao, loar, rodeo, poeta.* La *e, i,* puédense coger en una sílaba entre sí, ꝛ con las otras tres; assí que puede ser diphthongo entre *ai, au, ei, eu, ia, ie, io, iu, oi, ua, ue, ui.* La *u,* con la *o* mui pocas vezes se puede aiuntar por diphthongo, ꝛ con diphthongo, nunca. Assí que, como cinco vocales no pueden aiuntarse entre sí más de en veinte maneras, ꝛ en las oc̄ho dellas en ninguna manera se pueda cuajar diphthongo, queda pro-/[fol. 14 r.] vado lo que dix̃imos: que los diphthongos en el castellano son doze. Lo cual más distinta mente se puede deduzir en esta manera: Cógese la *a* con la *i,* como en estas diciones: *gaita, baile;* ꝛ puédese desatar, como en éstas: *vaina, caida.* Cógese con la *u,* como en estas diciones: *causa, caudal;* puédese desatar, como en éstas: *laud, ataud.* La *e* cógese con la *ı,* como en estas diciones: *lei, pleito;* puédese desatar, como en éstas: *reir, leiste.* Cógese con la *u,* como en estas diciones: *deudor, reuma;* puédese desatar, como en éstas: *leudar, reuntar.* La *i* cógese con la *a,* como en estas diciones: *justicia, malicia;* puédese desatar, como en éstas: *saia, día.* Cógese con la *e,* como en estas diciones: *miedo, viento;* puédese desatar, como en éstas: *fiel, riel.* Cógese con la *o,* como en estas diciones: *dios, precio;* puédese desatar, como en éstas: *río, mío.* Cógese con la *u,* como en estas diciones: *biuda, ciudad;* puédese desatar, como en éstas: *viuela, piuela.* La *o* cógese con la *i,* como en estas diciones: *soi, doi;* puédese desatar, como en éstas: *oido, roido.* La *u* cógese con la *a,* como en estas diciones: *agua, cuanto;* puédese desatar, como en éstas: *rua, pua.* Cógese con la *e,* como en estas diciones: *cuerpo, muerto;* puédese desatar mui pocas vezes. Cógese con la *i,* como en estas diciones: *cuidado, cuita;* puédese desatar, como en éstas: *huida, Luis.*

CAPÍTULO NOVENO

DE LA ORDEN DE LAS CONSONANTES ENTRE SÍ

En el capítulo passado diximos de la orden que las vocales tienen entre sí: síguese agora de la orden de las consonantes;
5 cosa mui necessaria, assí para los que escriven, como para los que enseñan a leer, ꝛ para los que quieren leer las cifras. Para los escrivanos, por que cuando an de cortar alguna palabra en fin del renglón, no saben cuáles de las letras dexarán en él, o cuáles llevarán a la línea si-/[fol. 14 v.]guiente; en el cual
10 error por no caer Augusto César, según que cuenta Suetonio Tranquilo en su *Vida,* acostumbrava acabar siempre las diciones en fin del renglón, no curando de emparejar el escritura por el lado de la mano derecha, como aún agora lo hazen los judíos ꝛ moros. Para los que enseñan a leer, por que cuando vienen
15 dos o más consonantes entre las vocales, no saben, deletreando, cuáles dellas arrimarán a la vocal que precede, ni cuáles a la siguiente. Puede esso mesmo aprovechar esta consideración para los que leen las cifras, arte no menos sotil que nueva mente hallada en nuestros días por maestre Martín de Toledo, varón
20 en todo linage de letras mui enseñado; el cual, si fuera en los tiempos de Julio César, ꝛ oviera publicado esta su invención, mucho pudiera aprovechar a la República romana ꝛ estorvar los pensamientos de aquél: por que, como dize Suetonio, acostumbrava César, para comunicar los secretos con sus amigos, escrivir
25 lo que quería tomando la *e* por *a,* ꝛ la *f* por *b,* ꝛ la *g* por *c,* ꝛ assí por orden las otras letras hasta venir a la *d,* la cual ponía

por *z*. Assí que, puestos estos principios de la orden de las consonantes, lo que queda io lo dexõ ɀ remito a la obra que deste negocio dexõ escripta. Para introdución de lo cual tales reglas daremos: Primera mente, que si en alguna dición caiere[1] una consonante entre dos vocales, siempre la arrimaremos a la vocal siguiente, salvo si aquella dición es compuesta, por que entonces daremos la consonante a la vocal cuia era antes de la composición. Como esta palabra *enemigo* es compuesta de *en ɀ amigo,* es cierto que la *n* pertenece a la vocal primera ɀ se desata de la siguiente, ɀ assí la tenemos de escrivir, deletrear ɀ pronunciar. En el latín, tres consonantes pueden silabicarse con una vocal antes della, ɀ otras tres después della, como en estas /[fol. 15 r.] diciones: 'scrobs', por el *hoio;* 'stirps', por la *planta.* Mas, si tres preceden, no se pueden seguir más de dos; ɀ por el contrario, si tres se siguen, no pueden preceder más de otras dos. En el castellano, nunca pueden estar antes de la vocal más de dos consonantes, ɀ una después della, ɀ, por consiguiente, nunca más de tres entre dos vocales. I en tanto grado rehusa nuestra lengua silabicar muc̃has consonantes con una vocal, que cuando bolvemos de latín en romance las diciones que comiençan en tres consonantes, ɀ algunas vezes las que tienen dos, anteponemos *e,* por aliviar de una consonante la vocal que se sigue, como en estas diciones: 'scribo', *escrivo;* 'stratum', *estrado;* 'smaragdus', *esmaralda.* En dos consonantes ninguna dición acaba, salvo si pronunciamos como algunos escriven, *segund,* por *según;* ɀ *cient,* por *ciento; grand,* por *grande.* Assí que diremos agora cómo se ordenan entre sí dos o más consonantes: La *b* ante la *c,* en ninguna manera se sufre. Ante la *d* pónese en algunas diciones peregrinas, como 'bdelium', que es cierto árbol ɀ género de goma; 'Abdera', que es ciudad de Tracia. Ante la *l*[2], *r,* puédese aiuntar, como en estas diciones: *blanco, braço.* Ante las otras consonantes no se puede sofrir. La *c* puédese juntar con la *l, r,* como en estas diciones: *claro, creo;* ɀ en las palabras peregrinas, con la *m, n, t,* como en 'Piracmon', nombre proprio; 'aracne', por el *araña;* 'Ctesiphon', nombre proprio. Con las otras consonantes nunca se puede silabicar. La *d* puédese poner delante la *r,* ɀ en las diciones peregrinas con la *l, m, n,* como en estas diciones: 'drago'; 'Abodlas', nombre de un río; 'Admeto', nombre proprio; 'Cidnus',

---

1 En la edición original, *caire.*
2 En la edición original, *ante la r.* A tenor de los ejemplos, parece conveniente añadir *l,* como hacemos en el texto.

nombre de un río. Con las otras letras no se puede juntar. La *f* pónese delante la *l, r,* como en estas diciones: *flaco, franco;* mas no se puede sofrir con ninguna de las otras consonantes. La *g* puédese poner delante la *l, r,* ꝛ en las diciones lati-/[folio 15 v.]nas delante la *m, n,* como en estas: *gloria, gracia;* 'agmen', por muchedumbre; 'agnosco', por reconocer. Con las otras consonantes no se puede sufrir. La *l* nunca se pone delante de otra consonante, antes ella se puede seguir a las otras. La *m* nunca se puede poner delante de otra consonante, salvo delante la *n* en las diciones peregrinas, como 'mna', por cierta moneda; 'amnis', por el río. La *n* nunca se pone delante otra consonante, mas ella se sigue a algunas dellas. La *p* puédese poner delante la *l, r,* ꝛ en las diciones peregrinas delante la *n, s, t,* como en estas diciones: *plaça, prado;* 'pneuma', por espíritu; 'psalmus', por canto: 'Ptolemeus', nombre proprio. La *q* delante ninguna consonante se puede poner, por que siempre después della se sigue *u,* en el latín floxa; en el castellano, vocal, cuando se sigue *a,* muerta, cuando se siguen *e, i.* La *r* delante de ninguna consonante se pone, antes ella se sigue a algunas dellas. La *s* en el castellano en ninguna dición se puede poner en el comienço; con otra consonante en medio puédese juntar con *b, c, l, m, p, q, t.* La *t* en el castellano nunca se pone sino delante la *r;* en las diciones peregrinas puédese poner delante la *l, m, n,* como en estas diciones: *trabajo;* 'Tlepolemo', por un hijo de Ércules; 'Tmolo', por un monte de Cilicia [1]; 'Etna', por Mongibel, monte de Sicilia. La *v* consonante no se puede poner en el latín delante otra consonante, ni en el castellano, salvo ante la *r* en un solo verbo: *avré, avrás, avría, avrías,* lo cual haze nuestra lengua con mucha gana de hazer cortamiento en aquellos tiempos, como lo diremos más larga mente abaxo en su lugar. La *x* i *z,* delante ninguna consonante se pueden poner en el griego ꝛ latín, aun que en el castellano dezimos *lazrado,* por *lazerado.*

[1] En la edición original, *cicilia.*

CAPÍTULO X

EN QUE PONE REGLAS GENERALES DEL ORTHOGRAPHÍA DEL CASTELLANO

De lo que hasta aquí avemos disputado, de la fuerça ꝛ orden de las letras, podemos inferir la primera regla del orthographía castellana: que assí tenemos de escrivir como pronunciamos, ꝛ pronunciar como escrivimos; ꝛ que hasta que entrevenga el autoridad de Vuestra Alteza, o el consentimiento de aquellos que pueden hazer uso, escrivamos aquellas pronunciaciones para las cuales no tenemos figuras de letras en la manera que dix̃imos en el capítulo sexto, presuponiendo que adulteramos la fuerça dellas. La segunda regla sea: que, aunque la lengua griega ꝛ latina puedan doblar las consonantes en medio de la dición, la lengua castellana no dobla sino la *r* ꝛ la *s;* por que todas las otras consonantes pronuncian senzillas, estas dos a las vezes senzillas, a las vezes dobladas: senzillas, como *coro, cosa;* dobladas, como *corro, cosso.* De aquí se convence el error de los que escriven en castellano *illustre, sillaba,* con doblada *l,* por que assí se escriven estas diciones en el latín; ni estorva lo que dix̃imos en el capítulo sexto: que podíamos usar de doblada *l* en algunas diciones, como en estas: *villa, silla,* por que ia aquella *l* doblada no vale por *l,* sino por otra letra de las que faltan en nuestra lengua. La tercera regla sea: que ninguna dición ni sílaba, acabando la sílaba precedente en consonante, puede començar en dos letras de un especie, ꝛ menos acabar en ellas. De donde se convence el error de los que escriven con doblada *r, rrei,* en el comienço; ꝛ en el medio, *onrra;* ꝛ en fin de la dición, *mill,* con doblada *l.* I si dizes que por que en aquellas diciones y otras semejantes suena mucho la *r,* por esso se deve doblar, si queremos escrivir como pronunciamos, a esto dezimos que proprio es de las consonantes sonar más en el comienço de las sílabas que en otro lugar, mas por esta causa non se an de doblar; no más que si quisiesses escrivir *ssabio* ꝛ *conssejo* con doblada /[fol. 16 v.] *s,* por que en aquellos lugares suena mucho la *s.* La cuarta regla sea: que la *n* nunca puede ponerse delante la *m, b, p,* antes, en los tales lugares, siempre avemos de poner *m* en lugar de *n,* como en estas diciones: *ombre, emmudecer, emperador.* Lo cual acontece por que donde se forma la *n,* que es hiriendo el pico de la lengua en la parte delantera del paladar, hasta donde se forman aquellas tres letras, ai tanta distancia, que fue forçado passarla en *m,* cuando alguna dellas se sigue, por estar tan cerca dellas en la pronunciación. Lo cual siempre guardaron los griegos ꝛ latinos, ꝛ nos otros avemos de guardar, si queremos escrivir como pronunciamos; por que en aquel lugar no puede sonar la *n.* La quinta regla sea: que la *p,* nunca puede estar entre *m, n;* como algunos de los malos gramáticos escrivían 'sompnus', por el sueño, ꝛ 'contempno', por menospreciar, con *p* ante *n;* ꝛ en nuestra lengua algunos, siguiendo el autoridad de las escripturas antiguas, escriven *dampño* [1], *solempnidad,* con *p* delante la *n.* La sexta regla sea: que la *g* no puede estar delante *n,* salvo si le damos aquel son que damos agora a la *n* con la tilde. En lo cual pecan los que escriven *signo, dignidad, benigno,* con *g* delante la *n,* pues que en aquestas diciones no suenan con sus fuerças.

---

[1] En la edición original, *dapño.*

LIBRO SEGUNDO

EN QUE TRATA DE LA PROSODIA ⁊ SÍLABA

CAPÍTULO PRIMERO

DE LOS ACIDENTES DE LA SÍLABA

Después que en el libro passado disputamos de la letra, ꝛ cómo se avía de escrivir en el castellano cada una de las partes de la oración, según la orden que pusimos en el comienço desta obra, síguese agora de la sílaba, la cual, como diximos, responde a la segunda parte de la Gramática, que los griegos llaman Prosodia. Sílaba / [for. 17 r.] es un aiuntamiento de letras que se pueden coger en una herida de la boz ꝛ debaxo de un acento. Digo aiuntamiento de letras, porque cuando las vocales suenan por sí, sin se mezclar con las consonantes, propria mente no son sílabas. Tiene la sílaba tres accidentes: número de letras, longura en tiempo, altura ꝛ baxura en accento. Assí que puede tener la sílaba impropria mente assí llamada, una sola letra, si es vocal, como *a;* puede tener dos, como *ra;* puede tener tres, como *tra;* puede tener cuatro, como *tras;* puede tener cinco, si dos vocales se cogen en diphthongo, como en la primera sílaba de *treinta.* De manera que una sílaba no puede tener más de tres consonantes: dos antes de la vocal ꝛ una después della. El latín puede sufrir en una sílaba cinco consonantes con una vocal, ꝛ por consiguiente, seis letras en una herida, como lo diximos en la orden de las letras.

Tiene esso mesmo la sílaba longura de tiempo, por que unas son cortas ꝛ otras luengas, lo cual sienten la lengua griega ꝛ latina, ꝛ llaman sílabas cortas ꝛ breves a las que gastan un tiempo en su pronunciación; luengas, a las que gastan dos

tiempos; como diziendo *corpora,* la primera sílaba es luenga, las dos siguientes, breves: assí que tanto tiempo se gasta en pronunciar la primera sílaba como las dos siguientes. Mas el castellano no puede sentir esta diferencia, ni los que compo-
5 nen versos pueden distinguir [1] las sílabas luengas de las breves, no más que la sintían los que compusieron algunas obras en verso latino en los siglos passados; hasta que agora no sé por qué providencia divina comiença este negocio a se despertar; i no desespero que otro tanto se haga en nuestra len-
10 gua, si este mi trabajo fuere favorecido de los ombres de nuestra nación. I aún no parará aquí nuestro cuidado hasta que demostremos esto mesmo en la / [fol. 17 v.] lengua ebraica: por que, como escriven Orígenes, Eusebio ꞇ Jerónimo, ꞇ de los mesmos judíos Flavio Josefo, gran parte de la Sagrada Es-
15 criptura está compuesta en versos, por número, peso ꞇ medida de sílabas luengas ꞇ breves. Lo cual ninguno de cuantos judíos oi biven siente ni conoce, sino cuanto ve, en mucħos lugares de la Biblia, escriptos en orden de verso. Tiene tan bien la sílaba altura ꞇ bax̃ura, por que de las sílabas, unas se pronun-
20 cian altas, ꞇ otras bax̃as. Lo cual está en razón del acento, de que avemos de tratar en el capítulo siguiente.

[1] En la edición original, *distringuir.*

CAPÍTULO II

DE LOS ACENTOS QUE TIENE LA LENGUA CASTELLANA

Prosodia, en griego, sacando palabra de palabra, quiere dezir en latín, acento; en castellano, quasi canto. Por que, como dize Boecio en la *Música,* el que habla, que es oficio proprio del ombre, ꝛ el que reza versos, que llamamos poeta, ꝛ el que canta, que dezimos músico, todos cantan en su manera. Canta el poeta, no como el que habla, ni menos como el que canta, mas en una media manera; ꝛ assí dixo Virgilio en el principio de su *Eneida:* 5 10

Canto las armas ꝛ el varón;

ꝛ nuestro Juan de Mena:

Tus casos falaces, Fortuna, cantamos;

ꝛ en otro lugar:

Canta, tú, cristiana Musa; 15

ꝛ assí, el que habla, por que alça una sílabas ꝛ abaxa otras, en alguna manera canta. Assí, que ai en el castellano dos acentos simples: uno, por el cual la sílaba se alça, que llamamos agudo; otro, por el cual la sílaba se abaxa, que llamamos grave. Como en esta dición *señor,* la primera sílaba es grave, ꝛ 20 la segunda aguda, ꝛ, por consiguiente, la primera se pronuncia por acento grave ꝛ la segunda por acento agudo. Otros tres acentos tiene nuestra lengua compuestos, sola mente en los diphthongos: el primero, de agudo ꝛ grave, que podemos llamar deflex̃o, como en la primera sílaba de *causa;* /[fol. 18 r.] el segundo, de grave ꝛ agudo, que podemos llamar inflex̃o, como en la primera sílaba de *viento;* el tercero, de grave, agudo ꝛ grave, que podemos llamar circunflex̃o, como en esta dición de una sílaba: *buei.* Assí que sea la primera regla del acento simple: que cualquiera palabra, no sola mente en nuestra lengua, mas en cualquiera otra que sea, tiene una sílaba alta, que se enseñorea sobre las otras, la cual pronunciamos por acento agudo, ꝛ que todas las otras se pronuncian por acento grave. De manera, que si tiene una sílaba, aquella será aguda; si dos o más, la una dellas; como en estas diciones: *sal, sabér, sabidór,* las últimas sílabas tienen acento agudo ꝛ todas las otras acento grave. La segunda regla sea: que todas las palabras de nuestra lengua comun mente tienen el acento agudo en la penúltima sílaba, ꝛ en las diciones bárbaras o cortadas del latín, en la última sílaba much̃as vezes, ꝛ mui pocas en la tercera, contando desde el fin; ꝛ en tanto grado rehúsa nuestra lengua el acento en este lugar, que much̃as vezes nuestros poetas, passando [1] las palabras griegas ꝛ latinas al castellano, mudan el acento agudo en la penúltima, teniendo lo en la que está antes de aquélla. Como Juan de Mena:

A la biuda Penelópe
I al hijo de Liriópe;

i en otro lugar:

Con toda la otra mundana machina.

La tercera regla es de Quintiliano: que cuando alguna dición tuviere el acento indiferente a grave ꝛ agudo, avemos de determinar esta confusión ꝛ causa de error, poniendo encima de la sílaba que a de tener el acento agudo un resguito, que él llama ápice, el cual suba de la mano siniestra a la diestra, cual lo vemos señalado en los libros antigua mente escriptos. Como diziendo *amo,* esta palabra es indiferente a *io ámo* ꝛ

---

[1] En la edición original, *pasando,* pero el uso de *-ss-* en casos como el presente, es constante en Nebrija.

alguno amó; esta ambigüedad ꝛ confusión de tiempos ꝛ personas áse de distinguir por aquella señal, poniéndola sobre la primera sílaba de *ámo,* cuan- / [fol. 18 v.] do es de la primera persona del presente del indicativo; o en la última sílaba, cuando es de la tercera persona del tiempo passado acabado del mesmo indicativo. La cuarta regla es: que si el acento está en sílaba compuesta de dos vocales por diphthongo, ꝛ la final es *i, u,* la primera dellas es aguda ꝛ la segunda grave, ꝛ, por consiguiente, tiene acento deflexo. Como en estas diciones: *gaita, veinte, oi, mui, causa, deudo, biuda,* las primeras vocales del diphthongo son agudas ꝛ las siguientes graves. La quinta regla es: que si el acento está en sílaba compuesta de dos vocales por diphthongo, ꝛ la final es *a, e, o,* la primera dellas es grave ꝛ la segunda aguda, ꝛ por consiguiente, tiene acento inflexo. Como en estas diciones: *codiciá, codicié, codició, cuándo, fuérte*[1], las primeras del diphthongo[2] son graves ꝛ las segundas son agudas. La sexta regla es: que cuando el acento está en sílaba compuesta de tres vocales, si la de medio es *a, e,* la primera ꝛ última son graves ꝛ la de medio aguda, ꝛ, por consiguiente, tiene acento circunflexo, como en estas diciones: *desmaiáis, ensaiáis, desmaiéis, ensaiéis, guái, aguáitas*[3], *buéi, buéitre*[1]. Mas si la final es *e,* agúzase aquélla, ꝛ quedan las dos vocales primeras graves, ꝛ, por consiguiente, en toda la sílaba acento circunflexo, como en estas diciones: *poiuélo, arroiuélo.*

---

1 Acentuadas en la edición original.

2 En la edición original, *diphthungo.* Hay que suponer también *vocales,* entendiéndose así: «las primeras *vocales* del diphthongo son graves».

3 En la edición original, *aguáitar.*

CAPÍTULO III

EN QUE PONE REGLAS PARTICULARES DEL ACENTO DEL VERBO

Los verbos de más de una sílaba, en cualquier conjugación, modo, tiempo, número ꝛ persona, tienen el acento agudo
5 en la penúltima sílaba, como *amo, amas; leo, lees; oio, oies.* Sácase la primera ꝛ tercera persona del singular del passado acabado del indicativo, por que passan el acento agudo a la sílaba final, como diziendo *io amé, alguno amó;* salvo los verbos que formaron este tiempo sin proporción / [fol. 19 r.]
10 alguna, como diremos en el capítulo sexto del quinto libro, como de *andar, io anduve, alguno anduvo;* de *traer, tráxe, alguno tráxo;* de *dezir, díxe, alguno díxo.* Sácanse tan bien: la segunda persona del plural del presente del mesmo indicativo, ꝛ del imperativo, ꝛ del futuro del optativo, ꝛ del presente del
15 subjunctivo, ꝛ del presente del infinitivo, cuando reciben cortamiento, como diziendo *vos amáis, vos amád* o *amá, vos améis, amár.* Sácanse esso mesmo: la primera ꝛ segunda persona del plural del passado no acabado del indicativo, ꝛ del presente ꝛ passado del optativo, ꝛ del passado no acabado, ꝛ del passado
20 más que acabado, ꝛ futuro del subjunctivo, por que passan el acento agudo a la ante penúltima, como diziendo *nos amávamos, vos amávades, nos amássemos, vos amássedes, nos amáramos, vos amárades, nos amaríamos, vos amaríades, nos amáremos, vos amáredes.* Pero cuando en este lugar hazemos corta-
25 miento, queda el acento en la penúltima, como diziendo *cuando vos amardes,* por *amáredes.*

CAPÍTULO IIII

EN QUE PONE REGLAS PARTICULARES DE LAS OTRAS PARTES DE LA ORACIÓN

Como diximos arriba, proprio es de la lengua castellana tener el acento agudo en la penúltima sílaba, o en la última, cuando las diciones son bárbaras o cortadas del latín, ⁊ en la ante penúltima mui pocas vezes, ⁊ aun común mente en las diciones que traen consigo en aquel lugar el acento del latín. Mas por que esta regla general dessea ser limitada por excepción, pornemos aquí algunas reglas particulares.

Las diciones de más de una sílaba que acaban en *a,* tienen el acento agudo en la penúltima, como *tierra, casa.* Sácanse algunas diciones peregrinas que tienen el acento en la última, como *alvalá, Alcalá, Alá, Cabalá* [1], ⁊ de las nuestras / [fol. 19 vuelto] *quiçá, acá, allá, acullá* [1]. Muchas tienen el acento en la ante penúltima, como éstas: *pérdida, uéspeda, bóveda, búsqueda, Mérida, Ágreda, Úbeda, Águeda, pértiga, almáciga, albóndiga, luziérnaga, Málaga, Córcega, águila, cítola, cédula, brúxula, carátula, çávila, Ávila, gárgola, tórtola, péñola, opéndola, oropéndola, albórbola, lágrima, cáñama, xáquima, ánima, sávana, árguena, almádana, almojávana, Cártama, lámpara, píldora, cólera, pólvora, cántara, úlcera, cámara, alcándara, Alcántara, víspera, mandrágora, apóstata, cárcava, Xátiva, alféreza* [2].

[1] Acentuados en la edición original.
[2] Todas acentuadas en la edición original, menos *cárcava* y *alféreza.*

En *d,* tienen el acento agudo en la última sílaba, como *virtud, bondad, enemistad.* Sácanse *uésped* ꝛ *césped* [1], los cuales tienen el acento agudo en la penúltima; en el plural de los cuales queda el acento agudo assentado en la misma sílaba, ꝛ dezimos *uéspedes, céspedes* [2].

En *e,* tienen el acento agudo en la penúltima, como *lináje, tóque.* Sácanse *alquilé, rabé,* que tienen acento agudo en la última, ꝛ en la ante penúltima aquestos: *ánade, x̃énabe, adáreme* [2].

En *i,* tienen el acento agudo en la última sílaba, como *borzeguí, maravedí, aljonjolí* [1]; e los que acaban en diphthongo siguen las reglas que arriba dimos de las diciones diphthongadas, como *lei, rei, buei.*

En *l,* tienen el acento agudo en la última sílaba, como *animal, fiel, candil, alcohol, azul.* Sácanse algunos que lo tienen en la penúltima, como éstos: *mármol, árbol, estiércol, mástel, dátil, ángel* [1]; los cuales en el plural guardan el acento en aquella mesma sílaba, e assí dezimos: *mármoles, árboles, estiércoles, másteles, dátiles, ángeles* [1].

En *n,* tienen el acento agudo en la última sílaba, como *truhán, rehén, ruin, león, atún* [1]. Sácanse *virgen, origen* ꝛ *orden,* que tienen el acento agudo en la penúltima, ꝛ guardan lo en / [fol. 20 r.] aquel mesmo lugar en el plural, ꝛ assí dezimos *orígenes, vírgenes, órdenes* [1].

En *o,* tienen el acento agudo en la penúltima, como *libro, cielo, bueno.* Sácanse algunos que lo tienen en la ante penúltima, como *filósofo, lógico, gramático, médico, arsénico, párpado, pórfido, úmido, hígado, ábrigo, canónigo, tártago* [3], *muérdago, galápago, espárrago, relámpago, piélago, arávigo, morciélago, idrópigo, alhóstigo, búfalo, cernícalo, título, séptimo, décimo, último, legítimo, préstamo, álamo, gerónimo, távano, rávano, uérfano, órgano, orégano, zángano, témpano, cópano, burdégano, peruétano, gálbano, término, almuédano, búzano, cántaro, miéspero, bárbaro, áspero, páx̃aro, género, Álvaro, Lázaro, ábito, gómito* [2].

En *r,* tienen el acento agudo en la última sílaba, como *azar, muger, amor.* Sácanse algunos que lo [4] tienen en la penúltima, como *acíbar, aljófar, atíncar, açúcar, açófar, albéitar, ánsar, tíbar, alcáçar, alfámar, César* [1]; ꝛ retienen en el plural el acento

1 Sin acento en la edición original.
2 Acentuados en la edición original.
3 En la edición original, *tárgago.*
4 En la edición original, *la.*

en aquella mesma sílaba, como diziendo *ánsares, alcáçares, alfámares, Césares*[1].

En´ *s*, tienen el acento agudo en la última sílaba, como diziendo *compás, pavés, anís*[2]. Sácanse *Ércules, miércoles*[2], que lo tienen en la ante penúltima.

En *x̃*, todos tienen el acento agudo en la última sílaba, como *borrax̃, balax̃, relox̃*.

En *z*, tienen el acento agudo en la última sílaba, como *rapaz, Xerez, perdiz, Badajoz, andaluz*. Sácanse algunos que lo tienen en la penúltima, como *alférez, cáliz, Méndez, Díaz, Martínez, Fernández, Gómez, Cález, Túnez*[1]; i destos, los que tienen plural retienen el acento en la mesma sílaba, ⁊ assí dezimos *alférezes, cálices*[1].

En *b, c, f, g, h, m, p, t, u*, ninguna palabra castellana acaba, ⁊ todas las que recibe son bárbaras, ⁊ tienen el acento / [fol. 20 v.] en la última sílaba, como *Jacób, Melchisedéc, Joséph, Magóg, Abrahám, ardit, ervatú*[2].

---

1 Sin acento en la edición original.
2 Acentuados en la edición original.

CAPÍTULO V

DE LOS PIES QUE MIDEN LOS VERSOS

Por que todo aquello que dezimos, o está atado debax̃o de ciertas leies, lo cual llamamos verso; o está suelto dellas, lo cual llamamos [1] prosa; veamos agora qué es aquello que mide el verso ⁊ lo tiene dentro de ciertos fines, no dex̃ándolo vagar por inciertas maneras. Para maior conocimiento de lo cual avemos aquí de presuponer aquello de Aristóteles: que en cada un género de cosas ai una que mide todas las otras, ⁊ es la menor en aquel género; assí como en los números es la unidad, por la cual se miden todas las cosas que se cuentan, por que no es otra cosa ciento sino cien unidades; i assí en la música, lo que mide la distancia de las bozes es tono o diesis; lo que mide las cantidades continuas es o pie, o vara, o passada. I por consiguiente, los que quisieron medir aquello que con mucha diligencia componían ⁊ razonavan, hiziéronlo por una medida, la cual por semejança llamaron pie, el cual es lo menor que puede medir el verso ⁊ la prosa. I no se espante ninguno por que dix̃e que la prosa tiene su medida, por que es cierto que la tiene, ⁊ aún por aventura mui más estrecha que la del verso, según que escriven Tulio ⁊ Quintiliano en los libros en que dieron preceptos de la Retórica. Mas, de los números ⁊ medida de la prosa diremos en otro lugar: agora digamos de los pies de los versos, no como los toman nuestros poetas, que llaman

[1] En la edición original, *lamamos.*

pies a los que avían de llamar versos, mas por aquello que los mide, los cuales son unos assientos o caídas que haze el verso en ciertos lugares; i assí como la sílaba se compone de letras, assí el pie se compone de sílabas. Mas por que la lengua griega ⁊ latina tienen diversidad de sílabas luengas o breves, multiplícanse en ellas los pies en / [fol. 21 r.] esta manera: Si el pie es de dos sílabas, o entrambas son luengas, o entrambas son breves, o la primera luenga ⁊ la segunda breve, o la primera breve ⁊ la segunda luenga; ⁊ assí por todos son cuatro pies de dos sílabas: *spondeo, pirricheo, trocheo, iambo.* Si el pie tiene tres sílabas, o todas tres son luengas, ⁊ llámase molosso; o todas tres son breves, ⁊ llámase tribraco; o las dos primeras luengas ⁊ la tercera breve, ⁊ llámase antibachio; o la primera luenga ⁊ las dos siguientes breves, ⁊ llámase dáctilo; o las dos primeras breves ⁊ la tercera luenga, ⁊ llámase anapesto; o la primera breve ⁊ las dos siguientes luengas, ⁊ llámase antipasto; o la primera ⁊ última breves ⁊ la de medio luenga, ⁊ llámase anfíbraco; o la primera ⁊ última luengas ⁊ la de medio breve, ⁊ llámase anfímacro; ⁊ assí son por todos och̄o pies de tres sílabas. I por esta razón, se multiplican los pies de cuatro sílabas, que suben a diez ⁊ seis. Mas, por que nuestra lengua no distingue las sílabas luengas de las breves, ⁊ todos los géneros de los versos regulares se reduzen a dos medidas, la una de dos sílabas, la otra de tres; osemos poner nombre a la primera, espondeo, que es de dos sílabas luengas; a la segunda, dáctilo, que tiene tres sílabas, la primera luenga ⁊ las dos siguientes breves; por que en nuestra lengua la medida de dos sílabas ⁊ de tres, tienen much̄a semejança con ellos. Ponen much̄as vezes los poetas una sílaba demasiada después de los pies enteros, la cual llaman medio pie o cesura, que quiere dezir cortadura; mas nuestros poetas nunca usan della, sino en los comienços de los versos, donde ponen fuera de cuento aquel medio pie, como más larga mente diremos abax̃o.

CAPÍTULO SEXTO

DE LOS CONSONANTES, ⁊ CUÁL ⁊ QUÉ COSA ES CONSONANTE EN LA COPLA

[fol. 21 v.] Los que compusieron versos en ebraico, griego ⁊ latín, hiziéronlos, por medida de sílabas luengas ⁊ breves. Mas después que con todas las buenas artes se perdió la Gramática, ⁊ no supieron distinguir entre sílabas luengas ⁊ breves, desatáronse de aquella lei ⁊ pusiéronse en otra necessidad: de cerrar cierto número de sílabas debax̃o de consonantes. Tales fueron los que después de aquellos santos varones que ech̄aron los cimientos de nuestra religión, compusieron himnos por consonantes, contando sola mente las sílabas, no curando de la longura ⁊ tiempo dellas; el cual ierro, con much̄a ambición ⁊ gana, los nuestros arrebataron, e lo que todos los varones doctos con much̄a diligencia avían ⁊ rehusavan por cosa viciosa, nos otros abraçamos como cosa de much̄a elegancia ⁊ hermosura. Por que, como dize Aristóteles, por much̄as razones avemos de huir los consonantes: la primera, porque las palabras fueron halladas para dezir lo que sentimos, ⁊ no, por el contrario, el sentido a de servir a las palabras; lo cual hazen los que usan de consonantes en las cláusulas de los versos; que dizen lo que las palabras demandan, ⁊ no lo que ellos sienten. La segunda, por que en habla no ai cosa que más ofenda las orejas, ni que maior hastío nos traiga, que la semejança, la cual traen los consonantes entre sí; e aunque Tulio ponga entre los colores retóricos las cláusulas que acaban o caen en semejante manera, esto a de ser pocas vezes, ⁊ no de manera que sea más la salsa quel manjar. La tercera, por que las palabras son para traspassar en las orejas del auditor aquello que nos otros sentimos teniendo lo atento en lo que queremos dezir; mas usando de consonantes, el que oie [1] no mira lo que se dize, antes está como suspenso esperando el consonante que se sigue; lo / [fol. 22 r.] cual, conociendo nuestros poetas, expienden en los primeros versos lo vano ꝛ ocioso, mientras que el auditor está como atónito, ꝛ guardan lo maciço ꝛ bueno para el último verso de la copla, por que los otros desvanecidos de la memoria, aquél sólo quede assentado en las orejas. Mas por que este error ꝛ vicio ia está consentido ꝛ recebido de todos los nuestros, veamos cuál ꝛ qué cosa es consonante. Tulio, en el cuarto libro de los *Retóricos,* dos maneras pone de consonantes: una, cuando dos palabras o much̄as de un especie caen en una manera por declinación, como Juan de Mena:

Las grandes hazañas de nuestros señores,
Dañadas de olvido por falta de auctores;

señores ꝛ *autores* caen en una manera, por que son consonantes en la declinación del nombre. Esta figura los grammáticos llaman homeóptoton [2]; Tulio interpretóla semejante caída. La segunda manera de consonante es cuando dos o much̄as palabras de diversas especies acaban en una manera, como el mesmo autor:

Estados de gentes que giras ꝛ trocas,
Tus much̄as falacias, tus firmezas pocas;

trocas ꝛ *pocas* son diversas partes de la oración, ꝛ acaban en una manera. A esta figura los gramáticos llaman homeotéleuton [3]; Tulio interpretóla semejante dex̃o. Mas esta diferencia de consonantes no distinguen nuestros poetas, aunque entre sí tengan algún tanto de diversidad. Assí que será el consonante caída o dex̃o, conforme de semejantes o diversas partes de la oración. Los latinos pueden hazer consonante desde la sílaba penúltima o de la antepenúltima, siendo la penúltima grave. Mas los nuestros nunca hazen el consonante, sino desde la vocal donde principal mente está el acento agudo, en la última o penúltima sílaba.

---

1 En la edición original, *oié.*
2 En la edición original, *omeoptoton.* Del griego ὁμοιόπτωτον. Preferimos la forma dada por nosotros, en la que se conserva la acentuación griega y lleva *h* por el espíritu áspero del étimo griego.
3 En la edición original, *omeopteleuton.* Del griego ὁμοιτέλευτον. Como en el caso anterior, preferimos la acentuación griega.

Lo cual acontece, por que, como diremos abax̃o, todos los versos de que nuestros / [fol. 22 v] poetas usan, o son iámbicos ipponáticos, o adónicos; en los cuales, la penúltima es siempre aguda, o la última, cuando es aguda ⁊ vale por dos sílabas. I si la sílaba de donde comiença a se de terminar el consonante es compuesta de dos vocales, o tres, cogidas por diphthongo, abasta que se consiga la semejança de letras desde la sílaba o vocal donde está el acento agudo. Assí que no será consonante entre *treinta ⁊ tinta,* mas será entre *tierra ⁊ guerra;* i aunque Juan de Mena en la *Coronación,* hizo consonantes entre *proverbios ⁊ sobervios*[1], puédese escusar por lo que dix̃imos de la vezindad que tienen entre sí la *b* con la *u* consonante. Nuestros maiores no eran tan ambiciosos en tassar los consonantes, ⁊ harto les parecía que bastava la semejança de las vocales, aunque non se consiguiesse la de las consonantes; ⁊ assí hazían consonar estas palabras *santa, morada, alva;* como en aquel romance antiguo:

Digas tú el ermitaño, que hazes la vida santa:
Aquel ciervo del pie blanco ¿dónde haze su morada?
Por aquí passó esta noche, un ora antes del alva.

---

1 En la edición original, *soverbios.*

CAPÍTULO VII

DE LA SINALEPHA ⁊ APRETAMIENTO DE LAS VOCALES

Acontece muc̄has vezes que cuando alguna palabra acaba en vocal, ⁊ si se sigue otra que comiença esso mesmo en vocal, ec̄hamos fuera la primera dellas, como Juan de Mena en el *Labirintho:*

Hasta que al tiempo de agora vengamos;

después de *que* ⁊ *de* síguesse *a,* i ec̄hamos la *e,* pronunciando en esta manera: *Hasta qual tiempo dagora vengamos.* A esta figura, los griegos llaman sinalepha, los latinos compressión; nos otros podemos la llamar ahogamiento de vocales. Los griegos, ni escriven ni pronuncian la vocal que ec̄han fuera, assí en verso como en prosa; nuestra / [fol. 23 r.] lengua, esso mesmo con la griega, assí en verso como en prosa, a las vezes escrive ⁊ pronuncia aquella vocal, aun que se siga otra vocal, como Juan de Mena:

Al gran rei de España, al César novelo;

después de *a* síguese otra *a,* pero no tenemos necessidad de ec̄har fuera la primera dellas; e si en prosa dix̃esses *tú eres mi amigo,* ni ec̄hamos fuera la *u* ni la *i,* aunque se siguieron *e, a,* vocales; a las vezes, ni escrivimos ni pronunciamos aquella vocal, como Juan de Mena:

Después quel pintor del mundo,

por dezir

después que el pintor del mundo;

a las vezes, escrivimos la τ no la pronunciamos, como el mesmo autor en el verso siguiente:

Paró nuestra vida ufana;

callamos la *a,* τ dezimos

paró nuestra vidufana.

E esto, no sola mente en la necessidad del verso, mas aun en la oración suelta, como si escriviesses: *nuestro amigo está aquí,* puedes lo pronunciar como se escrive τ por esta figura puedes lo pronunciar en esta manera: *nuestramigo staquí.* Los latinos, en prosa, siempre escriven τ pronuncian la vocal en fin de la dición, aunque después della se siga otra vocal; en verso, escrívenla τ non la pronuncian, como Juvenal:

semper ego auditor tantum;

'ego' acaba en vocal, τ síguese 'auditor', que comiença esso mesmo en vocal; ec̃hamos fuera la *o,* τ dezimos pronunciando: 'semper egauditor tantum'; mas si desatássemos el verso dex̃aríamos entrambas aquellas vocales, τ pronunciaríamos 'ego auditor tantum'. Tienen tan bien los latinos otra figura semejante a la sinalepha, la cual los griegos llaman etlipsi; nos otros podemos la llamar duro encuentro de letras; τ es cuando alguna dición acaba en *m,* τ se sigue dición que comiença / [fol. 23 v.] en vocal; entonces, los latinos, por no hazer metacismo, que es fealdad de la pronunciación con la *m,* ec̃han fuera aquella *m* con la vocal que está silabicada con ella, como Virgilio:

Venturum excidio Libyae,

donde pronunciamos 'ventur excidio Libye'. Mas esta manera de metacismo no la tienen los griegos ni nos otros, por que en la lengua griega τ castellana ninguna dición acaba en *m;* por que, como dize Plinio, en fin de las diciones siempre suena un poco escura.

CAPÍTULO VIII

DE LOS GÉNEROS DE LOS VERSOS QUE ESTÁN EN EL USO DE LA LENGUA CASTELLANA, τ PRIMERO DE LOS VERSOS IÁMBICOS

Todos los versos, cuantos io e visto en el buen uso de la lengua castellana, se pueden reduzir a seis géneros; por que, o son monómetros, o dímetros, o compuestos de dímetros τ monómetros, o trímetros, o tetrámetros, o adónicos senzillos, o adónicos doblados. 5

Mas, antes que examinemos cada uno de aquestos seis géneros, avemos aquí de presuponer τ tornar a la memoria lo que diximos en el capítulo octavo del primero libro: que dos vocales, τ aun algunas vezes tres, se pueden coger en una sílaba. Esso mesmo avemos aquí de presuponer lo que diximos en el quinto capítulo deste libro: que en comienço del verso podemos entrar con medio pie perdido, el cual no entra en el cuento τ medida con los otros. Tan bien avemos de presuponer lo que diximos en el capítulo passado: que cuando alguna dición acabare en vocal τ se siguiere otra que comience esso mesmo en vocal, echamos algunas vezes la primera dellas. El cuarto presupuesto sea que la sílaba aguda en fin del verso vale τ se a de contar por dos, por que común mente son cortadas del latín, como *amar,* de 'amare'; *amad,* de 'amate'[1]. Assí que el verso que los latinos llaman monómetro, τ nuestros poetas pie quebrado, regular mente tiene cuatro sílabas; τ llámanle assí, por / [fol. 24 r.] que tiene dos pies espondeos, τ una medida o assiento; como el Marqués en los *Proverbios:* 10 15 20 25

[1] En la edición original, *amade.*

Hijo mío mucho amado,
Para mientes;
No contrastes a las gentes
Mal su grado.
5 *Ama* ꝛ *serás amado,*
I podrás
Hazer lo que no harás
Desamado.

Para mientes ꝛ *Mal su grado* son versos monómetros regula-
10 res, por que tienen cada cuatro sílabas; ꝛ aun que *Para mientes* parece tener cinco, aquéllas no valen más de cuatro, por
que *ie* es diphthongo ꝛ vale por una, según el primero presupuesto. Puede este verso tener tres sílabas, si la final es aguda,
como en la mesma copla: *I podrás;* aunque *I podrás* no tiene
15 más de tres sílabas, valen por cuatro, según el cuarto presupuesto. Puede entrar este verso con medio pie perdido, por el
segundo presupuesto, ꝛ assí puede tenere cinco sílabas; como
don Jorge Manrique:

Un Constantino en la fe
20 *Que mantenía;*

Que mantenía tiene cinco sílabas, las cuales valen por cuatro,
por que la primera no entra en cuenta con las otras. I por
esta mesma razón puede tener este pie cuatro sílabas, aunque
la última sea aguda ꝛ valga por dos; como el Marqués en la
25 mesma obra:

Sólo por aumentación
De umanidad;

De umanidad tiene cuatro sílabas, o valor dellas, por que en-
tró con una perdida ꝛ echó fuera la *e,* por el tercero presu-
30 puesto, ꝛ la última vale por dos, según el cuarto.

[fol. 24 v.] El dímetro iámbico, que los latinos llaman quaternario, ꝛ nuestros poetas pie de arte menor, ꝛ algunos de
arte real, regular mente tiene ocho sílabas ꝛ cuatro espondeos.
Llamaron le dímetro, por que tiene dos assientos; quaterna-
35 rio, por que tiene cuatro pies. Tales son aquellos versos, a los
cuales arrimávamos los que nuestros poetas llaman pies quebrados, en aquella copla:

Hijo mío mucho amado,
No contrastes a las gentes,
Ama ꝛ serás amado,
Hazer lo que no harás.

Hijo mío mucho amado tiene valor de ocho sílabas, por que la *o* desta partezilla *mucho* se pierde, por el tercero presupuesto. Esso mesmo puede tener siete, si la final es aguda, por que aquélla vale por dos según el último presupuesto; como en aquel verso *Hazer lo que no podrás*[1]. 5

Hazemos algunas vezes versos compuestos de dímetros ꝛ monómetros, como en aquella pregunta: 10

Pues tantos son los que siguen la passión
I sentimiento penado por amores,
A todos los namorados trobadores
Presentando les demando tal quistión: 15
Que cada uno provando su entinción,
Me diga que cuál primero destos fue:
Si amor, o si esperança, o si fe,
Fundando la su respuesta por razón.

El trímetro iámbico, que los latinos llaman senario, regular mente tiene doze sílabas; ꝛ llamaron lo trímetro, por que tiene tres assientos; senario, por que tiene seis espondeos. En el castellano este verso no tiene más de dos assientos, en cada tres pies uno; como en aquestos versos: 20

[fol. 25 r.] 25

No quiero negaros, señor, tal demanda,
Pues vuestro rogar me es quien me lo manda;
Mas quien sólo anda cual veis que io ando,
No puede, aunque quiere, cumplir vuestro mando.

El tetrámetro iámbico, que llaman los latinos octonario, ꝛ nuestros poetas pie de romances, tiene regular mente diez ꝛ seis sílabas; ꝛ llamaron lo tetrámetro, por que tiene cuatro assientos; octonario, por que tiene ocho pies; como en este romance antiguo: 30

[1] Parece una equivocación. Sería mejor repetir *harás: Hacer lo que no harás.*

Digas tú el ermitaño, que hazes la santa vida,
Aquel ciervo del pie blanco ¿dónde haze su manida?

Puede tener este verso una sílaba menos, cuando la final es aguda, por el cuarto presupuesto; como en el otro romance:

5 *Morir se quiere Alexandre de dolor del coraçón,*
Embió por sus maestros cuantos en el mundo son.

Los que lo cantan, por que hallan corto ꝛ escasso aquel último espondeo, suplen ꝛ rehazen lo que falta, por aquella figura que los gramáticos llaman paragóge, la cual, como diremos [1]
10 en otro lugar, es añadidura de sílaba en fin de la palabra, ꝛ por *coraçón* ꝛ *son* dizen *coraçone* ꝛ *sone.*

Estos cuatro géneros de versos llaman se iámbicos, por que en el latín, en los lugares pares donde se hazen los assientos principales, por fuerça an de tener el pie que llamamos iam-
15 bo; mas por que nos otros no tenemos sílabas luengas ꝛ breves, en lugar de los iambos pusimos espondeos. I por que todas las penúltimas sílabas de nuestros versos iámbicos, o las últimas, cuando valen por dos, son agudas, ꝛ por consiguiente, luengas, llaman se estos versos ipponácticos iámbicos, por que
20 Ipponate, poeta griego, usó dellos; como Archíloco, de los iámbicos, de que usaron los que antigua mente compusieron los himnos por medida, en los cuales siempre la penúltima es breve, ꝛ tiene acento agudo en la / [fol. 25 v.] ante penúltima; como en aquel himno:

25 *Iam lucis orto sidere,*

ꝛ en todos los otros de aquella medida.

[1] En la edición original, *diremes.*

CAPÍTULO NONO

DE LOS VERSOS ADÓNICOS

Los versos adónicos se llamaron por que Adonis, poeta, usó mucho dellos, o fue el primer inventor. Éstos son compuestos de un dáctilo τ un spondeo. Tienen regular mente cin- 5 co sílabas, τ dos assientos: uno en el dáctilo τ otro en el espondeo. Tiene muchas vezes seis sílabas, cuando entramos con medio pie perdido, el cual, como diximos arriba, no se cuenta con los otros. Puede esso mesmo tener este verso cuatro sílabas, si es la última sílaba del verso aguda, por el cuarto presu- 10 puesto; puede tan bien tener cinco, siendo la penúltima aguda, τ entrando con medio pie perdido. En este género de verso está compuesto aquel rondel antiguo:

Despide plazer
I pone tristura, 15
Crece en querer
Vuestra hermosura.

El primero verso tiene cinco sílabas τ valor de seis, por que se pierde la primera con que entramos, τ la última vale por dos. El segundo verso tiene seis sílabas, por que pierde el me- 20 dio pie en que començamos. El verso tercero tiene cuatro sílabas, que valen por cinco, por que la final es aguda τ tiene valor de dos. El cuarto es semejante al segundo.

El verso adónico doblado es compuesto de dos adónicos. Los nuestros llámanlo pie de arte maior. Puede entrar cada uno 25

dellos con medio pie perdido o sin él; puede tan bien cada uno dellos[1] acabar en sílaba aguda, la cual, como muchas vezes avemos dicho, suple por dos, para hinchir la medida del adónico. Assí que puede este género de verso tener doze sílabas,
5 o onze, o diez, o nue- / [fol. 26 r.] ve, o ocho. Puede tener doze sílabas en una sola manera: si entramos con medio pie en entrambos los adónicos. I por que más clara mente parezca la diversidad de estos versos, pongamos exemplo en uno que pone Juan de Mena en la difinición de la prudencia, don-
10 de dize:

Sabia en lo bueno, sabida en maldad,

del cual podemos hazer doze sílabas, τ onze, τ diez, τ nueve, τ ocho, mudando algunas sílabas, τ quedando la mesma sentencia. Doze, en esta manera:

15 *Sabida en lo bueno, sabida en maldades.*

Puede tener este género de verso onze sílabas en cuatro maneras: la primera, entrando sin medio pie en el primero adónico τ con él en el segundo; la segunda, entrando con medio pie en el primer adónico τ sin él en el segundo; la tercera,
20 entrando con medio pie en entrambos los adónicos τ acabando el primero en sílaba aguda; la cuarta, entrando con medio pie en ambos los adónicos τ acabando el segundo en sílaba aguda. Como en estos versos:

Sabia en lo bueno, sabida en maldades,
25 *Sabida en lo bueno, sabia en maldades,*
Sabida en el bien, sabida en maldades,
Sabida en lo bueno, sabida en maldad.

Puede tener este género de verso diez sílabas en seis maneras: la primera, entrando con medio pie en ambos los adó-
30 nicos τ acabando entrambos en sílaba aguda; la segunda, entrando sin medio pie en ambos los adónicos; la tercera, entrando sin medio pie en el primero adónico τ acabando el mesmo en sílaba aguda; la cuarta, entrando el segundo adónico sin medio pie τ acabando el mesmo en sílaba aguda; la quinta,

[1] En la edición original, *una dellas.*

entrando el primero adónico con medio pie ꝛ el segundo sin él, ꝛ acabando el primero en sílaba aguda; la sexta, entrando el primer adó- / [fol. 26 v.] nico sin medio pie ꝛ el segundo con él, acabando el mesmo en sílaba aguda. Como en estos versos: 5

Sabida en el bien, sabida en maldad,
Sabia en lo bueno, sabia en maldades,
Sabia en el bien, sabida en maldades,
Sabida en lo bueno, sabia en maldad,
Sabida en el bien, sabia en maldades. 10
Sabia en lo bueno[1], *sabida en maldad.*

Puede tener este género de versos nueve sílabas en cuatro maneras: la primera, entrando sin medio pie en ambos los adónicos, ꝛ acabando el segundo en sílaba aguda; la segunda, entrando el primer adónico con[2] medio pie ꝛ el segundo sin él, 15 ꝛ acabando entrambos en sílaba aguda; la tercera, entrando ambos los adónicos sin medio pie ꝛ acabando el primero en sílaba aguda; la cuarta, entrando el primer adónico sin medio pie ꝛ el segundo con él, ꝛ acabando entrambos en sílaba aguda. Como en estos versos: 20

Sabia en lo bueno, sabia en maldad,
Sabida en el bien, sabia en maldad,
Sabia en el bien, sabia en maldades,
Sabia en el bien, sabida en maldad.

Puede tener este género de versos ocho sílabas en una sola 25 manera: entrando sin medio pie en ambos los adónicos ꝛ acabando entrambos en sílaba aguda; como en estos versos:

Sabia en el bien, sabia en mal.

---

1 En la edición original, *buono.*
2 En la edición original, *sin medio pie.*

CAPÍTULO X

DE LAS COPLAS DEL CASTELLANO ꝛ CÓMO SE COMPONEN DE LOS VERSOS

Assí como dezíamos que de los pies se componen los ver-
5 sos, assí dezimos agora que de los versos se hazen las coplas. Coplas llaman nuestros poetas un rodeo ꝛ aiuntamiento de versos en que se coge alguna / [fol. 27 r.] notable sentencia. A éste los griegos llaman período, que quiere dezir término; los latinos 'circulus'[1], que quiere dezir rodeo; los nuestros lla-
10 maron la copla, por que en el latín, 'copula' quiere dezir aiuntamiento. Assí que los versos que componen la copla, o son todos uniformes, o son diformes. Cuando la copla se compone de versos uniformes, llámase monocola, que quiere dezir unimembre, o de una manera. Tal es el *Labirinto* de Juan de Mena,
15 por que todos los versos entre sí son adónicos doblados; o su *Coronación,* en la cual todos los versos entre sí son dímetros iámbicos.

Si la copla se compone de versos diformes, en griego llaman se dícolos, que quiere dezir de dos maneras. Tales son los
20 *Proverbios* del Marqués, la cual obra es compuesta de dímetros ꝛ monómetros iámbicos, que nuestros poetas llaman pies de arte real, ꝛ pies quebrados. Hazen esso mesmo los pies tornada a los consonantes, ꝛ llaman[2] se distrophos, cuando el tercero verso consuena con el primero; como en el título del
25 *Labirinto:*

---

1 En la edición original, *circuitu.*
2 En la edición original, *llama.*

Al mui prepotente don Juan el Segundo,
Aquél con quien Júpiter tuvo tal zelo,
Que tanta de parte le haze en el mundo,
Cuanta a sí mesmo se haze en el cielo.

En estos versos, el tercero responde al primero, ꝛ el cuarto al segundo. Llámanse los versos trístrophos, cuando el cuarto torna al primero; como en el segundo miembro de aquella mesma copla: 5

Al gran Rei de España, al César novelo,
Aquél con fortunas bien afortunado, 10
Aquél en quien cabe virtud ꝛ reinado,
A él las rodillas hincadas por suelo.

En estos versos, el cuarto responde al primero. No pienso que ai copla en que el quinto verso torne al primero, salvo mediante otro consonante de la mesma caída; lo cual / [fol. 27 v.] 15 por ventura se dexa de hazer, por que cuando viniesse el consonante del quinto verso, ia sería desvanecido de la memoria del auditor el consonante del primero verso. El latín tiene tal tornada de versos, ꝛ llámanse tetrástrophos, que quiere dezir que tornan después de cuatro. Mas si todos los versos caen 20 debaxo de un consonante llamarse an ástrophos, que quiere dezir sin tornada; cuales son los tetrámetros en que diximos que se componían aquellos cantares que llaman romances.

Cuando en el verso redunda ꝛ sobra una sílaba, llámase hipermetro: quiere dezir que, allende lo justo del metro, sobra 25 alguna cosa. Cuando falta algo llámase cataléctico: quiere dezir que por quedar alguna cosa es escasso. Y en estas dos maneras los versos llámanse cacómetros: quiere dezir mal medidos. Mas si en los versos, ni sobra ni falta cosa alguna, llámanse orthómetros: quiere dezir bien medidos, justos ꝛ legítimos. Pudiera 30 io mui bien en aquesta parte con ageno trabajo estender mi obra, ꝛ suplir lo que falta de un *Arte de poesía castellana* [1], que con mucha copia ꝛ elegancia compuso un amigo nuestro, que agora se entiende ꝛ en algún tiempo será nombrado; ꝛ por el amor ꝛ acatamiento que le tengo pudiera io hazer lo assí, 35 según aquella lei que Pithágoras pone primera en el amistad: que las cosas de los amigos an de ser comunes; maior mente

1 Menéndez Pelayo primero, y con nuevos argumentos Galindo y Ortiz Muñoz atribuyen este *Arte* a Juan del Encina.

que, como dize el refrán de los griegos, la tal usura se pudiera tornar [1] en caudal. Mas ni io quiero fraudar lo de su gloria, ni mi pensamiento es hazer lo hecho. Por esso el que quisiere ser en esta parte más informado, io lo remito a aquella su obra.

---

[1] En la edición original, *torna*.

LIBRO TERCERO

QUE ES DE LA ETIMOLOGÍA ⁊ DICIÓN

CAPÍTULO PRIMERO

DE LAS DIEZ PARTES DE LA ORACIÓN QUE TIENE LA LENGUA CASTELLANA

[fol. 28 r.] Síguese el tercero libro de la Gramática, que es de la dición, a la cual, como diximos en el comienço desta obra, responde la Etimología. Dición se llama assí, por que se dize; como si más clara mente la quisiéssemos llamar palabra; pues ia la palabra no es otra cosa sino parte de la oración. Los griegos común mente distinguen ocho partes de la oración: nombre, pronombre, artículo, verbo, participio, preposición, adverbio, conjunción. Los latinos no tienen artículo, mas distinguen la interjeción del adverbio, ꝛ assí, hazen otras ocho partes de la oración: nombre, pronombre, verbo, participio, preposición, adverbio, conjunción, interjeción. Nos otros, con los griegos, no distinguiremos la interjeción del adverbio, ꝛ añadiremos con el artículo el gerundio, el cual no tienen los griegos, ꝛ el nombre participial infinito, el cual no tienen los griegos ni latinos. Assí que serán por todas, diez partes de la oración en el castellano: nombre, pronombre, artículo, verbo, participio, gerundio, nombre participial infinito, preposición, adverbio, conjunción. Destas diez partes de la oración diremos agora por orden en particular, ꝛ primera mente del nombre.

CAPÍTULO II

DEL NOMBRE

Nombre es una de las diez partes de la oración, que se declina por casos, sin tiempos, ꝛ significa cuerpo o cosa. Digo
5 cuerpo, como *ombre, piedra, árbol;* digo cosa, como *dios, ánima, gramática.* Llámase nombre, por que por él se nombran las cosas, ꝛ assí como de 'onoma' en griego, los latinos hizieron 'nomen', assí de 'nomen' nos otros hezimos *nombre.* Los accidentes del nombre son seis: calidad, especie, figura, género, núme-
10 ro, declinación por casos. Calidad en el nombre es aquello por lo cual el nombre común se distingue del proprio. Proprio nombre es aquél /[fol. 28 v.] que conviene a uno solo, como *César, Pompeio.* Común nombre es aquél que conviene a muchos particulares, que los latinos llaman apelativo, como *ombre*
15 es común a 'César' ꝛ 'Pompeio'; *ciudad,* a 'Sevilla' y 'Córdoba'; *río,* a 'Duero' y 'Guadiana'. Mas, por que muchos se pueden nombrar por un nombre proprio, para los más distinguir ꝛ determinar entre sí, los latinos antepusieron otro nombre, que llamaron prenombre, por que se pone delante del nombre pro-
20 prio; el cual ponían en señal de onra ꝛ hidalguía en aquellos que por él se nombravan; ꝛ escrivían lo siempre por breviatura, como por una 'A' entre dos puntos: 'Aulo'; por un 'C': 'Gaio'; ꝛ acostumbraron nunca anteponer lo al nombre proprio de los siervos, antes quitarlos en señal de infamia a los que cometían
25 algún crimen contra la majestad de su república. Nuestra lengua

no tiene tales prenombres [1], mas en lugar dellos pone esta partezilla *don,* cortada deste nombre latino 'dominus', como los italianos 'ser' ꝛ 'misér', por mi señor; los franceses 'mosier'; los aragoneses 'mosén'; los moros 'abi', 'cid', 'mulei'. Assí que será *don* en nuestro lenguaje en lugar de prenombre, ꝛ aún dévesse escrivir por breviatura, como los prenombres latinos, o como lo escriven agora los cortesanos en Roma, que, por lo que nos otros dezimos *don Juan,* ellos escriven 'do Joannes'. Connombre es aquél que se pone después del nombre proprio, ꝛ es común a todos los de aquella familia; ꝛ llámase propria mente entre nos otros el apellido, como *los Estúñigas, los Mendoças.* Renombre es aquél que para más determinar el nombre proprio se añade, ꝛ significa en él algún accidente o dignidad, como *maestre.* Assí que diziendo *don Juan de Estúñiga, maestre, don* es prenombre; *Juan,* nombre proprio; *Estúñiga,* connombre; *maestre,* renombre, ꝛ como quieren los latinos, anombre. Proprio es de la lengua latina ꝛ de /[fol. 29 r.] las que della decienden doblar ꝛ trasdoblar los nombres, lo cual dizen los autores que uvo origen de aquello que, cuando los sabinos se mezclaron con los romanos ꝛ hizieron con ellos un cuerpo de ciudad, tomaron los unos los nombres de los otros, en señal ꝛ prenda de amor. Los griegos, para determinar el nombre proprio, añaden el nombre del padre, o de la tierra, o de algún acidente ꝛ calidad; como *Sócrates, hijo de Sophronisco* [2], *Platón Atheniense, Eráclito Tenebregoso,* por que escrivió de philosofía en estilo escuro. Los judíos añaden el nombre del padre a los nombres proprios, como *Josue ben Nun* [3], quiere dezir hijo de Nun; *Simón Barjona,* quiere dezir hijo de Jona. Algunas vezes, añaden el nombre del lugar, como *Joseph de Arimathía, Judas dEscarioth.* Los moros, esso mesmo añaden el nombre del padre, como *Alí aben Ragel,* quiere dezir hijo de Ragel; *Aben Messué,* hijo de Messué. Calidad, esso mesmo en el nombre, se puede llamar aquello por lo cual el adjectivo se distingue del substantivo. Adjectivo se llama, por que siempre se arrima al substantivo, como si le quisiéssemos llamar arrimado; substantivo se llama, por que está por sí mesmo, ꝛ no se arrima a otro ninguno; como diziendo *ombre bueno, ombre* es substantivo, por que puede estar por sí mesmo; *bueno,* adjectivo, por que no puede estar por sí sin que se arrime al substantivo. El

1 En la edición original, *pronombres.*
2 En la edición original, *Sophromeo.*
3 En la edición original, *Num.*

nombre substantivo es aquél con que se aiunta un artículo, como *el ombre, la muger, lo bueno;* o a lo más dos, como *el infante, la infante,* segund el uso cortesano. Adjectivo es aquél con que se pueden aiuntar tres artículos, como *el fuerte, la fuerte, lo fuerte.* Podemos tan bien llamar calidad aquello por que el relativo se distingue del antecedente. Antecedente se llama, por que se pone delante del relativo; relativo se llama, por que haze relación del antecedente; como *el maestro lee, el cual enseña,* maestro /[fol. 29 v.] es antecedente, *el cual* es relativo. I avemos de mirar que dos maneras ai de relativos: unos, que hazen relación de algún nombre substantivo, ꝛ llaman se relativos de substancia, ꝛ son dos: *quien, que, ꝛ cual,* cuando se aiunta con artículo, como diciendo: *io leí el libro que me diste* o *el cual me diste.* Relativos de accidente son los que hazen relación de algún nombre adjectivo, ꝛ son: *tal, tanto, tamaño, cual,* cuando se pone sin artículo, como diziendo: *io te embío el libro mentiroso, cual me lo diste, tal, tamaño, cuamaño me lo embiaste;* por que *tanto, cuanto,* propria mente son relativos de cantidad discreta; *tamaño, cuamaño,* de cantidad continua, como *io tengo tantos libros cuantos tú,* entiéndese cuanto al número; mas diziendo *tamaños libros cuamaños tú,* entiéndese cuanto a la grandeza; mas diziendo *tales cuales,* entiéndese cuanto a la calidad.

CAPÍTULO III

DE LAS ESPECIES DEL NOMBRE

El segundo accidente del nombre es especie; la cual no es otra cosa, sino aquello por que el nombre derivado se distingue del primogénito. Primogénito nombre es aquél que assí es primero, que no tiene otro más antiguo de donde venga por derivación; como *monte,* assí es primogénito ⁊ principal en nuestra lengua, que no tiene en ella mesma cosa primera de donde se saque ⁊ decienda, aunque venga de 'mons', 'montis' latino; por que si tal decendimiento llamássemos derivación, ⁊ a los nombres que se sacan de otra lengua, derivados, a penas se hallaría palabra en el castellano que no venga del latín ó de alguna de las lenguas [1] con que a tenido conversación. Derivado nombre es aquél que se saca de otro primero ⁊ más antiguo, como de *monte, montesino, montaña, montañés, montón, montero, montería, montaraz.* Nueve diferencias ⁊ formas ai de nombres derivados: patronímicos, possessivos, diminutivos, aumentativos, comparativos, denominativos, verbales, participiales, adverbiales. /[fol. 30 r.]. Patronímicos nombres son aquéllos que significan hijo, o nieto, o alguno de los decendientes de aquel nombre de donde formamos el patronímico, cuales son aquéllos que en nuestra lengua llamamos sobrenombres. Como *Pérez,* por hijo, o nieto, o alguno de los decendientes de Pedro, que en latín se podría dezir 'Petrides'; ⁊ assí de Ál-

---

1 En la edición original, *leguas.*

varo, *Álvarez,* por lo que los latinos dirían 'Alvarides'. Otra forma de patronímicos io no siento que tenga nuestra lengua.

Possessivo nombre es aquél que vale tanto como el genitivo de su principal, ꝛ significa alguna cosa de las que se posseen, como de Sevilla, *sevillano;* de cielo, *celestial.*

Diminutivo nombre es aquél que significa diminución del principal de donde se deriva; como de ombre, *ombrezillo,* que quiere dezir pequeño ombre; de muger, *mugercilla,* pequeña muger. En este género de nombres, nuestra lengua sobra a la griega ꝛ latina, por que haze diminutivos de diminutivos, lo cual raras vezes acontece en aquellas lenguas; como de ombre, *ombrezillo, ombrezico, ombrezito;* de muger, *mugercilla, mugercica, mugercita.*

Tiene esso mesmo nuestra lengua otra forma de nombres contraria destos, la cual no siente el griego, ni el latín, ni el ebraico; el arávigo en alguna manera la tiene. ꝛ por que este género de nombres aún no tiene nombre, osemos le nombrar aumentativo, por que por él acrecentamos alguna cosa sobre el nombre principal de donde se deriva; como de ombre, *ombrazo;* de muger, *mugeraza.* Destos, a las vezes usamos en señal de loor, como diziendo *es una mugeraza,* por que abulta mucho; a las vezes, en señal de vituperio, como diziendo *es un cavallazo,* por que tiene alguna cosa allende la hermosura natural ꝛ tamaño de cavallo; por que, como dize Aristóteles, cada cosa en su especie tiene ciertos términos de cantidad, de los cuales, si sale, ia no /[fol. 30 v.] está en aquella especie, o a lo menos no tiene hermosura en ella.

Comparativo nombre se llama aquél que significa tanto como su positivo con este adverbio *mas.* Llaman los latinos positivo aquel nombre de donde se saca el comparativo. Mas, aun que el latin haga comparativos de todos los nombres adjectivos que reciben *más* o *menos* en su significación, nuestra lengua no los tiene sino en estos nombres: *mejor,* que quiere dezir más bueno; *peor,* que quiere dezir más malo; *maior,* que quiere dezir más grande; *menor,* que quiere dezir más pequeño; *más,* que quiere dezir más mucho; por que esta partezilla *más,* ó es adverbio, como diziendo *Pedro es más blanco que Juan;* ó es conjunción, como diziendo *io quiero, mas tú no quieres;* ó es nombre comparativo, como diziendo *io tengo más que tú,* quiero dezir más *mucho que tú.* 'Prior' ꝛ 'senior', en el latín son comparativos; en nuestra lengua son como positivos, por que 'prior' en latín es primero entre dos, ꝛ en castellano no quiere dezir sino primero de muchos; 'senior' quiere dezir más anciano en latín; en nuestra lengua es nombre de onra. Superlativos no tiene el castellano sino estos dos: *primero ꝛ postrimero*. Todos los otros dize por rodeo de algún positivo ꝛ este adverbio *mui,* como diximos que se hazían los comparativos con este adverbio *más,* como diziendo *bueno, más bueno; mui más bueno.* Denominativo nombre es aquél que se deriva ꝛ deciende de otro nombre, ꝛ no tiene alguna especial significación de aquellas cinco que diximos arriba; como de justo, *justicia;* de moço, *mocedad;* de anima, *animal.* Verbal nombre es aquél que se deriva de algún verbo, como de amar, *amor;* de labrar, *labrança.* Participial nombre es aquél que se saca del participio, como de docto, *doctor;* de leído, *lection;* de oído, *oidor.* /[folio 31 r.] Adverbial nombre es aquél que se deriva de adverbio, como de sobre, *soberano;* de iuso, *iusano.*

CAPÍTULO IIII

DE LOS NOMBRES DENOMINATIVOS

Denominativos se pueden llamar todos los nombres que se derivan ꝛ decienden de otros nombres; ꝛ en esta manera, los patronímicos, possessivos, diminutivos, aumentativos ꝛ comparativos, se pueden llamar denominativos; más propria mente llamamos denominativos aquéllos que no tienen alguna especial significación. I por que éstos tienen mucha semejança con los possessivos ꝛ gentiles, diremos agora junta mente dellos. Gentiles nombres llaman los gramáticos aquellos que significan alguna gente, como *español, andaluz, sevillano;* aunque Tulio, en el primero libro de los *Oficios,* haze diferencia entre gente, nación ꝛ naturaleza; por que la gente tiene debax̃o de sí muchas naciones, como España a Castilla, Aragón, Navarra, Portogal; la nación, muchas ciudades ꝛ lugares, que son tierra ꝛ naturaleza de cada uno; mas todos estos llamamos nombres gentiles, del nombre general que comprende a todos. Por la maior parte salen estos nombres en esta terminación *ano,* como de Castilla, *castellano;* de Italia, *italiano;* de Toledo, *toledano;* de Sevilla, *sevillano;* de Valencia, *valenciano,* o *valentin,* como de Florencia, *florentin;* de Plazencia la de Italia, *plazentin,* de Plazencia la de España, *plazenciano;* ꝛ a semejança de aquéstos dezimos: de palacio, *palanciano,* por *palaciano;* de corte, *cortesano.* Salen esso mesmo los nombres gentiles muchas vezes en *es,* como de Francia, *francés;* de Aragón, *aragonés;* de Portogal, *portogués,* por *portogalés;* de Córdova, *cordovés;* de Burgos [1], *burgalés,* por *burgués;* ꝛ a esta semejança, de corte, *cortés.* Salen a las vezes estos nombres en *eño,* como de extremo, *extremeño;* de Cáceres, *cacereño;* de Alcántara, *alcantareño;* ꝛ a esta se-/[fol. 31 v.] mejança, de mármol, *marmoleño;* de seda, *sedeño.* De los lugares no tan principales no tenemos assí en el uso estos nombres gentiles, pero podemos los sacar por proporción ꝛ semejança de los otros, en tal manera, que aquella formación no salga dura ꝛ áspera; aunque, como dize Tulio, en las palabras no ai cosa tan dura que usándola mucho no se pueda hazer blanda; como si a semejança de *Cáceres, cacereño,* quisiéssemos hazer *Guadalupe, guadalupeño,* ꝛ *Mérida, merideño;* aunque luego, en el comienço, esta derivación parezca áspera, el uso la puede hazer blanda ꝛ suave. Salen algunas vezes los nombres gentiles en *isco,* como de alemán, *alemanisco;* de moro, *morisco;* de Navarra, *navarrisco;* de Barbaria, *barbarisco;* ꝛ a esta semejança, de mar, *marisco;* de piedra, *pedrisco.* Salen en *esco,* como de Flandes, *flandesco;* de Sardeña, *sardesco;* ꝛ de frío, *fresco;* de [2] pariente, *parentesco.* Salen algunas vezes en *ego,* como de cristiano, *cristianego;* de judío, *judiego;* de Grecia, *griego;* de Galizia, *gallego;* ꝛ assí, quiso salir, de Arabia, *arávigo,* sino que mudó el acento, ꝛ la *e* en *i.* Sin proporción ninguna salió de Andaluzía [3], *andaluz,* como de capa, *capuz.* Salen los nombres denominativos en *a,* como de justo, *justicia;* de malo, *malicia;* de abad, *abadía.* Salen en *d,* como de bueno, *bondad;* de malo, *maldad.* Salen muchas vezes en *al,* como de cuerpo, *corporal;* de asno, *asnal;* ꝛ muchos de los que significan lugar en que alguna cosa se contiene, como de rosa, *rosal;* de enzina, *enzinal;* de roble, *robledal;* de mançana, *mançanal;* de higuera, *higueral;* de pino, *pinal;* de guindo, *guindal;* de caña, *cañaveral,* por *cañal,* o por que los antiguos llaman *cañavera* a la que agora *caña,* o por que no concurriesse *cañal* con el *cañal* de pescar. Salen estos nombres tan bien muchas vezes en *ar,* como de oliva, *olivar;* de palma, /[fol. 32 r.] *palmar;* de malva, *malvar;* de lino, *linar;* ꝛ assí, de vaso, *vasar;* de colmena, *colmenar.* Salen en *edo,* como de olmo, *olmedo;* de azevo, *azevedo;* de robre, *robredo;* de viña, *viñedo;* de árbol, *arboleda,* por *arboledo,* que en latín se llama 'arboretum'. Salen los nombres denominativos muchas vezes en *oso,* ꝛ significan hinchimiento de aquello que significa

---

1 En la edición original, *Burbos.*
2 En la edición original, *da.*
3 En la edición original, *Andluzía.*

su principal; como de maravilla, *maravilloso,* por lleno de maravillas; ꝛ assí, *desseoso, codicioso, amoroso, sarnoso,* lleno de desseo, cobdicia, amor, sarna. Semejantes en significación son los que acaban en *ento,* como *sangriento, soñoliento, hambriento, sediento, avariento, polvoriento,* por lleno de sangre, sueño, hambre, sed, avaricia, polvo. Otros significan materia, como los que acaban en *ado* o en *azo;* como de rosa, *rosado;* de viola, *violado;* de cevada, *cevadazo;* de trigo, *trigazo;* de mosto, *mostaza;* de lino, *linaza.* Salen algunas vezes estos nombres en *uno,* como de cabrón, *cabruno,* de oveja, *ovejuno;* de vaca, *vacuno;* de ciervo, *cervuno.* Salen muchas vezes los nombres denominativos en *ero,* ꝛ significan común mente oficios; como de barva, *barvero;* de çapato, *çapatero;* de oveja, *ovegero* [1]; de hierro, *herrero.* Semejantes a éstos son los que acaban en *or,* mas son por la maior parte verbales; como de tundir, *tundidor;* de teẋer, *teẋedor;* de curtir, *curtidor.* Otros denominativos salen en *ario,* ꝛ significan lugar donde alguna cosa se pone ꝛ guarda, como *sagrario,* donde las cosas sagradas; *armario,* donde las armas; *encensario,* donde el encienso. Otros salen en otras muchas determinaciones; mas el que escrive preceptos del arte abasta que ponga en el camino al lector, la prudencia del cual, por semejança de una cosa a de buscar otra.

[1] En la edición original, *ovgero.*

CAPÍTULO QUINTO

DE LOS NOMBRES VERBALES

[fol. 32 v.] Verbales se llaman aquellos nombres que mamanifiesta mente vienen de algunos verbos; ꝛ salen en diversas maneras: por que unos se acaban en *ança,* como de esperar, *esperança;* de estar, *estança;* de alabar, *alabança;* de enseñar, *enseñança;* de perdonar, *perdonança;* de abastar, *abastança.* Otros salen en *encia,* como de doler, *dolencia;* de tener, *tenencia;* de correr, *correncia;* de creer, *creencia;* de querer, *querencia,* por amor, ꝛ assí dezimos que los ganados ꝛ fieras tienen con algún lugar querencia ꝛ amor, por lo que los rústicos dicen *creencia.* Otros salen en *ura,* como de andar, *andadura;* de cortar, *cortadura;* de hender, *hendedura;* de torcer, *torcedura;* de escrivir, *escriptura.* Otros salen en *enda,* como de emendar, *emienda;* de leer, *leienda;* de contender, *contienda;* de moler, *molienda;* de bivir, *bivienda.* Otros salen en *ida,* como de correr, *corrida;* de bever, *bevida;* de medir, *medida,* de subir, *subida;* de herir, *herida;* de salir, *salida.* Otros salen en *on,* como de perdonar, *perdón;* de tentar, *tentación;* de consolar, *consolación;* de ver, *visión;* de proveer, *provisión;* de leer, *leción;* de *cavar,* cavazón. Otros salen en *enta,* como de vender, *venta;* de rentar, *renta;* de tormentar, *tormenta;* de contar, *cuenta;* de emprentar *emprenta.* Otros salen en *e,* precediendo diversas consonantes, como de tocar, *toque;* de combidar, *combite;* de escotar, *escote;* de traer, *traje;* de trotar, *trote.* Otros salen en *ento,* como de pensar, *pensamiento;* de entender, *entendimiento;* de jurar, *jura-*

mento; de ofrecer, *ofrecimiento;* de sentir, *sentimiento.* Otros salen en *do,* como de abraçar, *abraçado;* de sentir, *sentido;* de oir, *oido;* de olvidar, *olvido.* En *or* salen otros, como de amar, *amor;* de saber, *sabor;* de oler, *olor;* de doler, *dolor;* de temblar, *temblor.* En esta terminación, sale de cada verbo un nombre verbal, que significa ación ꝛ pertenece a macħos, como de amar, *amador;* de andar, *andador;* de leer, *leedor,* o como en el latín, 'lector'; /[fol. 33 r.] de correr, *corredor;* de oir, *oidor;* de huir, *huidor.* Estos se forman del infinitivo, mudando la *r* final en *dor;* como destos mesmos se forman otros verbales, añadiendo *a* sobre la *r,* los cuales tan bien significan ación ꝛ pertenecen a hembras, como de amador, *amadora;* de enseñador, *enseñadora;* de leedor, *leedora;* de oidor, *oidora;* pero en éstos, algunas vezes bolvemos la *o* final en *e,* como de tex̃edor, *tex̃edera;* de vendedor, *vendedera;* ꝛ algunas vezes en estos entreponemos *n,* como de lavador, *lavandera;* de curador, *curandera;* de labrador, *labrandera,* aunque mudó algún tanto la significación, por que labrador no se dize sino el que labra el campo, ꝛ de allí *labradora; labrandera,* cuanto a la boz, vino de *labrador,* mas cuanto a la significación, vino de *boslador* o *bordador.* Esso mesmo todos los presentes del infinitivo pueden ser nombres verbales, como diziendo *el amar es dulce tormento,* por dezir *el amor;* por que, si *amar* no fuera nombre, no pudiera recebir este artículo *el;* ꝛ menos podría juntarse con nombre adjectivo, diziendo: *el mucħo amar es dulce tormento;* ꝛ como dix̃o Persio: *Después que miré este nuestro triste bivir,* por dezir *esta nuestra triste vida;* i Gómez Manrique:

Pues este negro morir,

por dezir *pues esta negra muerte.*

CAPÍTULO VI

DE LA FIGURA, GÉNERO, NÚMERO, DECLINACIÓN ꝛ CASOS DEL NOMBRE

El tercero accidente es figura, la cual no es otra cosa sino aquello por lo cual el nombre compuesto se distingue ꝛ aparta del senzillo. Senzillo nombre se llama aquél que no se compone de partes que signifiquen aquello que significa el entero. Como *padre,* aunque se componga de *pa, dre,* ninguna destas partes significa por sí cosa alguna de lo que significa el entero. Compuesto nombre es aquél que se compone de partes, las cuales significan aquello mesmo que significa el entero, como /[folio 33 v.] esta dición *compadre,* compónese de *con* ꝛ *padre,* ꝛ significan estas dos partes lo que el entero, que es *padre con otro.* En esto tienen los griegos maravillosa facilidad ꝛ soltura, que hazen composición de muchas palabras; como aquel libro de Omero que se intitula *Vatracomyomachia,* que quiere dezir 'pelea de ranas ꝛ de ratones'. Los latinos muchas vezes hazen composición de dos palabras; de tres, mui pocas, salvo con preposiciones. El castellano muchas vezes compone dos palabras, mas tres, pienso que nunca; assí, que haze composición de dos nombres en uno, como *república, arquivanco;* de verbo ꝛ nombre, como *torcecuello, tirabraguero, portacartas;* de dos verbos, como *vaivén, alçaprime, muerdehuie;* de verbo ꝛ de adverbio, como *puxavante;* de preposición ꝛ nombre, como *perfil, traspié, trascol, pordemás.*

Género en el nombre es aquello por que el macho se distingue de la hembra, ꝛ el neutro de entrambos. ꝛ son siete géne-

ros: masculino, feminino, neutro, común de dos, común de tres, dudoso, mezclado. Masculino llamamos aquél con que se aiunta este artículo *el,* como *el ombre, el libro.* Feminino llamamos aquél con que se aiunta este artículo *la,* como *la muger,*
5 *la carta.* Neutro llamamos aquél con que se aiunta este artículo *lo,* como *lo justo, lo bueno.* Común de dos es aquél con que se aiuntan estos dos artículos *el, la,* como *el infante, la infante; el testigo, la testigo* [1]. Común de tres es aquél con que se aiuntan estos tres artículos *el, la, lo,* como *el fuerte, la fuerte* [2], *lo*
10 *fuerte.* Dudoso es aquél con que se puede aiuntar este artículo *el* o *la,* como *el color, la color; el fin, la fin.* Mezclado es aquél que debaxo deste artículo *el* o *la,* significa los animales machos ꝛ hembras, como *el ratón, la comadreja, el milano, la paloma.* Mas avemos aquí de mirar que cuando algún nombre feminino
15 comiença en *a,* por que no se encuentre una *a* con otra, ꝛ se haga fealdad en /[fol. 34 r.] la pronunciación, en lugar de *la* ponemos *el,* como *el agua, el águila, el alma, el açada;* si comiença en alguna de las otras vocales, por que no se haze tanta fealdad, indiferente mente ponemos *el* o *la,* como *el enemiga,*
20 *la enemiga;* pero en el plural siempre les damos el artículo de las hembras, como *las aguas, las enemigas.*

Número en el nombre es aquello por que se distingue uno de muchos. El número que significa uno llámase singular, como *el ombre, la muger.* El número que significa muchos llámase
25 plural, como *los ombres, las mugeres.* Declinación del nombre no tiene la lengua castellana, salvo del número de uno al número de muchos; pero la significación de los casos distingue por preposiciones. Assí, que pueden se reduzir todos los nombres a tres formas de declinación: La primera, de los que aca-
30 ban el singular en *a,* añadiendo *s,* embían el plural en *as,* como *la tierra, las tierras.* Sácanse los que tienen accento agudo en la última sílaba, por que sobre el singular reciben esta terminación *es,* como *alvalá, alvalaes; alcalá, alcalaes;* ꝛ assí, diremos *una a, dos aes; una ca, dos caes.* La segunda, de los que acaban el
35 número de uno en *o,* ꝛ añadiendo *s,* embían el número de muchos en *os,* como *el cielo, los cielos.* La tercera, de los que acaban el [3] número de uno en *d, e, i, l, n, r, s, x̃, z;* por que en las otras letras ningún nombre acaba, salvo si es bárbaro, como *Jacob, Isaac;* ꝛ embían todos el número de muchos en *es;* ꝛ

1 En la edición original, *la testiga.*
2 En la edición original, *la fuete.*
3 En la edición original, *en.*

fórmanse del singular, añadiendo *es,* si acaban en *i,* o en alguna de las consonantes; o añadiendo sola mente *s,* si el singular acaba en *e,* como *la ciudad, las ciudades; el ombre, los ombres; el rei, los reies; el animal, los animales; el pan, los panes; el amor, los amores; el compás, los compases; el relox̃, los relox̃es; la paz, las pazes.* Sácanse los que acaban en *e* aguda, por que sobre el singular reciben esta terminación *es,* como *el alquilé, los alquilees; la fe, las fees;* i assí dezi-/[fol. 34 v.]mos *una b, dos bees; una d, dos dees.* Tan bien se saca *maravedí,* que por aquesta regla avía de hazer *maravedíes,* ⁊ haze *maravedís.* Esso mesmo, en las palabras que acaban en *x̃,* como *relox̃, balax̃,* mas parece que en el plural suena *j* consonante, que no *x̃,* como *relox̃, relojes; carcax̃, carcajes.* Los casos en el castellano son cinco: El primero llaman los latinos nominativo, por que por él se nombran las cosas, ⁊ se pone quien alguna cosa haze, sola mente con el artículo del género, como *el ombre.* El segundo llaman genitivo, por que en aquel caso se pone el nombre del engendrador, ⁊ cuia es alguna cosa, con esta preposición *de,* como *hijo del ombre.* El tercero llaman dativo, por que en tal caso se pone a quien damos o a quien se sigue daño o provecho, con esta preposición *a,* como *io do los dineros a tí.* El cuarto llaman acusativo, por que en tal caso ponemos a quien acusamos, ⁊ general mente a quien padece por algún verbo, con esta preposición, *a,* o sin ella, como *io amo al próx̃imo* o *amo el próx̃imo.* El quinto llaman vocativo, por que en aquel caso se pone a quien llamamos, con este adverbio *o,* sin artículo, como *¡o ombre!* Sexto ⁊ séptimo caso no tiene nuestra lengua, pero redúzense a los otros cinco.

CAPÍTULO VII

DE LOS NOMBRES QUE NO TIENEN PLURAL O SINGULAR

Diximos en el capítulo passado que los nombres tenían dos números: singular ꝛ plural; mas esto no es toda vía, por que
5 muchos nombres ai que no tienen plural, ꝛ, por el contrario, muchos que no tienen singular. No tienen número plural, los nombres proprios de los ombres, como *Pedro, Juan, Juana, María;* pero si dezimos *los Pedros, los Juanes, las Juanas, las Marías,* ia no son proprios, sino comunes. I assí, de los nombres pro-
10 prios de las ciudades, villas, aldeas ꝛ otros lugares, como *Sevilla, Toledo, Medina;* ꝛ las que dellas se declinan en el plural, no tienen singular, como *Burgos, Dueñas, Cáceres;* i, por consiguiente, de los nombres proprios de las islas, como *Inglatierra, Cicilia, Cerdeña. Ca-*/[fol. 35 r.]*lez,* más parece del número
15 plural, por que en el latín 'Gades' es del número plural; ꝛ cuando dezimos *Mallorcas,* ia no es nombre proprio, mas común a Mallorca ꝛ Menorca. I otro tanto podemos dezir de los nombres proprios de los ríos, montes, cavallos, bueies, perros, ꝛ otras cosas a las cuales solemos poner nombres para distinguir
20 las en su especie. No tienen esso mesmo plural las cosas úmidas que se miden ꝛ pesan, como *vino, mosto, vinagre, arrope, azeite, leche.* De las cosas secas que se miden ꝛ pesan, algunas tienen singular ꝛ no plural, como *trigo, cevada, centeno, harina, cáñamo, lino, avena, arroz, mostaza, pimienta, açafrán, canela,*
25 *gingibre, culantro, alcaravía;* i por el contrario, otras tienen plural ꝛ no singular, como *garvanços, havas, atramuzes, alholvas,*

arvejas, lentejas, cominos, salvados. No tienen tan poco plural éstos: *sangre, cieno, limo, cólera, gloria, fama, polvo, ceniza, arena, leña, orégano, poleo, tierra, aire, fuego,* salvo si quisiéssemos demostrar partes de aquella cosa; como diziendo *la tierra es seca ꝛ redonda,* entiendo todo el elemento; mas diziendo *io tengo tres tierras,* entiendo tres pedaços della; ꝛ assí, diziendo *vino,* entiendo todo el linaje del vino; mas diziendo *tengo muchos vinos,* digo que tengo diversas especies de vino. Por el contrario, ai otros nombres que tienen plural ꝛ no singular, como *tiseras, escrivanías, árguenas, alforjas, anguarillas, devanaderas, tenazas, parrillas, treudes, llares, grillos, esposas, guadafiones, puchas, manteles, esequias, primicias, décimas, livianos, pares de muger,* ꝛ todos los nombres por que contamos sobre uno, como *sendos, dos, tres, cuatro.* Este nombre *uno,* o es para contar, ꝛ entonces no tiene plural, por cuanto repugna a su significación, salvo si se juntasse con nombre que no tiene singular; como diziendo *unas tiseras, unas tenazas, unas* /[fol. 35 v] *alforjas,* quiero dezir un par de tiseras, un par de tenazas, un par de alforjas; o es para demostrar alguna cosa particular, como los latinos tienen 'quidam', ꝛ entonces tómase por *cierto,* ꝛ puede tener plural, como diziendo[1]: *un ombre vino, unos ombres vinieron,* quiero dezir que *vino cierto ombre, ꝛ vinieron ciertos ombres.*

[1] En la edición original, *dizindo.*

CAPÍTULO VIII

DEL PRONOMBRE

Pronombre es una de las diez partes de la oración, la cual se declina por casos, ꝛ tiene personas determinadas. E llámase pronombre, por que se pone en lugar de nombre proprio; por que tanto vale *io* como Antonio, *tú* como Hernando. Los accidentes del pronombre son seis: especie, figura, género, número, persona, declinación por casos. Las especies del pronombre son dos, como dix̃imos del nombre: primogénita ꝛ derivada. De la especie primogénita son seis pronombres: *io, tú, sí, éste, ésse, él.* De la especie derivada son cinco: *mío, tuio, suio, nuestro, vuestro,* ꝛ tres cortados: de mío, *mí;* de tuio, *tú;* de suio, *su.* Las figuras del pronombre son dos, assí como en el nombre: simple ꝛ compuesta. Simple, como *éste, ésse, él;* compuesta, como *aquéste, aquésse, aquél.* Esta partezilla *mesmo* compónese con todos los otros pronombres, como *io mesmo, tú mesmo, él mesmo, sí mesmo, este mesmo, esse mesmo, él mesmo; mesmo* no añade una expressión ꝛ hemencia que los griegos ꝛ gramáticos latinos llaman emphasi; ꝛ por esta figura dezimos *nos otros, vos otros.* Los géneros del pronombre son cuatro: masculino, como *éste;* feminino, como *ésta;* neutro, como *esto;* común de tres, como *io, mi.* Los números del pronombre son dos, como en el nombre: singular, como *io;* plural, como *nos.* Las personas del pronombre son tres: la primera, que habla de sí, como *io, nos;* la segunda, a la cual habla la primera, como *tú, vos;* la tercera, de la cual habla la primera, como /[fol. 36 r.] *él, ellos.* De la primera persona no ai sino un pronombre: *io, nos;* mas de las cosas aiuntadas con ella son: *mío, nuestro; esto, aquesto.* De la segunda persona no ai sino otro pronombre: *tú, vos,* ꝛ todos los vocativos de las partes que se declinan por casos, por razón deste pronombre *tú,* que se entiende con ellos; por que tanto vale *¡o, Juan! lee,* como *tú lee;* de las cosas aiuntadas con la segunda persona: *tuio, vuestro; esso, aquesso.* Todos los otros nombres ꝛ pronombres son de la tercera persona. La declinación del pronombre, en parte se puede reduzir a la del nombre, en parte, es diferente della, ꝛ en alguna manera irregular; assí, que el esparzimiento de la declinación del pronombre guardarlo emos para otro lugar, donde trataremos de las *Introduciones*[1] para esta nuestra obra. I por que en el tercero capítulo deste libro dix̃imos que tanto vale el nombre possessivo, como el genitivo de su principal, esto no se puede dezir de los pronombres; por que otra cosa es *mío,* que *de mí; tuio,* que *de tí; suio,* que de *sí; nuestro,* que de *nos; vuestro,* que *de vos;* por que *mío, tuio, suio, nuestro, vuestro,* significan ación; *de mí, de tí, de sí, de nos, de vos,* significan passión. Como diziendo *es mi opinión,* quiero dezir la opinión que io tengo de alguna cosa; mas diziendo *es la opinión de mí,* quiero dezir la opinión que otros de mí tienen; i assí, diziendo *io tengo buena opinión de tí,* quiero dezir la que io tengo de tí; *tengo tu opinión,* quiero dezir la que tú tienes de alguna cosa; assí mesmo, diziendo *es mi señor,* quiero dezir que io lo tengo por señor; mas diziendo *es señor de mí,* quiero dezir que él tiene el señorío ꝛ possessión de mí. De donde se convence el error de los que, apartándose de la común ꝛ propria manera de hablar, dizen: *suplico a la merced de vos otros,* en lugar de dezir *suplico a vuestra merced;* por que diziendo *suplico a la merced de vos otros,* quiero dezir que suplico a la misericordia que otros tienen de vos, lo cual es contrario de lo que ellos sienten; mas diziendo /[fol. 36 v.] *suplico a vuestra merced,* dirían lo que quieren, que es: suplico a la misericordia de que acostumbráis usar; por que no es otra cosa *merced,* sino aquello que los latinos llaman 'misericordia', assí que diziendo el Rey: *es mi merced,* quiere dezir la misericordia de que suele usar; mas diziendo *Señor, ave merced de mí,* quiero dezir, no la que io tengo, sino la que el Señor tiene de mí.

[1] Se refiere al Libro V de esta *Gramática.*

CAPÍTULO IX

DEL ARTÍCULO

Todas las lenguas, cuantas e oído, tienen una parte de la oración, la cual no siente ni conoce la lengua latina. Los griegos
5 llaman la 'arzrón'[1]; los que la bolvieron de griego en latín llamaron le 'artículo', que en nuestra lengua quiere dezir artejo; el cual, en el castellano, no significa lo que algunos piensan, que es una coiuntura o ñudo de los dedos; antes se an de llamar artejos aquellos uessos de que se componen los dedos;
10 los cuales son unos pequeños miembros a semejança de los cuales se llamaron aquellos artículos, que añadimos al nombre para demostrar de qué género es. E son los artículos tres: *el,* para el género masculino; *la,* para el género feminino; *lo,* para el género neutro, según que más larga mente lo declaramos en
15 otro lugar, cuando tratávamos del género del nombre. I ninguno se maraville que *el, la, lo,* pusimos aquí por artículo, pues que lo pusimos en el capítulo passado por pronombre, por que la diversidad de las partes de la oración no está sino en la diversidad de la manera de significar; como diziendo *es mi amo,*
20 *amo* es nombre; mas diziendo *amo a Dios, amo* es verbo. E assí, esta partezilla *el, la, lo,* es para demostrar alguna cosa de las que arriba diximos; como diziendo *Pedro lee, ꝛ él enseña, él* es pronombre demonstrativo o relativo; mas cuando añadimos esta partezilla a algún nombre para demostrar de qué género es, ia

[1] Αρθρον. En la edición original, *arteon.*

no es pronombre, sino otra parte mui diversa de la /[fol. 37 r.] oración, que llamamos artículo. E assí[1] lo hazen los griegos, que de una mesma parte '*o*[2], *e, to*', usan por pronombre ꝛ por artículo; entre los cuales ꝛ los latinos tuvo nuestra lengua tal medio ꝛ templança que, siguiendo los griegos, puso artículos sola mente a los nombres comunes, comoquiera que ellos tan bien los pongan a los nombres proprios, diziendo *el Pedro ama la María,* ꝛ quitamos los artículos de los nombres proprios, a imitación ꝛ semejança de los latinos. Lo cual nuestros maiores hizieron con más prudencia que los unos ni los otros; por que, ni los griegos tuvieron causa de anteponer artículos a los nombres proprios, pues que en aquéllos por sí mesmo el género se conoce; ni los latinos tuvieron razón de quitar los a los nombres comunes, especial mente aquéllos en que la naturaleza no demuestra diferencia entre machos ꝛ hembras por los miembros genitales, como *el milano, la paloma, el cielo, la tierra, el entendimiento, la memoria.* E por que, como diximos en el capítulo passado, el pronombre se pone en lugar de nombre proprio, tan bien quitamos el artículo al uno como al otro; assí que no diremos *el io, el tú.* Mas, por que en los pronombres derivados siempre se entiende algún nombre común, podemos les añadir artículo, como diziendo *el mío,* entiéndese ombre; diziendo *la mía,* entiéndese muger; *lo mío,* entiéndese cosa mía. Mas, como *dios* sea común nombre, quitamos le el artículo, cuando se pone por el verdadero, que es uno; ꝛ por que la Sagrada Escriptura haze mención de muchos dioses no verdaderos, usamos deste nombre como de común, diziendo *el dios de Abraham, el dios de los dioses,* ꝛ entonces, assí le damos artículo, como lo añaderíamos a los nombres proprios, cuando los ponemos por comunes, como si dixiéssemos *los Pedros son más que los Antonios.*

---

[1] En la edición original, *así.*
[2] En la edición original, *os.*

CAPÍTULO X

DEL VERBO

[fol. 37 v.] Verbo es una de las diez partes de la oración, el cual se declina por modos ꝛ tiempos, sin casos. E llámase 5 verbo, que en castellano quiere dezir palabra, no por que las otras partes de la oración no sean palabras, mas por que las otras sin ésta no hazen sentencia alguna, ésta, por ezcelencia, llamóse palabra. Los accidentes del verbo son ocho: especie, figura, género, modo, tiempo, número, persona, conjugación.

10 Las especies del verbo son dos, assí como en el nombre: primogénita, como *amar;* derivada, como de armas, *armar.* Cuatro formas o diferencias ai de verbos derivados: aumentativos, diminutivos, denominativos, adverbiales. Aumentativos verbos son aquéllos [1] que significan continuo acrecentamiento de aque- 15 llo que significan los verbos principales de donde se sacan, como de blanquear, *blanquecer;* de negrear, *negrecer;* de doler, *adolecer.* Diminutivos verbos son aquéllos que significan diminución de los verbos principales de donde decienden por derivación, como de batir, *baticar;* de besar, *besicar;* de furtar, *furgi-* 20 *car;* e en esta mesma figura sale de balar, *balitar.* Denominativos verbos se llaman aquellos que se derivan ꝛ decienden de nombres, como de cuchillo, *acuchillar;* de pleito, *pleitear;* de armas, *armar.* Adverbiales se llaman aquellos verbos que se sacan de los adverbios, como de sobre, *sobrar;* de encima, *encimar;* de

[1] En la edición original, *aquallos.*

abaxo, *abaxar;* por que las preposiciones, cuando no se aiuntan con sus casos, siempre se ponen por adverbios.

Las figuras del verbo, assí como en el nombre, son dos: senzilla, como *amar;* compuesta, como *desamar.*

Género en el verbo es aquello por que se distingue el verbo activo del absoluto. Activo verbo es aquél que passa en otra cosa; como diziendo *io amo a Dios,* esta obra de amar passa en Dios. Absoluto verbo es aquél que no passa en /[fol. 38 r.] otra cosa; como diziendo *io bivo, io muero,* esta obra de bivir ꝛ morir no passa en otra cosa después de sí; salvo si figurada mente passasse en el nombre que significa la cosa del verbo, como diziendo *io bivo vida alegre, tú mueres muerte santa.*

Repártese el verbo en modos, el modo en tiempos, el tiempo en números, el número en personas.

El modo en el verbo, que Quintiliano llama calidad, es aquello por lo cual se distinguen ciertas maneras de significado en el verbo. Estos son cinco: indicativo, imperativo [1], optativo, subjunctivo, infinitivo. Indicativo modo es aquél por el cual demostramos lo que se haze, por que 'indicare' en el latín es demostrar; como diziendo *io amo a Dios.* Imperativo modo es aquél por el cual mandamos alguna cosa, por que imperar es mandar; como *¡o, Antonio! ama a Dios.* Optativo modo es aquél por el cual desseamos alguna cosa, por que 'optare' es dessear; como *¡o, si amasses a Dios!* Subjunctivo modo es aquél por el cual juntamos un verbo con otro, por que 'subjungere' es aiuntar; como diziendo *si tú amasses a Dios, Él te amaría.* Infinitivo modo [2] es aquél que no tiene números ni personas, ꝛ a menester otro verbo para lo determinar, por que infinitivo es indeterminado; como diziendo *quiero amar a Dios.*

Los tiempos son cinco: presente, passado no acabado, passado acabado, passado más que acabado, venidero. Presente tiempo se llama aquél en el cual alguna cosa se haze agora, como diziendo *io amo.* Passado no acabado se llama en el cual alguna cosa se hazía, como diziendo *io amava.* Passado acabado es aquél en el cual alguna cosa se hizo, como diziendo *io amé.* Passado más que acabado [3] es aquél en el cual alguna cosa se avía hecho, cuando algo se hizo, como *io te avía amado, cuando tú me amaste.* Venidero /[fol. 38 v.] se llama en el cual alguna cosa se a de hazer, como diziendo *io amaré.* El indicativo ꝛ sub-

---

1 En la edición original, *imperatigo.*
2 En la edición original, *verbo.*
3 En la edición original, *passado y más que acabado.*

junctivo tienen todos cinco tiempos; el optativo ⁊ infinitivo, tres: presente, passado, venidero; el imperativo sólo el presente.

Los números en el verbo son dos, assí como en el nombre: singular, como diziendo *io amo;* plural, como *nos amamos.*

5 Las personas del verbo son tres, como en el pronombre: primera, como *io amo;* segunda, como *tú amas;* tercera, como *alguno ama.*

Las conjugaciones del verbo son tres: la primera, que acaba el presente del infinitivo en *ar,* como *amar, enseñar;* la segunda, 10 que acaba el infinitivo en *er,* como *leer, correr;* la tercera, que acaba el infinitivo en *ir,* como *oir, bivir.*

CAPÍTULO XI

DE LOS CIRCUNLOQUIOS DEL VERBO

Assí como en muchas cosas la lengua castellana abunda sobre el latín, assí por el contrario, la lengua latina sobra al castellano, como en esto de la conjugación. El latín tiene tres bozes: activa, verbo impersonal, passiva; el castellano no tiene sino sola el activa. El verbo impersonal suple lô por las terceras personas del plural del verbo activo del mesmo tiempo ɀ modo, o por las terceras personas del singular, haziendo en ellas reciprocación ɀ retorno con este pronombre *se;* ɀ assí por lo que en el latín dizen 'curritur, currebatur', nos otros dezimos *correren, corrían,* o *córrese, corríase;* ɀ assí por todo lo restante de la conjugación. La passiva suple la por este verbo *so, eres* ɀ el participio del tiempo passado de la passiva mesma, assí como lo haze el latín en los tiempos que faltan en la mesma passiva; assí que por lo que el latín dize 'amor, amabar, amabor', nos otros dezimos *io so amado, io era amado, io seré amado,* por rodeo deste verbo *so, eres* ɀ deste participio *amado;* ɀ assí de todos los otros tiem/[fol. 39 r.] pos. Dize esso mesmo las terceras personas de la boz passiva por las mesmas personas de la boz activa, haziendo retorno con este pronombre *se,* como dezíamos del verbo impersonal, diziendo *ámasse Dios; ámanse las riquezas,* por *es amado Dios; son amadas las riquezas.* Tiene tan bien el castellano en la boz activa menos tiempos que el latín, los cuales dize por rodeo deste verbo *e, as* ɀ del nombre verbal[1] infinito, del cual diremos abax̃o en su lugar; ꝛ aun algunos tiempos de los que tiene proprios dize tan bien por rodeo. Assí que dize el passado acabado, por rodeo en dos maneras: una, por el presente del indicativo; ꝛ otra, por el mesmo passado acabado, diziendo *io e amado ꝛ ove amado.* El passado más que acabado dize por rodeo del passado no acabado, diziendo *io avía amado.* El futuro dize por rodeo del infinitivo ꝛ del presente deste verbo *e, as,* diziendo *io amaré, tú amarás,* que vale tanto como *io e de amar, tú as de amar.* En esta manera dize por rodeo el passado no acabado del subjunctivo, con el infinitivo ꝛ el passado no acabado del indicativo deste verbo *e, as,* diziendo *io amaría, io leería,* que vale tanto como *io avía de amar, io avía de leer.* I si alguno dix̃iere que *amaré, amaría, ꝛ leeré, leería,* no son dic̃hos por rodeo deste verbo *e, as; ía, ías,* preguntaremos le, cuando dezimos assí: *el Virgilio que me diste leértelo e ꝛ leértelo ía si tú quieres* o *si tú quisiesses; e, ía,* ¿qué partes son de la oración? es forçado que responda que es verbo. El passado del optativo dízese por rodeo del presente del mesmo optativo ꝛ del passado del mesmo optativo, diziendo *o si amara ꝛ oviesse amado.* El passado no acabado del subjuntivo dízese, como dix̃imos, por rodeo del passado no acabado del indicativo, antepuesto el infinitivo del verbo, cuio tiempo queremos dezir por rodeo, como diziendo *io leería, si* /[fol. 39 v.] *tú quisiesses.* El passado acabado del subjunctivo dízese por rodeo del presente del mesmo subjunctivo, diziendo *como io aia amado.* El passado más que acabado del subjunctivo dízese por rodeo del passado no acabado del mesmo subjunctivo ꝛ del mesmo tiempo, como diziendo *si io oviera leído ꝛ oviesse leído.* El venidero del subjunctivo dízese por rodeo en tres maneras: por el venidero del indicativo; por el presente del subjunctivo; por el venidero del mesmo subjunctivo, diziendo *como io avré leído, aia leído, oviere leído.* El passado del infinitivo dízese por rodeo del presente del mesmo infinitivo, como diziendo *aver leído.* El venidero del infinitivo dízelo por rodeo del presente del mesmo infinitivo ꝛ de algún verbo de los que significan que algo se hará en el tiempo venidero, como diziendo *espero leer, pienso oír.*

---

[1] González-Uubera y Galindo y Ortiz corrigen este pasaje de la siguiente manera: *del nombre participial infinito,* como, por ejemplo, titula el capítulo XIV.

CAPÍTULO XII

DEL GERUNDIO DEL CASTELLANO

Gerundio en el castellano es una de las diez partes de la oración, la cual vale tanto como el presente del infinitivo del verbo de donde viene, ⁊ esta preposición *en;* por que tanto vale *leiendo el Virgilio aprovecho,* como *en leer el Virgilio aprovecho.* I dízese gerundio, de 'gero, geris', por *traer,* por que trae la significación del verbo de donde deciende. Los latinos tienen tres gerundios substantivos: el primero, del genitivo; el segundo, del ablativo; el tercero, del acusativo[1]; los cuales no tienen los griegos, mas en lugar dellos usan del presente del infinitivo con los artículos de aquellos casos; a semejança de los cuales, tan bien nos otros en el gerundio del genitivo, que no tenemos, ponemos el artículo del genitivo con el presente del infinitivo, ⁊ por lo que los latinos dizen 'amandi', nos otros dezimos *de amar;* tan bien en lugar del gerundio del acusativo ponemos el mesmo presente /[fol. 40 r.] del infinitivo, con esta preposición *a,* ⁊ por lo que los latinos dizen 'amandum', nos otros dezimos *a amar.* Tienen esso mesmo los latinos otra parte de la oración que ellos llaman supino, la cual no tiene el griego, ni el castellano, ni otra lengua de cuantas io e oído; mas cuando la bolvemos de latín en castellano, en lugar del primer supino ponemos esta preposición *a* con el presente del

[1] En la edición original, *accusativo.*

infinitivo, ꝛ por lo que en el latín dezimos 'eo venatum', en castellano dezimos *vo a caçar;* por el segundo supino ponemos esta preposición *de* con el [2] presente del infinitivo de la passiva, ꝛ por lo que en el latín se dize 'mirabile dictu', nos otros dezi-
5 mos *cosa maravillosa de ser dicha.*

---

[2] En la edición original, *de y por el presente.*

CAPÍTULO XIII

DEL PARTICIPIO

Participio es una de las diez partes de la oración, que significa hazer ɀ padecer en tiempo como verbo, ɀ tiene casos como nombre; ɀ de aquí se llamó participio, por que toma parte del nombre ɀ parte del verbo. Los acidentes del participio son seis: tiempo, significación, género, número, figura, caso con declinación. Los tiempos del participio son tres: presente, passado, venidero. Mas, como diremos, el castellano a penas siente el participio del presente ɀ del venidero, aunque algunos de los varones doctos introduxieron del latín algunos dellos, como *doliente, paciente, bastante, sirviente, semejante, corriente, venidero, passadero, hazedero, assadero;* del tiempo passado tiene nuestra lengua participios casi en todos los verbos, como *amado, leído, oído.* Las significaciones del participio son dos: activa ɀ passiva. Los participios del presente todos significan ación, como *corriente,* el que corre; *serviente,* el que sirve. Los participios del tiempo passado significan común mente passión; mas algu-/[fol. 40 v.] nas vezes significan ación, como éstos: *callado,* el que calla; *hablado,* el que habla; *porfiado,* el que porfía; *osado,* el que osa; *atrevido,* el que se atreve; *derramado,* el que derrama; *encogido,* el que se encoge; *perdido,* el que pierde; *leído,* el que lee; *proveído,* el que provee; *conocido,* el que conoce; *comedido,* el que comide; *recatado,* el que recata; *acostumbrado,* el que acostumbra; *agradecido,* el que agradece; *mirado,* el que mira; *jurado,* el que jura; *entendido,* el que entiende; *sen-*

tido, el que siente; *sabido,* el que sabe; *esforçado,* el que se esfuerça; *ganado,* que gana; *crecido,* que crece; *dormido,* que duerme; *nacido,* que nace; *muerto,* que muere. Los participios del futuro, cuanto io puedo sentir, aunque los usan los gramáticos
5 que poco de nuestra lengua sienten, aún no los a recibido el castellano; como quiera que a començado a usar de algunos dellos, ⁊ assí dezimos: *tiempo venidero,* que a de venir; *cosa matadera,* que a de matar; *cosa hazedera,* que a de ser hecha; *queso assadero,* que a de ser assado; mas aún hasta oi ninguno
10 /[fol. 41 r.] dixo *amadero, enseñadero, leedero, oidero.* Los géneros del participio son cuatro: masculino, como *amado;* femenino, como *amada;* neutro, como *lo amado;* común de tres, como *el corriente, la corriente, lo corriente.* E assí de todos los participios del presente, salvo algunos que se hallan substanti-
15 vados en el género masculino, como *el oriente, el ocidente, el levante, el poniente;* algunos en el género feminino, como *la creciente, la menguante, la corriente;* en el género neutro todos los participios se pueden substantivar. Las figuras del participio son dos, como en el nombre: senzilla, como *amado;* compuesta,
20 como *desamado.* Los números del participio son dos, como en el nombre: singular, como *amante, amado;* plural, como *amantes, amados.* Los casos ⁊ declinación del participio en todo son semejantes ⁊ se reduzen al nombre.

CAPÍTULO XIIII

DEL NOMBRE PARTICIPIAL INFINITO

Una otra parte de la oración tiene nuestra lengua, la cual no se puede reduzir a ninguna de las otras nueve, ꝛ menos la tiene el griego, latín, ebraico ꝛ arávigo. E por que aún entre nos otros no tiene nombre, osemos la llamar nombre participial infinito: nombre, por que significa substancia ꝛ no tiene tiempos; participial, por que es semejante al participio del tiempo passado; infinito, por que no tiene géneros, ni números, ni casos, ni personas determinadas. Esta parte fue hallada para que con ella ꝛ con este verbo, *e, as, ove,* se suplan algunos tiempos de los que falta el castellano del latín; e aún para dezir por rodeo algunos de los que tienen, según que más larga mente lo diximos en el onzeno capítulo deste libro. I por que diximos que esta partezilla es semejante /[fol. 41 v.] al participio, en muchas cosas differe dél: por que ni tiene géneros, como participio, ni dirá la muger *io e amada,* sino *io e amado,* ni tiene tiempos, sino por razón del verbo con que se aiunta; ni significa passión, como el participio del tiempo passado, antes siempre significa acción con el verbo con que se aiunta; ni tiene números, ni personas, ni casos; por que no podemos dezir *nos otros avemos amados las mugeres,* ni menos *nos otros avemos amadas las mugeres,* como dixo un amigo nuestro en comienço de su obra:

Un grande tropel de coplas no coplas
Las cuales as hechas,

por dezir *las cuales as hecho;* aunque esta manera de dezir está usada en las *Siete Partidas;* mas el uso echó de fuera aquella antigüedad. ⁊ si esta parte quisiéssemos reduzir a una de las otras nueve, podíamos la llamar nombre, como dizen los gra-
5 máticos, significador de la cosa del verbo; el cual junto con este verbo *e, as, ove,* como cosa que padece, puesta en acusativo, dize por rodeo aquellos tiempos que diximos. Mas a esto repuna la naturaleza de los verbos, los cuales no pueden juntarse con dos acusativos [1] substantivos, sin conjunción, salvo en
10 pocos verbos de cierta significación; ⁊ aun en aquéllos a penas puede sofrir el castellano dos acusativos, lo cual se haría en todos los verbos activos, como diziendo: *io e amado los libros, tú as leído el Virgilio, alguno a oído el Oracio.* ⁊ por esta causa pusimos esta parte de la oración distinta de las otras, por la
15 manera de significar que tiene mui distinta dellas.

[1] En la edición original, *accusativos.*

CAPÍTULO XV

DE LA PREPOSICIÓN

Preposición es una de las diez partes de la oración, la cual se pone delante de las otras, por aiuntamiento, o por composición. Como /[fol. 42 r.] diziendo *io vo a casa, a* es preposición ꝛ aiunta se con *casa;* mas diziendo *io aprueuo tus obras, a* compone se con este verbo *prueuo,* ꝛ haze con él un cuerpo de palabra. I llama se preposición, por que siempre se antepone a las otras partes de la oración. Los accidentes de la preposición son tres: figura, orden ꝛ caso. Mas por que en la lengua castellana siempre se prepone ꝛ nunca se pospone, no pornemos la orden por accidente de la preposición. Assí que serán las figuras, dos, assí como en el nombre: senzilla, como *dentro;* compuesta, como *dedentro.* Los casos con que se aiuntan las preposiciones son dos: genitivo ꝛ acusativo. Las preposiciones que se aiuntan con genitivo son éstas: *ante, delante, allende, aquende, baxo, debaxo, cerca, después, dentro, fuera, lexos, encima, hondón, derredor, tras;* como diziendo: *baxo de la iglesia, debaxo del cielo, ante de medio día, delante del rei, allende de la mar, aquende de los montes, cerca de la ciudad, después de medio día, dentro de casa, fuera de la cámera, lexos de la ciudad, encima de la cabeça, hondón del polo segundo, derredor de mí, tras de tí.* Pueden algunas destas preposiciones juntar se con acusativo, como diziendo: *ante el juez, delante el rei, allende la mar, aquende los montes,* ꝛ assí de las otras casi todas. Las preposiciones que se aiuntan con acusativo son: *a, contra,*

entre, por, según, hasta, hazia, de, sin, con, en, so, para; como diziendo: *a la plaça, contra los enemigos, entre todos, por la calle, según san Lucas, hasta la puerta, hazia la villa, de la casa, sin dineros, con alegría, en la mula, so el portal, para mí.*
5 Pueden las preposiciones componer se unas con otras, como diziendo *acerca, de dentro, adefuera.* Los latinos abundan en preposiciones por las cuales distinguen muchas maneras de significar; e por que nuestra lengua tiene / [fol. 42 v.] pocas es forçado que confunda los significados. Como esta preposición
10 *cerca,* a las vezes significa cercanidad de lugar, como *io moro cerca de la iglesia;* a las vezes cercanidad de afeción ꝛ amor, como *io estó bien quisto cerca de tí;* a las vezes, cercanidad de señorío, como *io tengo dineros cerca de mí;* pero el latín tiene preposiciones distintas, ꝛ por lo primero dize 'apud';
15 por lo segundo, 'erga'; por lo tercero, 'penes'. Esso mesmo esta preposición *por,* o significa causa, como *por amor de ti;* o significa lugar por donde, como *por el campo:* por lo primero dize 'propter', por lo segundo 'per', o significa en lugar, como diziendo *tengo lo por padre,* por dezir *en lugar de padre,* ꝛ
20 por esto dize 'pro'. Sirven, como diximos, las preposiciones, para demostrar la diversidad de la significación de los casos, como *de* [1], para demostrar cuia es alguna cosa, que es el segundo caso; *a,* para demostrar a quién aprovechamos o empecemos, que es el tercero caso; *a* esso mesmo, para demostrar
25 el cuarto caso en los nombres proprios, ꝛ aún algunas vezes en los comunes. Ai algunas preposiciones que nunca se hallan sino en composición, ꝛ son éstas: *con, des, re,* como *concordar, desacordar, recordar.*

---

[1] En la edición original falta *de.*

CAPÍTULO XVI

DEL ADVERBIO

Adverbio es una de las diez partes de la oración, la cual, añadida al verbo, hinche, o mengua, o muda la significación de aquél, como diziendo *bien lee, mal lee, no lee, bien hinche, mal mengua,* no muda la significación deste verbo *lee.* I llama se adverbio, por que común mente se junta ꝛ arrima al verbo, para determinar alguna qualidad en él, assí como el nombre adjectivo determina alguna qualidad en / [fol. 43 r.] el nombre substantivo. Los accidentes del adverbio son tres: especie, figura, significación. Las especies del adverbio son dos, assí como en el nombre: primogénita, como *luego, mas;* derivada, como *bien,* de bueno; *mal,* de malo. Las figuras son dos, como en el nombre: senzilla, como *aier;* compuesta, como *antier,* de *ante ꝛ aier.* Las significaciones de los adverbios son diversas: de lugar, como *aquí, aí, allí;* de tiempo, como *aier, oi, mañana;* para negar, como *no, ni;* para afirmar, como *sí;* para dudar, como *quiçá;* para demostrar, como *he;* para llamar, como *o, a, ahao;* para dessear, como *osi, oxalá;* para ordenar, como *item, después;* para preguntar, como *por qué;* para aiuntar, como *ensemble;* para apartar, como *aparte;* para jurar, como *pardiós, cierta mente;* para despertar, como *ea;* para diminuir, como *a escondidillas;* para semejar, como *assí, assí como;* para cantidad, como *mucho, poco;* para calidad, como *bien, mal.* Otras muchas maneras ai de adverbios, que se dizen en el castellano por rodeo, como para contar: *una vez, dos vezes, muchas vezes,* por rodeo de dos nombres; otros muchos adverbios de calidad, por rodeo de algún nombre adjectivo ⁊ este nombre *miente* o *mente,* que significa ánima o voluntad; ⁊ assí, dezimos *de buena miente,* ⁊ *para mientes,* ⁊ *vino se le mientes;* ⁊ de aquí dezimos muchos adverbios, como *justa mente, sabia mente, necia* / [fol. 43 v.] *mente;* otros dezimos por rodeo desta preposición *a* ⁊ de algún nombre, como *apenas, aosadas, asabiendas, adrede.* I por que los adverbios de lugar tienen muchas differencias, diremos aquí dellos más distinta mente: por que, o son de lugar, o a lugar, o por lugar, o en lugar. De lugar preguntamos por este adverbio *de dónde,* como *¿de dónde vienes?,* ⁊ respondemos por estos adverbios: *de aquí donde io estó, de aí donde tú estás, de allí donde alguno está, de acullá, de dentro, de fuera, de arriba, de abax̃o, de donde quiera.* A lugar preguntamos por este adverbio *adonde*, como *¿a dónde vas?,* ⁊ respondemos por estos adverbios: *acá adonde io estó, allá donde tú estás, allí* o *acullá donde está alguno, adentro, afuera, arriba, abax̃o, adonde quiera.* Por lugar preguntamos por este adverbio *por donde,* como *¿por dónde vas?,* ⁊ respondemos por estos adverbios: *por aquí por donde io estó, por aí por donde tú estás, por allí* o por *acullá por donde está alguno, por dentro, por fuera, por arriba, por abax̃o, por donde quiera.* En lugar preguntamos por este adverbio *donde,* como *¿dónde estás?,* ⁊ respondemos por estos adverbios: *aquí donde io estó, aí donde tú estás, allí* o *acullá donde alguno está, dentro, fuera, arriba, debax̃o, donde quier.* Los latinos, como dix̃imos en otro lugar, pusieron la interjectión por parte de la oración, distinta de las otras; pero nos otros, a imitación de los griegos, contamos la con los adverbios. Assí, que será interjectión una de las significaciones del adverbio, la cual significa alguna passión del ánima, con boz indeterminada, como *ai,* del que se duele; *hahaha,* del que se ríe; *tat tat,* del que vieda; ⁊ assí de las otras partezillas por las cuales demostramos alguna passión del ánima.

CAPÍTULO XVII

DE LA CONJUNCIÓN

[fol. 44 r.] Conjunción es una de las diez partes de la oración, la cual aiunta ꝛ ordena alguna sentencia, como diziendo: *io ꝛ tú oímos o leemos,* esta partezilla 'ꝛ' aiunta estos dos pronombres *io, tú;* esso mesmo esta partezilla *o* aiunta estos dos verbos *oímos, leemos;* ꝛ llama se conjunción, por que aiunta entre sí diversas partes de la oración. Los accidentes de la conjunción son dos: figura ꝛ significación. Las figuras de la conjunción son dos, assí como en el nombre: senzilla, como *que, ende;* compuesta, como *porque, por ende.* Las significaciones de la conjunción son diversas: unas para aiuntar palabras ꝛ sentencias, como diziendo: *el maestro lee, ꝛ el dicípulo oie,* esta conjunción 'ꝛ' aiunta estas dos cláusulas, cuanto a las palabras, ꝛ cuanto a las sentencias. Otras son para aiuntar las palabras ꝛ desaiuntar las sentencias, como diziendo: *el maestro o el dicípulo aprovechan,* esta conjunción *o* aiunta estas dos palabras *maestro, dicípulo,* mas desaiunta la sentencia, por que el uno aprovecha ꝛ el otro no. Otras son para dar causa, como diziendo: *io te enseño, porque sé, porque* da causa de lo que dixo en la primera cláusula. Otras son para concluir, como diziendo, después de muchas razones: *Por ende, vos otros, bivid casta mente.* Otras son para continuar, como diziendo: *io leo mientras tú oies, io leeré cuando tú quisieres, tú lo harás como io lo quisiere,* estas conjunciones *mientras, cuando, como,* continúan las cláusulas de arriba con las de abaxo. ꝛ en esta manera todas las conjunciones se pueden llamar continuativas.

LIBRO CUARTO

QUE ES DE SINTAXI ⁊ ORDEN DE LAS DIEZ [1] PARTES DE LA ORACIÓN

---

1 En la edición original, *doze*.

CAPÍTULO PRIMERO

DE LOS PRECEPTOS NATURALES DE LA GRAMÁTICA

[fol. 44 v.] En el libro passado diximos apartada mente de cada una de las diez partes de la oración. Agora, en este libro cuarto, diremos cómo estas diez partes se an de aiuntar 5
ꝛ concertar entre sí. La cual consideración, como diximos en el comienço de aquesta obra, los griegos llamaron syntaxis; nos otros podemos dezir orden o aiuntamiento de partes. Assí que la primera concordia ꝛ concierto es entre un nombre con otro, ꝛ es cuando el nombre que significa algún accidente, que 10
los gramáticos llaman adjectivo, se aiunta con el nombre que significa substancia, que llaman substantivo; por que a de concertar con él en tres cosas: en género, en número, en caso. Como diziendo el *ombre bueno, bueno* es adjectivo del género masculino, por que *ombre,* que es su substantivo, es del género masculino; *bueno* es del número singular, por que *ombre* 15
es del número singular; *bueno* es del primero caso, por que *ombre* es del primero caso. ꝛ en esta manera se aiuntan los pronombres ꝛ participios con el nombre substantivo, como el nombre adjectivo; aunque ai differencia en la orden, por que 20
los pronombres demostrativos quieren siempre poner se delante los nombres que demuestran; los adjectivos, aunque algunas vezes se ponen, su naturaleza es de se posponer. Otra diferencia ai entre *mío, mi; tuio, tu; suio, su:* que *mi, tu, su,* siempre se anteponen al nombre substantivo con que se aiuntan; *mío,* 25
tuio, suio, siempre se posponen, como diziendo: *mi ombre,*

ombre mío; mi muger, muger mía; tu libro, libro tuio; su vestido, vestido suio. La segunda concordia es del nominativo con el verbo, por que an de concertar en número ꝛ en persona, como diziendo: *io amo, amo* es del número singular, por que *io* es del número singular; *amo* es de la primera persona, por que *io* es de la primera persona. La tercera concordia / [folio 45 r.] es del relativo con el antecedente, por que an de concertar en género, número ꝛ persona, como diziendo: *io amo a Dios, el cual a merced de mí, el cual* es del género masculino, por que *Dios* es del género masculino; *el cual* es del número singular, por que *Dios* es del número singular; *el cual* es de la tercera persona, por que *Dios* es de la tercera persona. Este concierto de las partes de la oración entre sí es natural a todas las naciones que hablan, por que todos conciertan el adjectivo con el substantivo, ꝛ el nominativo con el verbo, ꝛ el relativo con el antecedente; mas, assí como aquestos preceptos son a todos naturales, assí la otra orden ꝛ concordia de las partes de la oración es diversa en cada lenguaje, como diremos en el capítulo siguiente.

CAPÍTULO II

DE LA ORDEN DE LAS PARTES DE LA ORACIÓN

Entre algunas partes de la oración ai cierta orden casi natural ⁊ mui conforme a la razón, en la cual las cosas que por naturaleza son primeras o de maior dignidad, se an de anteponer a las siguientes ⁊ menos dignas; i por esto dize Quintiliano que diremos *de oriente a occidente,* ⁊ no, por el contrario, *de occidente a oriente,* por que, según orden natural, primero es oriente que el occidente; ⁊ assí diremos por conseguiente: *el cielo ⁊ la tierra, el día ⁊ la noche, la luz ⁊ las tiniebras,* ⁊ no por el contrario, *la tierra ⁊ el cielo, la noche ⁊ el día, las tiniebras ⁊ la luz.* Mas, aunque esta perturbación de orden en alguna manera sea tolerable, ⁊ se pueda escusar algunas vezes por auctoridad, aquello en ninguna manera se puede sofrir, que la orden natural de las personas se perturbe, como se haze común mente en nuestra lengua, que siguiendo una vana cortesía dizen *el rei, ⁊ tú ⁊ io venimos,* en lugar de dezir *io, ⁊ tú ⁊ el rei venimos;* / [fol. 45 v.] por que aquello en ninguna lengua puesta en artificio ⁊ razón se puede sofrir, que tal confusión de personas se haga; i mucho menos lo que está en el uso: que hablando con uno usamos del número de muchos, diziendo *vos venistes,* por dezir *tú veniste;* por que, como dize Donato en su *Barbarismo,* éste es vicio no tolerable, el cual los griegos llaman[1] solecismo, del cual trataremos abaxo en su

[1] En la edición original, *llamen.*

lugar; cuanto más, que los que usan de tal asteísmo o cortesía, no hazen lo que quieren, por que menor cortesía es dar a muchos lo que se haze, que a uno solo, ꝛ por esta causa, hablando con Dios, siempre usamos del número de uno; ꝛ aún veo que en los razonamientos antiguos que se endereçan a los reies, nunca está en uso el número de muchos. I aún más intolerable vicio sería diziendo: *vos sois bueno,* por que peca contra los preceptos naturales de la Gramática; por que el adjectivo *bueno* no concuerda con el substantivo *vos,* a lo menos en número. I mucho menos tolerable sería si dix̃iesses *vuestra merced es bueno,* por que no concuerdan en género el adjectivo con el substantivo. Pero a la fin, como dize Aristóteles, avemos de hablar como los más, ꝛ sentir como los menos.

CAPÍTULO III

DE LA CONSTRUCIÓN DE LOS VERBOS DESPUÉS DE SÍ

Sigue se del caso con que se aiuntan los verbos después de sí. Para lo cual primero avemos de saber que los verbos, o son personales, o impersonales. Personales verbos son aque- 5
llos que tienen distintos números ꝛ personas, como *amo, amas, ama, amamos, amáis, aman.* Impersonales verbos son aquellos que no tienen distintos números ꝛ personas, como *pésame, pésate, pésale, pésanos, pésavos, pésales.* Los verbos personales, o passan en otra cosa, o no passan. Los que passan en otra 10
cosa, llaman se transitivos, como diziendo: *io amo a* / [folio 46 r.] *Dios, amo* es verbo transitivo, por que su significación passa en *Dios.* Los que no passan en otra cosa, llámanse absolutos, como diziendo: *io bivo, bivo* es verbo absoluto, por que su significación no passa en otra cosa. Los que passan en 15
otra cosa, o passan en el segundo caso, cuales son éstos: *recuerdo me de ti; olvido me de Dios; maravillo me de tus obras; gozo me de tus cosas; carezco de libros; uso de los bienes.* Otros passan en dativo, cuales son éstos: *obedezco a la Iglesia; sirvo a Dios; empezco a los enemigos; agrado a los amigos.* 20
Otros passan en acusativo [1], cuales son éstos: *amo las virtudes; aborrezco los vicios; ensalço la justicia; oio la gramática.* Otros verbos, allende del acusativo, demandan genitivo, cuales son éstos: *hincho la casa de vino; vazío la panera de trigo; e com-*

[1] En la edición original, *accusativo.*

passión de tí. Otros verbos, allende del acusativo, demandan dativo, cuales son éstos: *enseño la gramática al niño; leo el Virgilio al dicípulo; escrivo las letras a mi amigo; do los libros a todos.* Los que no passan en otra cosa, común mente hazen
5 retorno con estos pronombres *me, te, se, nos vos, se,* como diziendo / [fol. 46 v.]: *vome, vaste, va se; ándome, ándaste, anda se; caliéntome, caliéntaste, calienta se; assiéntome, assiéntaste, assiéntase; levántome, levántaste, levántase.* De manera que ésta es la maior señal para distinguir los verbos absolutos
10 de los transitivos: que los transitivos no reciben *me, te, se,* especial mente los que passan en acusativo [1]; los absolutos común mente los [2] reciben; pero si los transitivos no passan en acusativo [1], por que ia son absolutos, pueden juntarse con *me, te, se,* como diziendo: *io siento el dolor, siento* es verbo tran-
15 sitivo; mas diziendo: *io me siento, siento* es verbo absoluto; ⁊ assí: *io ando el camino, io me ando; io buelvo los ojos, io me buelvo.* Los verbos impersonales todos son semejantes a las terceras personas del singular de los verbos personales, haziendo reciprocación sobre sí con este pronombre *se,* como
20 diziendo: *corre se; está se; bive se;* pero ai otros verbos impersonales que no reciben este pronombre *se,* ⁊ costruien se con los otros verbos en el infinitivo, como: *plaze me leer; pesa me escrivir, acontece me oír; conviene me dormir; agrada me enseñar; enhastía me comer; desagrada me bivir; desplaze me be-*
25 *ver; pertenece me correr; contenta me passear; cale me huir. Antójase me* pareció semejante a estos verbos, sino que recibió este pronombre *se,* como aquellos que arriba diximos. [folio 47 r.].

---

1 En la edición original, *accusativo.*
2 En la edición original, *las.*

CAPÍTULO IIII

DE LA CONSTRUCIÓN DE LOS NOMBRES DESPUÉS DE SÍ

Todos los nombres substantivos de cualquier caso pueden regir genitivo, que significa cuia es aquella cosa, como diziendo: *el siervo de Dios; del siervo de Dios; al siervo de Dios; el sier-* 5 *vo* [1] *de Dios; ¡o siervo de Dios!* Mas esto se entiende cuando el substantivo que a de regir el genitivo es común o apelativo, por que si es proprio no se puede con él ordenar, salvo si se entendiese allí algún nombre común, como diziendo: *Isabel la de Pedro*, entendemos *madre*, o *muger*, o *hija* o *sierva;* ꝛ 10 assí, *María la de Santiago,* entendemos *madre; Pedro de Juan,* entendemos *hijo; Eusevio de Pámphilo,* entendemos *amigo.* ꝛ ésta es la significación general del genitivo; pero tiene otras muchas maneras de significar que en alguna manera se pueden reduzir a aquélla, como diziendo: *anillo de oro; paño de duca-* 15 *do.* Mas aquí no quiero dissimular el error que se comete en nuestra lengua, ꝛ de allí passó a la latina, diziendo: *mes de enero; día del martes; ora de tercia; ciudad de Sevilla; villa de Medina; río de Duero; isla de Cález;* por que el mes no es de enero, sino él mesmo es enero; ni el día es de martes, sino él 20 es martes; ni la ora es de tercia, sino ella es tercia; ni la ciudad es de Sevilla, sino ella es Sevilla; ni la villa es de Medina, sino ella es Medina; ni el río es de Duero, sino él mesmo es Duero; ni la isla es de Cález, sino ella mesma es Cález. De donde se

[1] En la edición original, *servio.*

sigue que no es amphibolia aquello en que solemos burlar en nuestra lengua, diziendo *el asno de Sancho;* por que, a la verdad, no quiere ni puede dezir que Sancho es asno, sino que el asno [1] es de Sancho.

5 Ai esso mesmo algunos nombres adjectivos de cierta significación, que se pueden ordenar con los genitivos / [fol. 47 v.] de los nombres substantivos, cuales son éstos: *entero de vida; limpio de pecados; pródigo de dineros; escasso de tiempo; avariento de libros; dudoso del camino; codicioso de onra; desseoso de justicia; manso de coraçón.* Ai otros nombres adjectivos que se aiuntan con dativos de substantivos, como: *enojoso a los buenos; triste a los virtuosos; amargo a los estraños; dulce a los suios; tratable a los amigos; manso a los subjectos, cruel a los rebeldes; franco a los servidores.*

15 Ai otros nombres adjectivos que se pueden aiuntar con genitivo ⁊ dativo de los nombres substantivos, cuales son éstos: *cercano de Pedro, ⁊ a Pedro; vezino de Juan, ⁊ a Juan; allegado a Antonio, ⁊ de Antonio; semejante de su padre, ⁊ a su padre.* Aunque los latinos en este nombre hazen differencia: por que *semejante de su padre* es cuanto a las costumbres ⁊ cosas del ánima; *semejante a su padre* es cuanto a los lineamentos ⁊ traços de los miembros del cuerpo. Puédese aiuntar el nombre adjetivo con acusativo [2] del nombre substantivo, no propria, mas figurada mente, como diziendo: *io compré un negro,* / [fol. 48 r.] *crespo los cabellos, blanco los dientes, hinchado los beços.* Esta figura los grammáticos llaman sinédoche, de la cual ⁊ de todas las otras diremos de aquí adelante.

1 En la edición original, *alno.*
2 En la edición original, *accusotivo.*

CAPÍTULO V

DEL BARBARISMO ꝛ SOLECISMO

Todo el negocio de la Gramática, como arriba diximos, o está en cada una de las partes de la oración, considerando dellas apartada mente, o está en la orden ꝛ juntura dellas. Si en alguna palabra no se comete vicio alguno, llama se lexis, que quiere dezir perfecta dición. Si en la palabra se comete vicio que no se pueda sofrir, llama se barbarismo. Si se comete pecado que por alguna razón se puede escusar, llama se metaplasmo. Esso mesmo, si en el aiuntamiento de las partes de la oración no ai vicio alguno, llama se phrasis, que quiere dezir perfecta habla. Si se comete vicio intolerable, llama se solecismo. Si ai vicio que por alguna razón se puede escusar, llama se schema. Assí que entre barbarismo ꝛ lexis está metaplasmo; entre solecismo ꝛ phrasis está schema.

Barbarismo es vicio no tolerable en una parte de la oración; ꝛ llama se barbarismo, por que los griegos llamaron bárbaros a todos los otros, sacando a sí mesmos; a cuia semejança los latinos llamaron bárbaras a todas las otras naciones, sacando a sí mesmos ꝛ a los griegos. I por que los peregrinos ꝛ estranjeros, que ellos llamaron bárbaros, corrompían su lengua cuando querían hablar en ella, llamaron barbarismo aquel vicio que cometían en una palabra. Nos otros podemos llamar bárbaros a todos los peregrinos de nuestra lengua, sacando a los griegos ꝛ latinos, ꝛ a los mesmos de nuestra lengua llamaremos bárbaros, si cometen algún vicio en la lengua castellana. El barbarismo se co- / [fol. 48 v.] mete, o en escriptura, o en pronunciación, añadiendo, o quitando, o mudando o trasportando alguna letra, o sílaba o acento en alguna palabra. Como diziendo *Peidro* por *Pedro,* añadiendo esta letra *i; Pero* por *Pedro,* quitando esta letra *d; Petro* por *Pedro,* mudando la *d* en *t; Perdo* por *Pedro,* trastrocada la *d* con la *r; Pedró,* el acento agudo, por *Pédro,* el acento grave en la última sílaba.

Solecismo es vicio que se comete en la juntura ⁊ orden de las partes de la oración, contra los preceptos ⁊ reglas del arte de la Gramática, como diziendo: *el ombre buena corres, buena* descuerda con *ombre* en género, ⁊ *corres,* con *ombre* en persona. E llámase solecismo, de Solos, ciudad de Cilicia, la cual pobló Solón, uno de los siete sabios, que dio las leies a los de Athenas, con los cuales, mezclando se otras naciones peregrinas, començaron a corromper la lengua griega; ⁊ de allí se llamó solecismo aquella corrupción de la lengua que se comete en la juntura de las partes de la oración. Asinio Polion, mui sotil juez de la lengua latina, llamó lo imparilidad; otros, stribiligo, que en nuestra lengua quiere dezir torcedura de la habla derecha ⁊ natural.

CAPÍTULO VI

DEL METAPLASMO

Assí como el barbarismo es vicio no tolerable en una parte de la oración, assí el metaplasmo es mudança de la acostumbrada manera de hablar en alguna palabra, que por alguna razón se puede sofrir. ⁊ llama se en griego metaplasmo, que en nuestra lengua quiere dezir transformación, por que se trasmuda alguna palabra de lo proprio a lo figurado. ⁊ tiene catorze especies: 5

Prósthesis, que es vicio cuando se añade alguna letra o sílaba en el comienço de la dición; como en todas las palabras que la lengua latina [1] comiença en *s* con otra consonante, bueltas en nuestra lengua reciben esta letra *e* en el comienço; / [folio 49 r.] assí como 'scribo', *escrivo;* 'spacium', *espacio;* 'stamen', *estambre.* ⁊ llámase prósthesis en griego, que quiere dezir en nuestra lengua apostura. 10 15

Aphéresis es cuando del comienço de la palabra se quita alguna letra o sílaba; como quien dixesse *es namorado,* quitando del principio la *e,* por dezir *enamorado,* ⁊ llama se aphéresis en griego, que quiere dezir cortamiento. 20

Epénthesis es cuando en medio de alguna dición se añade letra o sílaba; como en esta palabra *redargüir,* que se compone de *re* ⁊ *argüir,* entrepone se la *d,* por esta figura. ⁊ llama se epénthesis, que quiere dezir entreposición.

[1] En la edición original: *que nuestra lengua comiença.*

Síncopa es cuando de medio de la palabra se corta alguna letra o sílaba, como diziendo *cornado,* por *coronado.* ꝛ llama se síncopa, que quiere dezir cortamiento de medio.

Paragoge es cuando en fin de alguna palabra se añade letra o sílaba, como diziendo: *Morir se quiere Alexandre de dolor del coraçone,* por dezir *coraçón.* ꝛ llama se paragoge, que quiere dezir addución o añadimiento. Apócopa es cuando del fin de la dición se corta letra o sílaba, como diziendo *hidalgo,* por *hijo dalgo;* ꝛ Juan de Mena dixo: *Do fue bautizado el Fi de Maria,* por *Hijo de Maria.* ꝛ llama se apócopa, que quiere dezir cortamiento del fin.

Éctasis es cuando la sílaba breve se haze luenga, como Juan de Mena: *Con toda la otra mundana machina,* puso *machina,* la penúltima luenga, por *máchina,* la penúltima breve. ꝛ llama se éctasis, que quiere dezir estendimiento de sílaba.

Systole es cuando la sílaba luenga se haze breve, como Juan de Mena:

Colgar de agudas escarpias,
I bañar se las tres Arpias,

por dezir *Arpías,* la penúltima aguda. ꝛ llama se sístole en griego, que quiere dezir acortamiento. / [fol. 49 v.].

Diéresis es cuando una sílaba se parte en dos sílabas, como Juan de Mena: *Belligero Mares, tú sufre que cante,* por dezir *Mars.* ꝛ llama se diéresis, que quiere dezir apartamiento.

Sinéresis es cuando dos sílabas o vocales se cogen en una, como Juan de Mena: *Estados de gentes que giras ꝛ trocas,* por *truecas,* ꝛ llama se synéresis, que quiere dezir congregación o aiuntamiento.

Sinalepha es cuando alguna palabra acaba en vocal, ꝛ se sigue otra que comience esso mesmo en vocal, echamos fuera la primera dellas, como Juan de Mena: *Paró nuestra vida ufana,* por *vidufana.* ꝛ llama se synalepha, que quiere dezir apretamiento de letras.

Ectlisis es cuando alguna palabra acaba en consonante, ꝛ se sigue otra palabra que comience en letra que haga fealdad en la pronunciación [1], ꝛ echamos fuera aquella consonante, como diziendo *sotil ladrón,* no suena la primera *l.* ꝛ llama se ectlisis, que quiere dezir escolamiento.

[1] En la edición original, *pronunciacon.*

Antíthesis es cuando una letra se pone por otra, como diziendo *io gelo dixe,* por dezir *io se lo dixe.* ꝛ llámase antíthesis, que quiere dezir postura de una letra por otra.

Metáthesis es cuando se trasportan las letras, como los que hablan en girigonça, diziendo por *Pedro vino, drepo nivo.* ꝛ llama se metáthesis, que quiere dezir trasportación.

CAPÍTULO VII

DE LAS OTRAS FIGURAS

Solecismo, como dix̃imos, es vicio incomportable en la juntura de las partes de la oración; pero tal que se puede escusar por alguna razón, como por necessidad de verbo, o por otra causa alguna, ꝛ entonces llama se figura; la cual, como dezíamos, es media entre phrasis ꝛ solecismo. Assí que están las figuras, o en la costrución, o en la palabra, o en la sentencia; las cuales son tantas que no se podrían contar. Mas / [folio 50 r.] diremos de algunas dellas, especial mente de las que más están en uso:

Prolepsis es cuando alguna generalidad se parte en partes, como diziendo *salieron los reies, uno de la ciudad ꝛ otro del real.* ꝛ llama se prolepsis, que quiere dezir anticipación.

Zeugma es cuando debax̃o de un verbo se çierran muchas cláusulas, como diziendo *Pedro, ꝛ Martín ꝛ Antonio lee,* por dezir *Pedro lee, ꝛ Martín lee, ꝛ Antonio lee.* ꝛ llama se zeugma, que quiere dezir conjunción.

Hypozeusis es cuando, por el contrario de zeugma, damos diversos verbos a cada cláusula, con una persona mesma; como diziendo *César vino a España, ꝛ venció a Afranio, ꝛ tornó contra Pompeio.* ꝛ llama se hypozeusis, que quiere dezir aiuntamiento debax̃o.

Sylepsis es cuando con un verbo o nombre adjectivo cogemos cláusulas de diversos números, o nombres substantivos de diversos géneros, o nombres ꝛ pronombres de diversas personas, como diziendo: *el caballo ꝛ los ombres corren; el ombre ꝛ la muger buenos; io, ꝛ tú ꝛ Antonio leemos.* ꝛ llama se sylepsis, que quiere dezir concepción.

Apposición es cuando un nombre substantivo se añade a otro substantivo sin conjunción alguna, como diziendo *io estuve en Toledo, ciudad de España.* ꝛ llama se apposición, que quiere dezir postura de una cosa a otra o sobre otra.

Synthesis es cuando el nombre del singular que significa muchedumbre, se ordena con el verbo del plural; o muchos nombres del singular aiuntados por conjunción, se aiuntan esso mesmo con verbo del plural, como diziendo *de los ombres, parte leen ꝛ parte oien,* o diziendo *Marcos ꝛ Lucas escrivieron Evangelio.* ꝛ llama se esta figura synthesis, la cual en latín se dize composición.

Antíptosis [1] es cuando un caso se pone por otro, como /[folio 50 v.] diziendo *del ombre que hablávamos viene agora,* por dezir *el ombre de que hablávamos.* ꝛ llama se antíptosis: quiere dezir caso por caso.

Synéchdoche es cuando lo que es de la parte se da al todo, como diziendo *el guineo, blanco los dientes, se enfría los pies.* ꝛ llama se synéchdoche, que quiere dezir entendimiento, según Tulio la interpreta, por que entendemos allí alguna cosa.

Acirología es cuando alguna dición se pone impropria mente de lo que significa, como si dixéssemos *espero daños,* por dezir *temo,* por que propria mente esperança es del bien venidero, como temor, del mal. ꝛ llámase acirología, que quiere dezir impropriedad.

Cacóphaton, que otros llaman cacémphaton [2], es cuando del fin de una palabra ꝛ del comienço de otra se haze alguna fea sentencia, o cuando alguna palabra puede significar cosa torpe, como en aquel cantar en que burlaron los nuestros [3] antiguos: *¿Qué hazes, Pedro?,* etc.; o si alguno dixesse *pixar* por mear. ꝛ llama se cacóphaton, que es mal son.

Pleonasmo es cuando en la oración se añade alguna palabra del todo superflua, como en aquel romance: *De los sus ojos llorando, ꝛ de la su boca diziendo,* por que ninguno llora sino con los ojos, ni habla sino con la boca, ꝛ por esso *ojos* ꝛ

---

1 Del gr. 'αντίπτωσις. Preferimos la acentuación griega a la latina, que hubiera dado *antiptosis.*

2 En la edición original, *cacéphaton.* Del gr. κακέμφατον, y en latín *cacemphaton.*

3 En la edición original, *nuestos.*

boca son palabras del todo ociosas. ꝛ llama se pleonasmo, que quiere dezir superfluidad de palabras.

Perissología es cuando añadimos cláusulas demasiadas sin ninguna fuerça de sentencia, como Juan de Mena:

5 *I arder ꝛ ser ardido,*
A Jason con el marido,

por que tanto vale *arder* como *ser ardido.* ꝛ llama se perissología, que quiere dezir rodeo ꝛ superfluidad de razones.

Macrología es cuando se dize alguna luenga sentencia [1], que
10 comprehende muchas razones no mucho necessarias, como diziendo: *después de idos los embaxadores fueron a Carthago, de donde, no alcançada la paz, tornaron se a donde avían partido;* porque harto era dezir / [fol. 51 r.] *los embaxadores fueron a Carthago, ꝛ no impetrada la paz, tornaron se.* ꝛ llama se ma-
15 crología, que quiere dezir luengo rodeo de razones ꝛ palabras.

Tautología es cuando una mesma palabra se repite, como diziendo *io mesmo me vo por el camino,* por que tanto vale como *io vo por el camino.* ꝛ llama se tautología, que quiere dezir repetición de la mesma palabra.

20 Eclipsi es defecto de alguna palabra necessaria para hinchir la sentencia; como diziendo *buenos días,* falta el verbo que allí se puede entender ꝛ suplir, el cual es *aiais,* o *vos dé Dios.* Esso mesmo se comete eclipsi ꝛ falta el verbo en todos los sobre escriptos de las cartas mensajeras, donde se entiende *sean*
25 *dadas.* Tan bien falta el verbo en la primera copla del Laberintho, de Juan de Mena, que comiença:

Al mui prepotente don Juan el Segundo,
A él las rodillas hincadas por suelo;

entiende se este verbo *sean.* ꝛ llama se eclipsi, que quiere dezir
30 desfallecimiento.

Tapinosis es cuando menos dezimos ꝛ más entendemos, como cuando de dos negaciones inferimos una afirmación; diziendo *es ombre no injusto* por *ombre mui justo;* ꝛ Juan de Mena:

35 *Ia, pues, si deve en este gran lago*
Guiar se la flota por dicho del sage,

[1] En la edición original, *sentecia.*

por que *lago* es poca agua, ꝛ pone se por *la mar,* por esta figura; aunque haze se tolerable la tapinosis, por aquel nombre adjectivo que añadió, diziendo *gran lago,* como Virgilio en el primero de la *Eneida* escrivió 'in gurgite vasto'. Nuestra lengua en esto peca mucho, poniendo dos negaciones por una; 5
como si dixéssemos *no quiero nada,* dizes, a la verdad, que quieres algo. ꝛ llama se tapinosis, que quiere dezir abatimiento.

Cacosyntheton es cuando hazemos dura composición de palabras, como Juan de Mena: *A la moderna bolviendo me rueda,* por que la buena orden es *bolviendo me* / [fol. 51 v.] *a la* 10
rueda moderna. En esto erró mucho don Enrique de Villena, no sólo en la interpretación de Virgilio, donde mucho usó desta figura, mas aún en otros lugares donde no tuvo tal necessidad, como en algunas cartas mensajeras, diziendo: *Una vuestra recebí letra;* por que, aunque el griego ꝛ latín sufra tal compo- 15
sición [1], el castellano no la puede sofrir; no más que lo que dixo en el segundo de la *Eneida: Pues levántate, caro padre, ꝛ sobre míos cavalga ombros.* ꝛ llama se cacosyntheton, que quiere dezir mala composición.

Amphibología es cuando por unas mesmas palabras se dizen 20
diversas sentencias; como aquel que dixo en su testamento: *Io mando que mi eredero dé a fulano diez taças de plata, cuales él quisiere,* era duda si las taças avían de ser las que quisiere el eredero o el legatario [2]. ꝛ llama se esta figura amphibología o amphibolia, que quiere dezir duda de palabras. 25

Anadiplosis es cuando en la mesma palabra que acaba el verso precediente comiença el seguiente, la cual figura nuestros poetas llaman dexa prende [3], como Alonso de Velasco:

Pues este vuestro amador,
Amador vuestro se da, 30
Dase con penas damor,
Amor que pone dolor,
Dolor que nunca se va.

ꝛ llama se anadiplosis, que quiere dezir redobladura.

Anáphora es cuando començamos muchos versos en una 35
mesma palabra, como Juan de Mena:

---

1 En la edición original, *cumposicion.*
2 En la edición original, *legatorio.*
3 En la edición original, *prenda.*

Aquél con quien Júpiter tovo tal zelo,
Aquél con fortunas bien afortunado,
Aquél en quien cabe virtud ⁊ reinado.

⁊ llama se anáphora, que quiere dezir repetición de palabra.

Epanalepsis es cuando en la mesma palabra que comiença algún verso en aquélla acaba, como Juan de Mena: *Amo-* / [folio. 52 r.] *res me dieron corona de amores.* ⁊ llama se epanalepsis, que quiere dezir tomamiento de un lugar para otro.

Epizeusis es cuando una mesma palabra se repite sin medio alguno en un mesmo verso, como Juan de Mena: *Ven, ven, venida de vira.* ⁊ llama se epizeusis, que quiere dezir subjunción.

Paronomasia es cuando un nombre se haze de otro en diversa significación, como diziendo *no es orador, sino arador.* ⁊ llama se paronomasia[1] que quiere dezir denominación.

Schesisonómaton es cuando muchos nombres con sus adjectivos se aiuntan en la oración, como diziendo *niño mudable, moço goloso, viejo desvariado.* ⁊ llama se schesisonómaton, que quiere dezir confusión de nombres.

Parómeon[2] es cuando muchas palabras comiençan en una mesma letra, como Juan de Mena: *Ven, ven, venida de vira.* ⁊ llama se parómeon, que quiere dezir semejante comienço.

Homeotéleuton es cuando muchas palabras acaban en semejante manera, no por declinación; como Juan de Mena:

Canta tú, cristiana musa,
La más que civil batalla,
Que entre voluntad se halla,
E razón que nos acusa.

⁊ llama se homeotéleuton, que quiere dezir semejante dexo.

Homeóptoton es cuando muchas palabras acaban en una manera por declinación, como en la mesma obra el mesmo auctor:

Del cual en forma de toro,
Crinado de hebras de oro

⁊ llama se homeóptoton, que quiere dezir semejante caída.

---

1 En la edición original, *paranomasia.*

2 Del lat. *parhomoeon* < gr. παρόμοιον < παρὰ ὅμοιον.

Polyptoton es cuando muchos casos distinctos por diversidad se aiuntan, como diziendo *ombre de ombres, amigo de amigos, pariente de parientes.* ɀ llama se polyptoton, que quiere dezir muchdumbre de casos.

[fol. 52 v.] Hyrmos es cuando se continúa algún luengo razonamiento hasta el cabo, como en aquella copla: *Al mui prepotente don Juan el Segundo,* va suspensa la sentencia hasta el último verso de la copla. ɀ llama se hyrmos, que quiere dezir estendimiento.

Polysyntheton es cuando muchas palabras o cláusulas se aiuntan por conjunción, como diziendo *Pedro, ɀ Juan, ɀ Antonio, ɀ Martín leen,* o *Pedro ama ɀ Juan es amado, ɀ Antonio oie, ɀ Martín lee.* ɀ llama se polysyntheton, que quiere dezir composición de muchos.

Diályton es cuando muchas palabras o cláusulas se aiuntan sin conjunción, como Juan de Mena:

> *Tus casos ſalaces, Fortuna, cantamos,*
> *Estados de gentes que giras ɀ trocas,*
> *Tus muchas ſalacias, tus ſirmezas pocas.*

ɀ llama se diályton, que quiere dezir dissolución. Aunque Tulio, en los *Retóricos,* haze diferencia entre dissolución ɀ artículo: que dissolución se dize cuando muchas cláusulas se ponen sin conjunción, ɀ artículo cuando muchos nombres se ponen sin ella.

Metáphora es cuando por alguna propriedad semejante hazemos mudança de una cosa a otra, como diziendo *es un león, es un Alexandre, es un azero,* por dezir fuerte ɀ rezio. ɀ llama se metáphora, que quiere dezir transformación de una cosa a otra.

Catáchresis es cuando tomamos prestada la significación de alguna palabra, para dezir algo que propria mente no se podría dezir; como si dixéssemos que el que mató a su padre es *omiziano:* por que *omiziano* es propria mente el que mató ombre; pero no tenemos palabra propria por matador de padre, ɀ tomamos la común. ɀ llama se catáchresis, que quiere dezir abusión.

Metonymia es cuando ponemos el instrumento por la cosa que con él se haze, o la materia por la que se haze della, como Juan de Mena: / [fol. 53 r.] *De hechos passados cobdicia mi pluma,* por dezir *mi verso;* ɀ assí dezimos que alguno *murió a hierro,* por *murió a cuchillo.* ꝛ llama se metonymia, que quiere dezir transnominación.

Antonomasia es cuando ponemos algún nombre común por el proprio, ꝛ esto por alguna excelencia que se halla en el proprio más que en todos los de aquella especie; como diziendo *el Apóstol,* entendemos Pablo; *el Poeta,* entendemos Virgilio; ꝛ Juan de Mena: *con los dos hijos de Leda,* entendemos Castor ꝛ Polus. ꝛ llama se antonomasia, que quiere dezir postura de nombre por nombre.

Epítheton es cuando al nombre proprio añadimos algún adjectivo que significa alabança o denuesto, como Juan de Mena:

A la biuda Penélope,
Al perverso de Sinón.

ꝛ llama se epítheton, que quiere dezir postura debaxo del nombre.

Onomatopeia es cuando fingimos algún nombre del son que tiene alguna cosa; como Enio, poeta, llamó 'taratantara' al son de las trompetas; ꝛ nos otros *bombarda,* del son que haze cuando deslata. ꝛ llama se onomatopeia, que quiere dezir fingimiento del nombre.

Períphrasis [1] es cuando dezimos alguna cosa por rodeo para más la amplificar, como Juan de Mena:

Después que el pintor del mundo
Paró nuestra vida ufana,

por dezir *el verano nos alegró.* ꝛ llama se períphrasis, que quiere dezir circumlocución.

Hysteron próteron o hysterología [2] es cuando lo postrero dezimos primero, como san Matheo en el principio de su Evangelio: *Libro de la generación de Jesu Christo, hijo de David, hijo de Abraham.* ꝛ llama se hysteron próteron, que quiere dezir lo postrero primero.

Anastropha es cuando trasportamos sola mente las palabras, como si dixéssemos con don Enrrique [3] de Villena: *Unas vuestras recebí letras.* ꝛ llama se anastropha, que quiere dezir tornamiento atrás.

---

1 En la edición original, *periphasis.*
2 En la edición original, *histerología.* Del gr. ὑστερολογία.
3 En la edición original, *enrrinque.*

[fol. 53 v.] Parénthesis es cuando en alguna sentencia entreponemos palabras, como diziendo: *Sola la virtud, según dizen los estoicos, haze al ombre bueno ꝛ bien aventurado,* entrepone se aquí *según dizen los estoicos.* ꝛ llama se parénthesis, que quiere dezir entreposición.

Tmesis [1] es cuando en medio de alguna palabra entreponemos otra, como si dix̃esses: *E los siete mira triones,* por dezir *mira los Septentriones.* ꝛ llama se tmesis, que quiere dezir cortamiento de palabra.

Synchesis [2] es cuando confundimos por todas partes las palabras con la sentencia, como si por dezir *A ti muger vimos del gran Mauseolo,* dix̃éssemos: *del gran Mauseolo a ti vimos muger.* ꝛ llama se synchesis, que quiere dezir confusión.

Hypérbole es cuando por acrecentar o menguar alguna cosa dezimos algo que traspassa de la verdad, como si dix̃esses: *dava bozes que llegavan al cielo.* ꝛ llama se hypérbole, que quiere dezir transcendimiento.

Alegoría es cuando una cosa dezimos ꝛ otra entendemos; como aquello del Apóstol, donde dize que *Abraham tuvo dos hijos: uno de la esclava ꝛ otro de la libre.* ꝛ llama se allegoría, que quiere dezir agena significación. ꝛ tiene estas siete especies:

Hironía es cuando, por el contrario, dezimos lo que queremos aiudando lo con el gesto ꝛ pronunciación, como diziendo de alguno que haze desdones: *¡Mira qué donoso ombre!* O del moço que se tardó, cuando viene: *¡Señor, en ora buena vengáis!* ꝛ llama se hironía, que quiere dezir dissimulación.

Antiphrasis es cuando en una palabra dezimos lo contrario de lo que sentimos, como Juan de Mena:

> *Por un luco envejecido*
> *Do nunca pensé salir;*

luco puso por bosque escuro, aunque por derivación viene de 'luceo, luces' [3], por luzir. ꝛ llama se antiphrasis, que quiere dezir contraria habla.

Enigma es cuando dezimos alguna sentencia escura, por escura / [fol. 54 r.] semejança de cosas, como el que dix̃o:

---

[1] En la edición original, *temesis.* Del gr. τμῆσις; lat. tmesis.

[2] Debiera ser synchysis, del gr. σύγχυσις. Por dificultades tipográficas, no se ha acentuado la *y* en los siguientes proparoxítonos: *síntesis, cacosínteton, políptoton, polysíntheton, hísteron, sínchesis.*

[3] En la edición original, *de lueco, luces.*

La madre puede nacer
De la hija ia defunta,

por dezir que del agua se engendra la nieve, ꝛ después, en torno de la nieve el agua. En esta figura juegan mucho nuestros
5 poetas, ꝛ las mugeres ꝛ niños, diziendo: ¿Qué es cosa ꝛ cosa? ꝛ llama se enigma, que quiere dezir obscura pregunta.

Cálepos es cuando cogemos alguna sentencia de sílabas ꝛ palabras que con mucha dificultad se pueden pronunciar. En este género de dezir manda Quintiliano que se exerciten los
10 niños, por que después, cuando grandes, no aia cosa tan difícile que no la pronuncien sin alguna ofensión. Tal es aquello en que solemos burlar:

Cabrón pardo pace en prado;
Pardiós, pardas barvas a.

15 Carientismos es cuando lo que se diría dura mente dezimos por otra manera más grata; como al que pregunta cómo estamos avíamos de responder: *bien* o *mal,* ꝛ respondemos *a vuestro servicio.* ꝛ llama se carientismos, que quiere dezir graciosidad.

LIBRO QUINTO

DE LAS INTRODUCCIONES DE LA LENGUA CASTELLANA PARA LOS QUE DE ESTRAÑA LENGUA QUERRÁN DEPRENDER

PRÓLOGO

Como dix̃imos en el prólogo desta obra, para tres géneros de ombres se compuso el arte del castellano: primera mente, para los que quieren reduzir [1] en artificio ꝛ razón la lengua que por luengo uso desde niños deprendieron; después, para aquellos que por la lengua castellana querrán venir al conocimiento de la latina, lo cual pueden más ligera mente hazer, si una vez supieren el artificio sobre la lengua que ellos sienten. I para estos tales se escrivieron los cuatro libros passados, en los cuales, siguiendo la orden natural de la Grammática tratamos primero de la letra ꝛ sílaba; después, de / [fol. 54 v.] las diciones ꝛ orden de las partes de la oración. Agora en este libro quinto, siguiendo la orden de la doctrina, daremos introduciones de la lengua castellana, para el tercero género de ombres, los cuales de alĝuna lengua peregrina querrán venir al conocimiento de la nuestra. I por que, como dize Quintiliano, los niños an de començar el artificio de la lengua por la declinación del nombre ꝛ del verbo, pareció nos, después de un breve ꝛ confuso conocimiento de las letras, ꝛ sílabas, ꝛ partes de la oración, poner ciertos nombres ꝛ verbos por proporción ꝛ semejança de los cuales todos los otros que caen debax̃o de regla se pueden declinar. Lo cual, esso mesmo hezimos por ex̃emplo de los que escrivieron los primeros rudimentos ꝛ principios de la grammática griega ꝛ latina. Assí que primero pusimos la declinación del nombre, a la cual aiuntamos la del pronombre; ꝛ después la del verbo con sus formaciones ꝛ irregularidades.

[1] En la edición original, *redezir*.

CAPÍTULO PRIMERO

DE LAS LETRAS, SÍLABAS ꝛ DICIONES

Las figuras de las letras que la lengua castellana tomó prestadas del latín para representar veinte ꝛ seis pronunciaciones
5 que tiene, son aquestas veinte ꝛ tres: *a, b, c, d, e, f, g, h, i, k, l, m, n, o, p, q, r, s, t, u, x, y, z.* Déstas, por sí mesmas nos sirven doze: *a, b, d, e, f, m, o, p, r, s, t, z;* por sí mesmas ꝛ por otras, seis: *c, g, i, l, n, u;* por otras ꝛ no por sí mesmas, estas cinco: *h, k, q, x, y.* Las XXVI pronunciaciones
10 de la lengua castellana se representan ꝛ escriven assí: *a, b, c, ç, ch, d, e, f, g, h, i, j, l, ll, m, n, gn, o, p, r, s, t, v, u, x, z.* Las letras que ningún uso tienen[1] en el castellano son éstas: *k, q, y* griega. De aquellas veinte ꝛ seis pronunciaciones, las cinco son vocales: *a, e, i, o, u,* llamadas assí por que suenan por sí
15 mesmas; todas las otras son consonantes, por que no pueden sonar sin herir alguna de las vocales. Los diphthongos de la lengua castellana que se componen de dos vocales son doze: *ai,* / [fol. 55 r.] *au, ei, eu, ia, ie, io, iu, oi, ua, ue, ui,* como en estas palabras: *fraile, causa; pleito, deudo; justicia, miedo,*
20 *precio, ciudad; oi; agua, cuerpo, cuidado.* Los diphthongos compuestos de tres vocales son estos cinco: *iái,* como *desmaiáis; iéi,* como *desmaiéis; iué,* como *hoiuélo; uái,* como *guái; uéi,* como *buéi.*

[1] En la edición original, *tiene.*

De las letras se componen las sílabas, como de *a, n, an.* De las sílabas se compone la palabra, como de *an, to, nio, Antonio.* De las palabras se compone la oración, como *Antonio escrive el libro.* Las partes de la oración en el castellano son diez: nombre, como *ombre, dios, grammática;* pronombre, como *io, tú, aquél;* artículo, como *el, la, lo,* cuando se anteponen a los nombres para demostrar de qué género son; verbo, como *amo, leo, oio;* participio, como *amado, leído, oído;* gerundio, como *amando, leiendo, oiendo;* nombre participial, infinito [1], como *amado, leído, oído,* cuando se aiunta con este verbo *e, as, uve;* preposición, como *a, de, con;* adverbio, como *aquí, allí, aier;* conjunción, como *i, o, ni.*

[1] En la edición original, *nombre infinito*

CAPÍTULO II

DE LA DECLINACIÓN DEL NOMBRE

Las declinaciones del nombre son tres: La primera, de los que acaban el número de uno en *a,* ⁊ embían el número de muc̃hos en *as,* como *la tierra, las tierras.* La segunda, de los que acaban el número de uno en *o,* ⁊ embían el número de muc̃hos en *os,* como *el cielo, los cielos.* La tercera, de los que acaban el número de uno en *d, e, i, l, n, r, s, x, z,* ⁊ embían el número de muc̃hos en *s,* como *la ciudad, las ciudades; el ombre, los ombres; el rei, los reies; el animal, los animales; el pan, los panes; el señor, los señores; el compás, los compases; el relox̃, los relojes; la paz, las pazes.* Ninguna de las otras letras puede ser final en palabra castellana.

Los casos de nombre son cinco: El primero, por el cual las cosas se nombran, o hazen ⁊ padecen, el cual los latinos / [folio 55 v.] llaman nominativo. El segundo, por el cual dezimos cúia es alguna cosa, el cual los grammáticos llaman genitivo. El tercero, en el cual ponemos a quien se sigue daño o provec̃ho, el cual los latinos llaman dativo. El cuarto, en el cual ponemos lo que padece, el cual los latinos llaman acusativo. El quinto, por el cual llamamos alguna cosa. A éste los latinos llaman vocativo. El primero caso se pone con sólo el artículo del nombre, como *el ombre.* El segundo se pone con esta preposición *de* ⁊ el mesmo artículo, como *del ombre.* El tercero se pone con esta preposición *a* ⁊ el mesmo artículo, como *a el ombre.* El cuarto se pone con esta preposición *a* o con solo el artículo, como *a el ombre* o *el ombre*. El quinto se pone con este adverbio *o* sin artículo alguno, como *¡o ombre!*

Los artículos del nombre son tres: *el* para los machos, como *el ombre, el cielo; la* para las hembras, como *la muger, la tierra; lo* para los neutros, como *lo justo, lo fuerte*.

Los números del[1] nombre son dos: singular, que habla de uno, como *el cielo;* plural, que habla de muchos, como *los cielos*.

PRIMERA DECLINACIÓN

En el número de uno

primero caso	*la tierra*
segundo	*de la tierra*
tercero	*a la tierra*
cuarto	*de la tierra* o *a la tierra*
quinto	*o tierra*

En el número de muchos

primero caso	*las tierras*
segundo	*de las tierras*
tercero	*a las tierras*
cuarto	*las tierras* o *a las tierras*/[fol. 56 r.]
quinto	*o tierras*

SEGUNDA DECLINACIÓN

En el número de uno

primero caso	*el cielo*
segundo	*del cielo*
tercero	*al cielo*
cuarto	*el cielo* o *al cielo*
quinto	*o cielo*

En el número de muchos

primero caso	*los cielos*
segundo	*de los cielos*
tercero	*a los cielos*
cuarto	*los cielos* o *a los cielos*
quinto	*o cielos*

[1] En la edición original, *de*.

TERCERA DECLINACIÓN

En el número de uno

primero caso	*la ciudad*
segundo	*de la ciudad*
tercero	*a la ciudad*
cuarto	*la ciudad* o *a la ciudad*
quinto	*o ciudad*

En el número de muchos

primero caso	*las ciudades*
segundo	*de las ciudades*
tercero	*a las ciudades*
cuarto	*las ciudades* o *a las ciudades*
quinto	*o ciudades*

ADJECTIVO DE LA PRIMERA ⁊ SEGUNDA

En el número de uno

primero caso	*el bueno*	*la buena*	*lo bueno*
segundo	*del bueno*	*de la buena*	*de lo bueno*
tercero	*al bueno*	*a la buena*	*a lo bueno*
cuarto	*el bueno*	*la buena*	*lo bueno*
quinto	*o bueno*	*o buena*	*o bueno*

[fol. 56 v.]

En el número de muchos

primero caso	*los buenos*	*las buenas*
segundo	*de los buenos*	*de las buenas*
tercero	*a los buenos*	*a las buenas*
cuarto	*los buenos*	*las buenas*
quinto	*o buenos*	*o buenas*

ADJECTIVO DE LA TERCERA

En el número de uno

primero caso	*el fuerte*	*la fuerte*	*lo fuerte*
segundo	*del fuerte*	*de la fuerte*	*de lo fuerte*
tercero	*al fuerte*	*a la fuerte*	*a lo fuerte*
cuarto	*el fuerte*	*la fuerte*	*lo fuerte*
quinto	*o fuerte*		

En el número de muchos

primero caso	*los fuertes*	*las fuertes*
segundo	*de los fuertes*	*de las fuertes*
tercero	*a los fuertes*	*a las fuertes*
cuarto	*los fuertes*	*las fuertes*
quinto	*o fuertes*	

RELATIVO

En el número de uno

primero caso	*¿quién?*	*el que*	*al que*	*lo que*	*¿qué?*
segundo	*¿de quién?*	*del que*	*de la que*	*de lo que*	*¿de qué?*
tercero	*¿a quién?*	*al que*	*a la que*	*a lo que*	*¿a qué?*
cuarto	*¿a quién?*	*al que*	*a la que*	*a lo que*	*¿a qué?*
quinto caso	no tiene				

En el número de muchos

primero caso	*los que*	*las que*
segundo	*de los que*	*de las que*
tercero	*a los que*	*a las que*
cuarto	*a los que*	*a las que*
quinto caso	no tiene	

OTRO RELATIVO

En el número de uno

primero caso	*el cual*	*la cual*	*lo cual*
segundo	*del cual*	*de la cual*	*de lo cual*
tercero	*al cual*	*a la cual*	*a lo cual*
cuarto	*al cual*	*a la cual*	*a lo cual*
quinto caso	no tiene		

En el número de muchos

primero caso	*los cuales*	*las cuales*
segundo	*de los cuales*	*de las cuales*
tercero	*a los cuales*	*a las cuales*
cuarto	*a los cuales*	*a las cuales*
quinto caso	no tiene	

Este mesmo nombre puesto sin artículo es relativo de acidente. Este nombre *algún* o *alguno, alguna* tiene para el género neutro *algo,* ⁊ para los ombres ⁊ mugeres sola mente los antiguos dezían *alguien* por alguno ⁊ alguna, como *quien.*

Este nombre *al* no tiene sino el género neutro ⁊ por esso nunca lo juntamos sino con el artículo del neutro, ⁊ assí dezimos *lo al* por *lo otro.*

CAPÍTULO III

DE LA DECLINACIÓN DEL PRONOMBRE

En el número de uno

	primero caso	*io*
5	segundo	*de mí*
	tercero	*me* o *a mí*
	cuarto	*me* o *a mí*
	quinto caso	no tiene

En el número de muchos

10	primero caso	*nos*
	segundo	*de nos*
	tercero	*nos* ⁊ *a nos*
	cuarto	*nos* ⁊ *a nos*
	quinto caso	no tiene

15 En el número de uno

	primero caso	*tú*/[fol. 57 v.]
	segundo	*de tí*
	tercero	*te* o *a tí*
	cuarto	*te* o *a tí*
20	quinto	*o tú*

En el número de muchos

	primero caso	*vos*
	segundo	*de vos*
	tercero	*vos* o *a vos*
25	cuarto	*vos* o *a vos*
	quinto	*o vos*

En el número de uno

segundo caso	*de sí*	
tercero	*se* o *a sí*	
cuarto	*se* o *a sí*	
primero i quinto	no tiene	5

En el número de muchos

segundo caso	*de sí*	
tercero	*se* o *a sí*	
cuarto	*se* o *a sí*	
primero i quinto	no tiene	10

En el número de uno

primero caso	*éste*	*ésta*	*esto*	
segundo	*déste*	*désta*	*desto*	
tercero	*a éste*	*a ésta*	*a esto*	
cuarto	*a éste*	*a ésta*	*a esto*	15
quinto caso	no tiene			

En el número de muchos

primero caso	*éstos*	*éstas*	
segundo	*déstos*	*déstas*	
tercero	*a éstos*	*a éstas*	20
cuarto	*a éstos*	*a éstas*	
quinto caso	no tiene		

En el número de uno

primero caso	*ésse*	*éssa*	*esso* /[fol. 58 r.]	
primero caso	*él*	*ella*	*ello*	25
primero caso	*aquél*	*aquélla*	*aquello*	
primero caso	*lo*	*la*	*lo*	
primero caso	*mío*	*mía*	*lo mío*	
primero caso	*tuio*	*tuia*	*lo tuio*	
primero caso	*suio*	*suia*	*lo suio*	30
primero caso	*nuestro*	*nuestra*	*lo nuestro*	
primero caso	*vuestro*	*vuestra*	*lo vuestro*	

Todos los otros casos se declinan por proporción de aquel pronombre *éste, ésta, esto,* salvo que *él, la, lo* tiene sola mente en el caso tercero del singular ꝛ plural *le* ꝛ *les* comunes de tres 35 géneros, ꝛ en el cuarto caso *lo, la, lo, los, las* ꝛ común de tres géneros *le* ꝛ *les.* Dezimos tan bien en el número de uno para machos ꝛ hembras ꝛ neutros *mi, tu, su,* ꝛ en el número de muchos *mis, tus, sus.*

DECLINACIÓN DEL ARTÍCULO

En el número de uno

	primero caso	*el*	*la*	*lo*
	segundo	*del*	*de la*	*de lo*
5	tercero	*a el*	*a la*	*a lo*
	cuarto	*el*	*la*	*lo*
	quinto caso	no tiene		

En el número de muchos

	primero caso	*los*	*las*
10	segundo	*de los*	*de las*
	tercero	*a los*	*a las*
	cuarto	*los*	*las*
	quinto caso	no tiene	

Avemos aquí de notar que los nombres ꝛ pronombres ꝛ
15 artículo del género neutro no tienen el número de muchos.

CAPÍTULO IIII

DE LA CONJUGACIÓN DEL VERBO

Las conjugaciones del verbo son tres: la primera, que echa el infinitivo en *ar,* como *amo, amar, enseño, enseñar;* la segunda, que echa el infiniti-/[fol. 58 v.] vo en *er,* como *leo, leer,* 5
corro, correr; la tercera, que echa el infinitivo en *ir,* como *oio, oir, huio, huir.*

El verbo se declina por modos, ꝛ tiempos, ꝛ números ꝛ personas.

Los modos son cinco: indicativo, para demostrar; imperativo, para mandar; optativo, para dessear; subjuntivo, para aiuntar; infinitivo, que no tiene números ni personas, ꝛ a menester otro verbo para lo determinar. 10

Los tiempos son cinco: presente, por el cual demostramos lo que agora se haze; passado no acabado, por el cual demostramos lo que se hazía ꝛ no se acabó; passado acabado, por el cual demostramos lo que se hizo ꝛ acabó; passado más que acabado, por el cual demostramos que alguna cosa se hizo sobre el tiempo passado; venidero, por el cual demostramos que alguna cosa se a de hazer. 15 20

Los números son dos: singular, que habla de uno; plural, que habla de muchos.

Las personas son tres: primera, que habla de sí; segunda, a la cual habla la primera; tercera, de la cual habla la primera.

INDICATIVO

EN EL TIEMPO PRESENTE:

Amo, amas, ama, amamos, amáis, aman.
Leo, lees, lee, leemos, leéis, leen.
5 *Oio, oies, oie, oimos, oís, oien.*
Vo, vas, va, vamos, vais, van.
So, eres, es, somos sois, son.
E, as, a, avemos, avéis, an.

EN EL PASSADO NO ACABADO:

10 *Amava, amavas, amava, amávamos, amávades, amavan*[1].
Leía, leías, leía, leíamos, leíades, leían.
Oía, oías, oía, oíamos, oíades, oían.
Iva, ivas, iva, ívamos, ívades, ivan.
Era, eras, era, éramos, érades, eran.
15 *Avía, avías, avía, avíamos, avíades, avían.*

EN EL PASSADO ACABADO:

[fol. 59 r.]

Amé, amaste, amó, amamos, amastes, amaron.
Leí, leíste, leió, leímos, leístes, leieron.
20 *Oí, oíste, oió, oímos, oístes, oieron.*
Fue, fueste, fue, fuemos, fuestes, fueron.
Fue, fueste, fue, fuemos, fuestes, fueron.
Uve, uviste, uvo, uvimos, uvistes, uvieron.

EN EL MESMO TIEMPO, POR RODEO:

25 *E amado, as amado, a amado, avemos amado, avéis amado, an amado.*
E leído, as leído, a leído, avemos leído, avéis leído, an leído.
E oído, as oído, a oído, avemos oído, avéis oído, an oído.
E ido, as ido, a ido, avemos ido, avéis ido, an ido.

1 En la edición original, *avades, avan.*

E sido, as sido, a sido, avemos sido, avéis sido, an sido.
E avido, as avido, a avido, avemos avido, avéis avido, an avido.

EN EL MESMO TIEMPO, POR RODEO EN OTRA MANERA:

Ove amado, oviste amado[1], *ovo amado*[1], *ovimos amado,* 5
ovistes amado[1], *ovieron amado*[1].
Ove leído, oviste leído, ovo leído, ovimos leído, ovistes leído, ovieron leído.
Ove oído, oviste oído, ovo oído, ovimos oído, ovistes oído, ovieron oído. 10
Ove ido, oviste ido, ovo ido, ovimos ido, ovistes ido, ovieron ido.
Ove sido, oviste sido, ovo sido, ovimos sido, ovistes sido, ovieron sido.
Ove avido, oviste avido, ovo avido, ovimos avido, ovistes 15
avido[2], *ovieron avido*[2].

EN EL PASSADO MÁS QUE ACABADO, POR RODEO:

Avía amado, avías amado, avía amado[1], *avíamos amado*[1],
avíades amado[1], *avían amado*[1].
Avía leído, avías leído, avía leído, avíamos leído, avíades 20
leído, avían leído[3].
Avía oído, avías oído, avía oído, avíamos oído, avíades oído, avían oído.
Avía ido, avías ido, avía ido, avíamos ido, avíades ido,
avían ido. 25
Avía sido, avías sido, avía sido, avíamos sido, avíades sido, avían sido.
Avía avido, avías avido, avía avido, avíamos avido, avíades
avido[2], *avían avido*[4].

EN EL TIEMPO VENIDERO, POR RODEO: 30

Amaré, amarás, amará, amaremos, amaréis, amarán.
Leeré, leerás, leerá, leeremos, leeréis, leerán.

---

1 En la edición anterior, *am.*
2 En la edición original, *avi.*
3 En la edición original, *lei.*
4 En la edición original, *a.*

Oiré, oirás, oirá, oiremos, oiréis, oirán.
Iré, irás, irá[1]*, iremos, iréis, irán.*
Seré, serás, será, seremos, seréis, serán.
Avré, avrás, avrá, avremos, avréis, avrán.

5 [fol. 59 v.] IMPERATIVO EN EL PRESENTE:

Ama tú, ame alguno, amemos, amad, amen.
Lee tú, lea alguno, leamos, leed, lean.
Oie tú, oia alguno, oiámos, oid, oian.
Ve tú, vaia alguno, vaiamos, id, vaian.
10 *Sé tú, sea alguno, seamos, sed, sean.*
Ave tú, aia alguno, aiamos, aved, aian.

OPTATIVO

EN EL PRESENTE:

O si amasse, amasses, amasse, amássemos, amássedes,
15 *amassen.*
O si leiesse, leiesses, leiesse, leiéssemos, leiéssedes, leiessen.
O si oiesse, oiesses, oiesse, oiéssemos, oiéssedes, oiessen.
O si fuesse, fuesses fuesse, fuéssemos, fuéssedes, fuessen.
O si uviesse, uviesses, uviesse, uviéssemos, uviéssedes, uvies-
20 *sen.*

EN EL TIEMPO PASSADO:

O si amara, amaras, amara, amáramos, amárades, amaran.
O si leiera, leieras, leiera, leiéramos, leiérades, leieran.
O si oiera, oieras, oiera, oiéramos, oiérades, oieran.
25 *O si fuera, fueras, fuera, fuéramos, fuérades, fueran.*
O si fuera, fueras, fuera, fuéramos, fuérades, fueran.
O si oviera, ovieras, oviera, oviéramos, oviérades[2]*, ovieran.*

EN EL MESMO TIEMPO, POR RODEO:

O si oviera amado, ovieras amado, oviera amado, oviéramos
30 *amado.*

---

[1] En la edición original, *ire, ira, iras.*
[2] En la edición original, *ovieredes.*

O si oviera leído, ovieras leído, oviera leído, oviéramos leído.
O si oviera oído, ovieras oído, oviera oído, oviéramos oído.
O si oviera ido, ovieras ido, oviera ido, oviéramos ido.
O si oviera sido, ovieras sido, oviera sido, oviéramos sido. 5
O si oviera avido, ovieras avido, oviera avido, oviéramos avido.

En el mesmo tiempo, por rodeo, en otra manera:

O si oviesse amado, oviesses amado, oviesse amado, oviéssemos amado. 10
O si oviesse leído, oviesses leído, oviesse leído, oviéssemos leído.
O si oviesse oído, oviesses oído, oviesse oído, oviéssemos oído.
O si oviesse ido, oviesses ido, oviesse ido, oviéssemos ido. 15
O si oviesse sido, oviesses sido, oviesse sido, oviéssemos sido. /[fol. 60 r.]
O si oviesse avido, oviesses avido, oviesse avido, oviéssemos avido.

En el tiempo venidero: 20

Oxalá ame, ames, ame, amemos, améis amen.
Oxalá lea, leas, lea, leamos, leáis, lean.
Oxalá oia, oias, oia, oiamos, oiais, oian.
Oxalá vaia, vaias, vaia, vaiamos, vaiais, vaian.
Oxalá sea, seas, sea, seamos, seáis, sean. 25
Oxalá aia, aias, aia, aiamos, aiais, aian.

Subjunctivo

En el tiempo presente:

Como ame, ames, ame, amemos, améis, amen.
Como lea, leas, lea, leamos, leáis, lean. 30
Como oia, oias, oia, oiamos, oiáis, oian.
Como vaia, vaias, vaia, vaiamos, vaiáis, vaian.

Como sea, seas, sea, seamos, seáis, sean.
Como aia, aias, aia, aiamos, aiáis aian.

En el passado no acabado

Como amasse, amasses, amasse, amássemos, amássedes,
5 *amassen.*
Como leiesse, leiesses, leiesse, leiéssemos, leiéssedes, leiessen.
Como oiesse, oiesses, oiesse, oiéssemos, oiéssedes, oiessen.
Como fuesse, fuesses, fuesse, fuéssemos, fuéssedes, fuessen.
Como fuesse, fuesses, fuesse, fuéssemos, fuéssedes, fuessen.
10 *Como oviesse, oviesses, oviesse, oviéssemos, oviéssedes,*
oviessen.

En el mesmo tiempo, por rodeo:

Como amaría, amarías, amaría, amaríamos, amaríades, ama-
rían.
15 *Como leería, leerías, leería, leeríamos, leeríades, leerían.*
Como oiría, oirías, oiría, oiríamos, oiríades, oirían.
Como iría, irías, iría, iríamos, iríades, irían.
Como sería, serías, sería, seríamos, seríades serían.
Como avría, avrías, avría, avríamos, avríades, avrían.

20 En el tiempo passado, acabado, por rodeo [1]:

Como aia amado, aias amado, aia mado, aiamos amado.
Como aia leído, aias leído, aia leído, aiamos leído.
Como aia oído, aias oído, aia oído, aiamos oído.
Como aia ido, aias ido, aia ido, aiamos ido. /[fol. 60 v.]
25 *Como aia sido, aias sido, aia sido, aiamos sido.*
Como aia avido, aias avido, aia avido, aiamos avido.

En el passado más que acabado:

Como amara, amaras, amara, amáramos, amárades, amaran.
Como leiera, leieras, leiera, leiéramos, leiérades, leieran.

[1] En la edición original, *En el tiempo por rodeo en otra manera.*

Como oiera, oieras, oiera, oiéramos, oiérades, oieran.
Como fuera, fueras, fuera, fuéramos, fuérades, fueran.
Como fuera, fueras, fuera, fuéramos, fuérades, fueran.
Como oviera, ovieras, oviera, oviéramos, oviérades, ovieran.

EN EL MESMO TIEMPO, POR RODEO: 5

Como avría amado, avrías amado, avría amado[1], *avríamos amado.*
Como avría leído, avrías leído, avría leído, avríamos leído.
Como avría oído, avrías oído, avría oído, avríamos oído.
Como avría ido, avrías ido, avría ido, avríamos ido. 10
Como avría sido, avrías sido, avría sido, avríamos sido.
Como avría avido, avrías avido, avría avido, avríamos avido.

EN EL MESMO TIEMPO, POR RODEO, EN OTRA MANERA:

Como oviera amado, ovieras amado, oviera amado[2], *oviéramos*[3] *amado*[2]. 15
Como oviera leído, ovieras leído, oviera leído, oviéramos leído.
Como oviera oído, ovieras oído, oviera oído, oviéramos oído.
Como oviera ido, ovieras ido, oviera ido, oviéramos ido.
Como oviera sido, ovieras sido, oviera sido, oviéramos sido. 20
Como oviera avido, ovieras avido, oviera avido, oviéramos avido[4].

EN EL MESMO TIEMPO, POR RODEO, EN OTRA MANERA:

Como oviesse amado, oviesses amado, oviesse amado[2], *oviéssemos amado*[2]. 25
Como oviesse leído, oviesses leído, oviesse leído, oviéssemos leído.
Como oviesse oído, oviesses oído, oviesse oído, oviéssemos oído. /[fol. 61 r.].

1 En la edición original, *ama.*
2 En la edición original, *am.*
3 En la edición original, *ovieremos.*
4 En la edición original, por error, se repite el paradigma *avría amado, avrías amado,* etc., tal como se enunció más arriba.

Como oviesse ido, oviesses ido, oviesse ido, oviéssemos ido.
Como oviesse sido, oviesses sido, oviesse sido, oviéssemos sido.
Como oviesse avido, oviesses avido, oviesse avido, oviéssemos avido[1].

5

En el tiempo venidero:

Como amare, amares, amare, amáremos, amáredes, amaren.
Como leiere[2]*, leieres, leiere, leiéremos, leiéredes, leieren.*
Como oiere, oieres, oiere, oiéremos, oiéredes, oieren.
10 *Como fuere, fueres, fuere, fuéremos, fuéredes, fueren.*
Como fuere, fueres, fuere, fuéremos, fuéredes, fueren.
Como oviere, ovieres, oviere, oviéremos, oviéredes, ovieren.

En el tiempo passado, por rodeo:

Como aia amado, aias amado, aia amado, aiamos amado.
15 *Como aia leído, aias leído, aia leído, aiamos leído.*
Como aia oído, aias oído, aia oído, aiamos oído.
Como aia ido, aias ido, aia ido, aiamos ido.
Como aia sido, aias sido, aia sido, aiamos sido, aiais sido.
Como aia avido, aias avido, aia avido, aiamos avido, aiais
20 *avido.*

En el mesmo tiempo, por rodeo, en otra manera:

Como avré amado, avrás amado, avrá amado, avremos amado.
Como avré leído, avrás leído, avrá leído, avremos leído.
25 *Como avré oído, avrás oído, avrá oído, avremos oído.*
Como avré ido, avrás ido, avrá ido, avremos ido .
Como avré sido, avrás sido, avrá sido, avremos sido.
Como avré avido, avrás avido, avrá avido, avremos avido.

En el mesmo tiempo, por rodeo, en otra manera:

30 *Como oviere amado, ovieres amado, oviere amado*[3]*, oviéremos amado*[4].

---

[1] En la edición original, *ido.*
[2] En la edición original, *leire.*
[3] En la edición original, *aviere ama.*
[4] En la edición original, *am.*

Como oviere leído, ovieres leído, oviere leído, oviéremos leído.

Como oviere oído, ovieres oído, oviere oído, oviéremos oído.

Como oviere ido, ovieres ido, oviere ido, oviéremos ido.

Como oviere sido, ovieres sido, oviere sido, oviéremos sido. **5**

Como oviere avido, ovieres avido, oviere avido, oviéremos avido.

En el infinitivo

En el presente:

Amar, leer, oír, ir, ser, aver. **10**

En el passado, por rodeo:

[fol. 61 v.] *Aver amado, aver leído, aver oído, aver ido, aver sido, aver avido.*

En el venidero, por rodeo:

Aver de amar, de leer, de oír, de ir, de ser, de aver. **15**

Los gerundios:

Amando, leiendo, oiendo, iendo, siendo, aviendo.

Los participios:

Amado, leído, oído, ido, sido, avido.

Los nombres participiales infinitos: **20**

Amado, leído, oído, ido, sido, avido.

CAPÍTULO[1] V

DE LA FORMACIÓN DEL VERBO: REGLAS GENERALES

La maior dificultad de la gramática, no sola mente castellana, más aún griega ꝛ latina, ꝛ de otro cualquier lenguaje que se oviesse de reduzir en artificio, está en la conjugación del verbo, ꝛ en cómo se podrá traer por todos los modos, tiempos, números ꝛ personas. Para instrución de lo cual es menester primera mente que pongamos alguna cosa firme de donde demostremos toda la diversidad que puede acontecer en el verbo. I pareció nos que éste principal mente devía ser el presente del infinitivo, al cual otros llamaron nombre infinito. Lo primero, por que éste tiene maior proporción ꝛ conformidad con toda la conjugación; después, por que lo primero que del verbo se ofrece a los que de otra lengua vienen a deprender la nuestra, es el presente del infinitivo; lo tercero, por que, como diximos, deste mesmo tiempo se toma la diversidad de las tres conjugaciones que tiene el castellano.

Para el segundo fundamento de la conjugación pornemos la primera persona del singular del presente del indicativo, la cual podemos llamar primera posición del verbo, assí como la primera posición del nombre es el nominativo[2]. Estos dos fundamentos assí presupuestos, daremos primera mente algunas re-

[1] En la edición original, *capi.*
[2] En la edición original, *indicativo.*

glas generales de la formación [1], las cuales / [fol. 62 r.] limitaremos después en sus proprios lugares.

La primera regla sea que muchos verbos de los que tienen esta letra *e* en la penúltima sílaba del presente del infinitivo, la buelven en *ie,* diphthongo, ꝛ algunas vezes en *i,* en ciertos lugares; como de perder, *pierdo.* 5

La segunda regla sea que los verbos de la tercera conjugación que tienen *e* en la penúltima sílaba del presente del infinitivo ꝛ la buelven en *i* en la primera posición del verbo, cuando en la conjugación se sigue otra *i,* bolvemos la *i* primera en *e;* 10 como de pedir, *pido, pedimos.*

La tercera regla sea que muchos verbos de los que tienen esta letra *o* en la penúltima sílaba del presente del infinitivo, la buelven en *ue,* sueltas ꝛ cogidas en una sílaba por diphthongo, ꝛ algunas vezes en esta letra *u.* 15

La cuarta regla sea que todos los verbos de la primera conjugación que acaban en *co* o en *go* la primera posición, cuando conjugando se sigue esta letra *e,* en lugar de la *c* ponemos *qu,* ꝛ en lugar de la *g, gu;* como *peco, pequé, ruego, rogué.*

La quinta regla sea que todos los verbos de la segunda con- 20 jugación que acaban en *co* ꝛ tienen *z* ante la *co,* cuando por razón de la conjugación la *o* final se muda en *e* o en *i,* echamos fuera la *z;* como *crezco, creces, crecí.*

La sesta regla sea que todos los verbos de la segunda [2] conjugación que acaban en *go,* pierden la *g* en todos los otros luga- 25 res, salvo en aquellos tiempos que se forman del presente del indicativo; como *vengo, venía, vine.*

1 Hay que entender «de la formación del verbo».
2 Habría que interpretar la tercera conjugación, dado el ejemplo de *venir.*

CAPÍTULO VI

DE LA FORMACIÓN DEL INDICATIVO

La primera persona del singular del presente del indicativo acaba en *o* en cualquier de las tres conjugaciones, ꝛ forma

5 se del presente del infinitivo, mudando *ar, er, ir,* en *o,* como de amar, enseñar, *amo, enseño;* de leer, correr, *leo, corro;* de subir, escrivir, *subo, escrivo.* Sacan se dos verbos, los cua- / [folio 62 v.] les solos echaron esta persona en *e:* saber, *sé;* aver, *e, as;* ꝛ los verbos de una sílaba, que, por ser tan cortos,

10 algunas vezes por hermosura añadimos *i* sobre la *o,* como diziendo *do, doi, vo, voi, so, soi, sto, stoi.* Pero todos los verbos de la segunda ꝛ tercera conjugación que acaban en *go,* no siguen la proporción del infinitivo, mas antes salen en otra manera mui diversa, como de traer, *traigo, traes;* de tener, *tengo,*

15 *tienes;* de poner, *pongo, pones;* de hazer, *hago, hazes;* de valer, *valgo, vales;* de[1] iazer, *iago, iazes;* de dezir, *digo, dizes;* de venir, *vengo, vienes;* de salir, *salgo sales.* Este verbo *sigo*[2], *sigues, seguir,* sigue la proporción regular de los otros. *Finjo* ꝛ *rijo* ꝛ los otros desta manera, derecha mente salen de *fingir* ꝛ

20 *regir,* sino que por la falta de las letras que diximos en otro lugar, la *i* consonante ꝛ la *g* se corrompen algunas vezes la una en la otra, como la *c* en la *qu* ꝛ la *g, gu.* Esso mesmo, los ver-

---

[1] En la edición original, *o.*
[2] En la edición original, *siguo.*

bos de la tercera[1] conjugación que tienen vocal ante de la *ir* en el presente del infinitivo, forman la primera persona del presente del indicativo, mudando la *r* final en *o,* como de embair, *embaio;* de oír, *oio;* de huir, *huio.* Pero los que tienen *e* ante de la *ir,* perdieron la *e* ⁊ retuvieron la *i,* como de reír, *río;* de freír, *frío;* de desleír, *deslío.* Los verbos de la segunda conjugación que acabaron el presente del infinitivo en *ecer,* como diximos, forman la primera posición del verbo recibiendo *z* ante de la *c,* como de obedecer, *obedezco;* de crecer, *crezco;* de agradecer, *agradezco.* I esto abasta para formar del infinitivo la primera posición del verbo, cuanto a la última sílaba. La penúltima, como diximos en la primera ⁊ segunda regla, muchas vezes se buelve de *e* en *ie,* como de pensar, *pienso;* de perder, *pierdo;* de sentir, *siento.* Muchas vezes se buelve la *e* en *i* en los verbos de la tercera conjugación, / [fol. 63 r.] como de pedir, *pido;* de vestir, *visto;* de gemir, *gimo.* Esso mesmo se buelve en este lugar la *o* en *ue* diphthongo, como de trocar, *trueco*[2]; de poder, *puedo;* de morir, *muero.* Buélvese algunas vezes la *o* en *u,* como de mollir, *mullo;* de polir, *pulo;* de sofrir, *sufro;* ⁊ la *u* en *ue* diphthongo, como de jugar, *juego.* Todas las otras personas deste tiempo siguen la proporción de aquellos tres verbos que pusimos arriba por muestra de la conjugación regular. Mas avemos aquí de mirar que los verbos que mudaron la *e* en *ie* diphthongo o en *i,* ⁊ los que mudaron la *o* en *ue* diphthongo o en *u,* siguen la primera persona en la segunda ⁊ en la tercera persona del singular, ⁊ en la tercera del plural; mas en la primera ⁊ segunda persona del plural siguen la razón del infinitivo, como de pensar, *pienso, piensas, piensa, pensamos, pensáis, piensan;* de perder, *pierdo, pierdes, pierde, perdemos, perdéis, pierden;* de sentir, *siento, sientes, siente, sentimos, sentís, sienten;* de pedir, *pido, pides, pide, pedimos, pedís, piden;* de trocar, *trueco, truecas, trueca, trocamos, trocáis, truecan,* aunque Juan de Mena, siguiendo la proporción del infinitivo, dixo en el principio de su *Labirintho:*

Estados de gentes que giras ⁊ trocas,
Tus muchas falacias, tus firmezas pocas;

[1] En la edición original, *cuarta conjugación.* Corregimos, por creer que se trata de un lapso, ya que como él mismo dice al final del Capítulo X del Libro III, «Las conjugaciones del verbo son tres... la tercera, que acaba el infinitivo en *ir*» (fol. 38 v.).
[2] En la edición original, *trucco.*

de poder, *puedo, puedes, puede, podemos, podéis, pueden;* de morir, *muero, mueres, muere, morimos, morís, mueren;* de mollir, *mullo, mulles, mulle, mollimos, mollís, mullen.* Esso mesmo avemos de notar que en la segunda persona del plural las más vezes hazemos syncopa, ꝛ por lo que avíamos de dezir *amades, leedes, oídes,* dezimos *amáis, leéis, oís.* El passado no acabado del indicativo en la primera conjugación echa la primera persona en *ava,* ꝛ forma se del presente / [fol. 63 v.] del infinitivo, mudando la *r* final en *va,* como de amar, *amava;* de enseñar, *enseñava.* En la segunda, mudando la er final en *ia,* como de leer, *leía;* de correr, *corría.* En la tercera, mudando la *r* final en *a,* como de oír, *oía;* de sentir, *sentía.* Sacan se dos irregulares: ser, *era;* ir, *iva.* Todas las otras personas siguen la proporción de los verbos regulares [1].

El passado acabado del indicativo en la primera conjugación echa la primera persona en *e,* ꝛ forma se del presente del infinitivo, muando la *ar* final en *e,* como de amar, *amé;* de enseñar, *enseñé.* Sacan se andar, que haze *anduve;* ꝛ estar, que haze *estuve;* ꝛ dar, que haze *di,* el cual solo verbo de la primera conjugación salió en *i.* En la segunda conjugación echa la primera persona en *i,* ꝛ forma se del presente del infinitivo, mudando la *er* final en *i,* como de leer, *leí;* de correr, *corrí.* Sácanse algunos que salen en *e,* como de caber, *cupe;* de saber, *supe;* de poder, *pude;* de hazer, *hize;* de poner, *puse;* de tener, *tuve;* de traer, *traxe;* de querer, *quise;* de ser, *fue;* de plazer, *plugue;* de aver, *uve.* En la tercera conjugación echa la primera persona en *i,* ꝛ forma se del presente del infinitivo, quitando la *r* final, como de oír, *oí;* de huir, *huí.* Sacan se algunos que salen en *e,* como de venir, *vine;* de dezir, *dixe;* de ir, *fue.* Todas las otras personas siguen la proporción de los tres verbos regulares, sacando *anduve, anduviste, estuve, estuviste, di, diste,* los cuales siguen la proporción de los verbos de la segunda ꝛ tercia conjugación. Esso mesmo *fue, fueste,* que es passado acabado común de *ir* ꝛ *ser,* el cual solo, ni tiene *a,* como los de la primera conjugación, ni *i,* como los de la segunda ꝛ tercera. Este mesmo tiempo dize se por rodeo en dos maneras: la una, con el presente del indicativo deste verbo *e, as* ꝛ con el nombre participial infinito; la otra, con el passado / [fol. 64 r.] acabado deste mesmo verbo *e, as* ꝛ con el mesmo nombre participial infinito; ꝛ assí dezimos *io e amado, io uve amado.* El

---

[1] En la edición original, *irregulares.*

passado más que acabado dízese por rodeo del passado no acabado deste verbo *e, as* ꝛ del nombre participial infinito; ꝛ assí dezimos *io avía amado.* El venidero del indicativo dize se por rodeo del presente del infinitivo ꝛ del presente del indicativo deste verbo *e, as;* ꝛ assí dezimos *io amaré,* como si dix̃éssemos *io e de amar.* Mas avemos aquí de notar que algunas vezes hazemos cortamiento de letras o transportación dellas en este tiempo, como de saber, *sabré,* por *saberé;* de caber, *cabré,* por *caberé;* de poder, *podré,* por *poderé;* de tener, *terné,* por *teneré;* de hazer, *haré,* por *hazeré;* de querer, *querré,* por *quereré;* de valer, *valdré,* por *valeré;* de salir, *saldré,* por *saliré;* de aver, *avré,* por *averé;* de venir, *vendré,* por *veniré;* de dezir, *diré,* por *deziré;* de morir, *morré,* por *moriré.* Reciben esso mesmo cortamiento en la segunda persona del plural, como dezíamos que lo recibía el presente; ꝛ assí dezimos *amaréis vos,* por *amaredes vos.*

CAPÍTULO VII

DEL IMPERATIVO

El imperativo no tiene primera persona del singular, ⁊ forma la segunda persona del presente del singular, quitando la
5 *s* final de la segunda persona del singular del presente del indicativo, como de amas, *ama;* de lees, *lee;* de oies, *oie.* Pero algunos verbos hazen cortamiento ⁊ apócopa del fin, como éstos: pongo, pones, *pon,* por *pone;* hago, hazes, *haz,* por *haze;* tengo, tienes, *ten,* por *tiene;* valgo, vales, *val,* por *vale;* digo, dizes,
10 *di,* por *dize;* salgo, sales, *sal,* por *sale;* vengo, vienes, *ven,* por *viene.* Vo, vas, hazemos *ve,* ⁊ siguiendo la proporción, *vai,* añadiendo *i,* por la razón que diximos en la primera persona del singular / [fol. 64 v.] del presente del indicativo; y assí de so eres, *sé,* añadiendo algunas vezes *i,* por la mesma razón.
15 Las terceras personas del singular, ⁊ las primeras ⁊ terceras del plural, son semejantes a aquellas mesmas en el tiempo venidero del optativo. Las segundas personas del plural forman se mudando la *r* final del infinitivo en *d,* como de amar, *amad;* de leer, *leed;* de oír, *oíd.* Mas algunas vezes, hazemos cortamiento
20 de aquella *d,* diziendo *amá, leé, oí.*

CAPÍTULO VIII

DEL OPTATIVO

El presente del optativo en los verbos de la primera conjugación forma se del passado acabado del indicativo, mudando la *e* final en *asse,* como de amé, *amasse;* de enseñé, *enseñasse.* 5
Sacan se anduve, que haze *anduviesse;* ꝛ estuve, *estuviesse;* ꝛ di, *diesse.* Los de la segunda ꝛ tercera conjugación que acabaron el passado acabado en *i,* reciben sobre la *i, esse,* como de leí, *leiesse;* de oí, *oiesse.* Pero los que hizieron en *e,* mudan aquella *e* final en *iesse,* como de supe, *supiesse;* de dix̃e, *dix̃iesse,* o *dix̃esse,* como de fue hezimos *fuesse,* quiçá por que no se encontrasse con el presente del optativo deste verbo huio, *huiesse.* Todas las otras personas siguen la proporción de los verbos regulares. 10

El passado del optativo en la primera conjugación forma se del passado acabado del indicativo, mudando la *e* final en *ara,* como de amé, *amára;* de enseñé, *ensañára* [1]. Sácanse anduve, que haze *anduviera;* ꝛ estuve, *estuviera;* ꝛ di, *diera.* En la segunda ꝛ tercera conjugación, los que acabaron el passado acabado en *i,* reciben sobre la *i, era,* como de leí, *leiera;* de corrí, *corriera.* Pero los que hizieron en *e,* mudando aquella *e* final en *iera,* como de supe, *supiera;* de dix̃e, *dix̃iera,* o *dix̃era,* como de fue he- / [fol. 65 r.] zimos *fuera.* Todas las otras personas siguen la proporción de los verbos regulares [2]. Este mesmo tiem- 15 20

---

1 Acentuados en la edición original.
2 En la edición original, *irregulares.*

po dize se por rodeo en dos maneras: la primera, con el mesmo tiempo passado deste verbo *e, as* ⁊ el nombre participial infinito; la segunda, con el presente del mesmo optativo ⁊ el nombre participial infinito; ⁊ assí dezimos *o si oviera ⁊ oviese amado.*

5 El venidero del optativo en la primera conjugación forma se mudando la *o* final del presente del indicativo en *e,* como de amo, *áme;* de enseño, *enséñe* [1].

En la segunda ⁊ tercera conjugación, mudando la *o* final en *a,* como de leo, *lea;* de oio, *oia.* Sácanse: de sé, *sepa;* de cabo, 10 *quepa;* de so, *sea;* de e, *aia;* de plago, *plega;* de vo, *vaia.* Esso mesmo avemos aquí de mirar que los verbos de la tercera [2] conjugación, mudan la *ie* en *i,* en la primera ⁊ segunda persona del plural; ⁊ assí dezimos de sienta, *sientas, sienta, sintamos, sintáis, sientan.* Todas las otras personas siguen la proporción de los 15 verbos regulares.

---

[1] Acentuados en la edición original.
[2] En la edición original, *cuarta.* Ver nota 1, pág. 249.

CAPÍTULO IX

DEL SUBJUNCTIVO

El presente del subjunctivo en todas las cosas es semejante al futuro del optativo.

El passado no acabado del subjunctivo tiene semejança con 5 el presente del optativo en el segundo seso. Mas el primero dize se por rodeo del presente del infinitivo ɀ del passado no acabado del indicativo deste verbo *e, as,* como *amaría, leería, oiría.* Mas avemos aquí de notar que hazemos en este tiempo cortamiento o trasportación de letras en aquellos mesmos ver- 10 bos en que los hazíamos en el tiempo venidero del indicativo, como de saber, *sabría,* por *sabería;* de caber, *cabría,* por *cabería;* de poder, *podría,* por *podería;* de tener, *ternía,* por *tenería;* de hazer, *haría,* por /[fol. 65 v.] *hazería;* de querer, *querría,* por *querería;* de valer, *valdría,* por *valería;* de aver, *avría,* por 15 *avería;* de salir, *saldría,* por *saliría;* de venir, *vernía,* por *veniría;* de dezir, *diría,* por *deziría;* de morir, *morría,* por *moriría.* Reciben esso mesmo algunas vezes cortamiento desta letra *a* en la segunda persona del plural, ɀ assí dezimos *amarides,* por *amaríades; leerides,* por *leeríades; oirides,* por *oiríades.* 20

Todas las otras personas siguen la proporción de los verbos regulares.

El passado acabado del subjunctivo dize se por rodeo del presente del mesmo subjunctivo deste verbo *e, as* ɀ del nombre participial infinito, ɀ assí dezimos *como aia amado.* El passa- 25 do más que acabado del subjunctivo en todo es semejante al passado del optativo, ꝛ allende puede se dezir en otra manera, por rodeo del passado no acabado del mesmo subjunctivo deste verbo *e, as* ꝛ el nombre participial infinito, ꝛ assí dezimos *como io amara, oviera, ꝛ oviesse, ꝛ avría amado.*

El venidero del subjunctivo en los verbos de la primera conjugación forma se del passado acabado del indicativo, mudando la *e* final en *are,* como de amé, *amare;* de enseñé, *enseñare.* Saca se anduve, que haze *anduviere;* estuve, que haze *estuviere;* di, que haze *diere.* Los de la segunda ꝛ tercera conjugación, que acabaron el passado acabado en *i,* reciben *ere* sobre la *i,* como de leí, *leiere;* de oí, *oiere.* Pero los que hizieron en *e,* mudan aquella *e* en *iere,* como de supe, *supiere;* de dixe, *dixiere* o *dixere,* como de fue diximos *fuere.* La segunda persona del plural puede recebir cortamiento desta letra *e,* que por amáredes, leiéredes, oiéredes, dezimos *amardes, leierdes, oierdes.* Todas las otras personas siguen la proporción de los verbos regulares. Dize se este mesmo tiempo por rodeo en tres maneras: por el venidero del indicativo deste verbo *e, as,* ꝛ por [fol. 66 r.] el presente ꝛ venidero del mesmo subjunctivo deste verbo *e, as,* ꝛ assí dezimos: *como io amare, avré amado, aia amado, oviere amado.*

CAPÍTULO X

DEL INFINITIVO

Assí como del infinitivo formávamos la primera posición del verbo, assí agora, por el contrario, de la primera posición del verbo enseñemos a formar el infinitivo. Assí que en la primera conjugación forma se de la primera persona del singular del presente del indicativo, mudando la *o* final en *ar;* en la segunda, la *o* final en *er;* en la tercera, la *o* final en *ir,* como de amo, *amar;* de leo, *leer;* de abro, *abrir.* Pero esta regla a se de limitar, haziendo excepción de los verbos que sacamos cuando dávamos regla de formar el presente del indicativo.

El passado del infinitivo dize se por rodeo del presente del mesmo infinitivo deste verbo *e, as,* ꝛ del nombre participial infinitivo, ꝛ assí dezimos: *aver amado, aver leído, aver oído.*

El venidero del infinitivo [1] dize se por rodeo de algún verbo que signifique esperança o deliberación ꝛ del presente del mesmo infinitivo [2], ꝛ assí dezimos: *espero amar, pienso leer, entiendo oír.*

---

[1] En la edición original, *infinito.*

[2] En la edición original, *y del nombre participial infinito.* Corregimos basándonos en los ejemplos y en lo que dice al final del Capítulo XI del Libro III (fol. 39 v.) sobre este mismo punto.

CAPÍTULO XI

DEL GERUNDIO, PARTICIPIO, ꝛ NOMBRE PARTICIPIAL INFINITO [1]

El gerundio, en la primera conjugación forma se del presente del infinitivo, mudando la *r* final en *n* ꝛ añadiendo *do,* como de amar, *amando;* de enseñar, *enseñando.* En la segunda conjugación, mudando la *er* final en *iendo,* como de leer, *leiendo;* de correr, *corriendo.* En la tercera conjugación, mudando la *r* final en *endo,* como de oír, *oiendo;* de sentir, *sentiendo.* El participio del presente forma se en la primera conjugación, mudando la *r* final en *n,* ꝛ añadiendo *te,* como de amar, *amante;* de enseñar, *enseñante.* En la se-/[fol. 66 v.] gunda conjugación, mudando la *er* final en *iente,* como de leer, *leiente;* de correr, *corriente.* En la tercera, mudando la *r* final en *iente,* como de oír, *oiente;* de bivir, *biviente.*

El participio del tiempo passado en la primera ꝛ tercera [2] conjugación forma se del presente del infinitivo, mudando la *r* final en *do,* como de amar, *amado;* de oír, *oído.* En la segunda conjugación, mudando la *er* final en *ido,* como de leer, *leído;* de correr, *corrido.*

El participio del tiempo venidero, en todas las conjugaciones forma se del presente del infinitivo, mudando la *r* final en *dero,* como de passar, *passadero,* de hazer, *hazedero;* de venir, *venidero.*

---

[1] En la edición original, *nombre infinito.* Corregimos basándonos en el Capítulo XIIII del Libro III, fols. 41 r. y v.

[2] En la edición original, *segunda.*

El nombre participial infinito es semejante al participio del tiempo passado substantivado en esta terminación *do,* sino que no tiene géneros, ni números, ni casos, ni personas. Pero pocos verbos echan el participio del tiempo passado ⁊ el nombre participial infinito en otra manera, como de poner, *puesto;* de hazer, *hecho;* de dezir, *dicho;* de morir, *muerto;* de veer, *visto,* aunque su compuesto *proveer* no hizo *provisto,* sino *proveído,* de escrivir, *escripto.* 5

DEO GRACIAS

Acabóse este tratado de Grammática, que nueva mente hizo el maestro Antonio de Lebrixa sobre la lengua castellana, en el año del Salvador de mil ⁊ cccc xcii, a xviii de agosto. Empresso en la mui noble ciudad de Salamanca.

VOLÚMENES PUBLICADOS

1. DESCARTES: *Tratado del hombre.* Edición preparada por Guillermo Quintás.
2. CONDORCET: *Bosquejo de un cuadro histórico de los progresos del espíritu humano.* Edición preparada por Antonio Torres del Moral.
3. NEBRIJA: *Gramática de la Lengua Castellana.* Edición preparada por Antonio Quilis.
4. IBN BATTUTA: *A través del Islam.* Edición preparada por Serafín Fanjul y Federico Arbós.